LES NOUVELLES RELATIONS
INTERNATIONALES
Pratiques et théories

Références ences
inédites

LES NOUVELLES RELATIONS
INTERNATIONALES
Pratiques et théories

sous la direction de
Marie-Claude
Smouts

PRESSES DE SCIENCES PO

Catalogage Électre-Bibliographie (avec le concours des Services de documentation de la FNSP)

Smouts, Marie-Claude (dir.)
Les nouvelles relations internationales. – Paris : Presses de Sciences Po, 1998. – (Références inédites)
ISBN 2-7246-0755-4

RAMEAU :	relations internationales : recherche politique mondiale : 1989-....
DEWEY :	327.1 : Relations internationales. Généralités
Public concerné :	Public intéressé

Le photocopillage tue le livre

Couverture : Emmanuel Le Ngoc

© 1998. PRESSES DE LA FONDATION NATIONALE
DES SCIENCES POLITIQUES

Ont contribué à cet ouvrage

Bertrand BADIE, professeur des Universités à l'IEP de Paris, associé au CERI

Didier BIGO, maître de conférences à l'IEP de Paris, associé au CERI

Samy COHEN, chercheur au CERI (FNSP)

Ariel COLONOMOS, chercheur au CNRS (CERI)

Jean COUSSY, maître de conférences à l'EHSS, associé au CERI

Alain DIECKHOFF, chercheur au CNRS (CERI)

Pierre HASSNER, chercheur au CERI (FNSP)

Christophe JAFFRELOT, chercheur au CNRS (CERI)

Zaki LAÏDI, chercheur au CNRS (CERI)

Anne-Marie LE GLOANNEC, chercheur au CERI (FNSP)

Christian LEQUESNE, chercheur au CERI (FNSP)

Karoline POSTEL-VINAY, chercheur au CERI (FNSP)

Ghassan SALAMÉ, chercheur au CNRS (CERI)

Javier SANTISO, chercheur au CERI (FNSP)

Marie-Claude SMOUTS, chercheur au CNRS (CERI)

Table des matières

TROISIÈME PARTIE
LES NOUVELLES PROBLÉMATIQUES DE LA GUERRE ET DE LA PAIX

La mutation d'une discipline

Déplorer la faiblesse des théories de relations internationales et leur retard permanent sur les événements
est un passe-temps répandu. Non seulement la discipline
n'aurait pas su prévoir la fin de la guerre froide mais,
dans un monde « privé de sens » et de repères, elle ne
pourrait qu'accompagner la dilution de son objet, aspiré
d'en haut par la mondialisation et déchiqueté d'en bas
par les particularismes, situation pour le moins incon-
fortable, on en conviendra. Les relations internationales
n'ont jamais eu de contours définis et les spécialistes qui
s'en réclament ne sont jamais parvenus à se mettre
d'accord sur ce qu'il convenait d'étudier. Cela nuit à leur
crédit face à des disciplines mieux établies comme le
droit, l'histoire ou l'économie. De plus, elles se
confondent souvent avec ce qu'en font une poignée
d'universitaires ayant le vent en poupe à un moment
donné aux États-Unis. Jusque dans une période récente,
les débats « inter-paradigmatiques » ont eu tendance à
évoluer au rythme des préoccupations de la superpuissance américaine, des modes et des stratégies de carrière
sur les campus. Ainsi, les deux théories dominantes à la
fin des années quatre-vingt se réclamaient l'une du néo-

réalisme, l'autre du néo-institutionnalisme. La première exaltait les mérites du bipolarisme construit sur la force et la puissance (le meilleur système pour la paix et la stabilité selon Waltz [45], chap. 8) et affirmait avec Gilpin qu'aucun changement majeur n'interviendrait dans le système international sans une guerre [23]. La seconde s'attachait à mettre en évidence des procédures de coopération fonctionnelle, baptisées « régimes », dans une atmosphère « aseptisée, conciliante ou paternaliste » [25] peu adaptée à la lecture du drame en train de se jouer. Ni l'une ni l'autre de ces approches n'incitait à prêter attention aux dynamiques internes qui allaient s'avérer décisives dans la dissolution du bloc communiste et la fin de l'ordre bipolaire. Le grand politiste, Karl Deutsch, était bien loin qui avait prophétisé, dès 1953, « un effondrement des sociétés communistes de l'Europe de l'Est dans les années soixante-dix et quatre-vingt en raison de leurs tensions et contradictions intrinsèques [1] ! »

Ces deux travers de la discipline – imprécision de l'objet et poids de l'américano-centrisme – sont connus de longue date. Ils ne doivent pas masquer l'essentiel. Malgré toutes ses difficultés, la discipline des relations internationales a considérablement progressé depuis cinquante ans. Non seulement elle s'est enrichie dans ces dernières années, mais elle est abordée différemment et se trouve en profond renouvellement. Certes, elle ne permet pas de prévoir à coup sûr l'avenir. Le trop grand nombre de variables à prendre en considération sera toujours un obstacle à sa définition comme « science ». Mais, pour qui veut s'en servir, elle offre un *corpus,* des problématiques, des concepts organisateurs permettant

---

1. Article intitulé « Cracks in the Monolith : Possibilities and Patterns of Disintegration in Totalitarian Systems », cité par Philip Everts [17, p. 65].

de comprendre et d'expliquer les nouvelles configurations d'acteurs et, par là, de saisir les grandes tendances du monde.

L'objectif de cet ouvrage est de présenter de façon aussi claire et pédagogique que possible l'essentiel de ce savoir accumulé et de l'appliquer aux grandes questions d'aujourd'hui. Il ne fait pas la glose des différentes écoles et des principaux auteurs ; pour cela, les manuels en langue anglaise abondent et l'on ne saurait faire mieux [1]. Il vise à retracer les grandes évolutions de la scène internationale, à montrer avec quels outils conceptuels les problèmes de l'heure sont appréhendés et peuvent être analysés. L'approche choisie n'est pas indifférente. Les auteurs ici réunis représentent trois générations d'internationalistes travaillant dans le cadre du CERI [2], un centre de recherche en science politique dans lequel la coupure disciplinaire n'a jamais existé entre relations internationales et aires culturelles (*area studies*), systèmes politiques internes et sociologie de l'international. L'habitude de travailler ensemble sur des projets croisant en permanence les différents espaces et les différentes dimensions du politique a favorisé une vision commune de la discipline qui permet de trancher tout naturellement un certain nombre de questions récurrentes dans l'analyse des relations internationales. Celle de l'objet, tout d'abord. Pour les auteurs de ce livre,

---

1. Parmi les nombreux manuels d'introduction à la théorie des relations internationales en langue anglaise, on retiendra comme particulièrement utiles : Dougherty et Pfaltzgraff [15], Groom et Light [24], Olson et Groom [35] et, pour les lecteurs plus avancés, Booth et Smith [5]. Le seul manuel comparable en langue française est celui de Korany [30], ancien mais de qualité et toujours très utile. On trouvera dans Braillard et Djalili [6] et dans J.-J. Roche [37] une initiation aux principales approches.

2. Centre d'études et de recherches internationales de la Fondation nationale des sciences politiques.

l'objet des relations internationales est le fonctionnement de la planète ou, pour être plus précis, la structuration de l'espace mondial par des réseaux d'interactions sociales. Ce choix primordial résout de lui-même la sempiternelle question du niveau d'analyse posée depuis des décennies [1] : quelles sont les unités d'analyse à retenir ? les individus ? les administrations ? les États-nations ? les forces transnationales ? les organisations non gouvernementales ? le système international ?... Le difficile problème des relations entre les unités et les structures [2] n'est pas esquivé mais il est posé autrement, de façon dynamique, en termes de trajectoires, de transferts et d'interpénétrations. De la capacité explicative du jeu d'interactions considéré découlera le choix des acteurs étudiés, et non l'inverse (Colonomos). La démarche est clairement sociologique et comporte une part de constructivisme si l'on entend par là que la société mondiale et ses différentes composantes se construisent mutuellement et que les relations internationales n'existent pas seulement par le contenu, les processus et les effets des interactions mais aussi par le regard qui est porté sur elles (Santiso, Bigo). Elle amène à voir les enchaînements plutôt que les ruptures, ce qui conduit à relativiser l'impact de la fin de la guerre froide sur l'évolution du système international (Laïdi, Bigo, Salamé) mais aussi à se demander *a contrario :* peut-il y avoir une stratégie là où il n'y a plus d'interaction ? (Le Gloannec).

---

1. Exposée dans un article fameux de David Singer [41]. Sur la façon dont la question est envisagée à l'heure actuelle, voir Barry Buzan, « The Level of Analysis Problem in International Relations Reconsidered », dans Booth et Smith ([5], p. 198-216).
2. Giddens, Wendt, Carlsnaes.

Les débats inachevés

La floraison des « néo... » et des « post-... » dans les analyses de relations internationales pourrait donner raison à ceux qui ne manquent pas d'affirmer qu'il n'y a jamais rien de nouveau sous le soleil et que tout a été dit, par eux de préférence, depuis longtemps. Mais plutôt que d'essayer de faire entrer les situations nouvelles dans les schémas anciens, il nous a paru plus intéressant d'aborder de front les nouveaux paradigmes et de les confronter aux réalités du moment, sans négliger l'histoire des idées ni la part des filiations intellectuelles. Les relations internationales, en effet, se sont construites par ajouts successifs plus que par avancées décisives. Les grands paradigmes – c'est-à-dire les principes généraux à partir desquels travaillent les spécialistes – sont les paradigmes autour desquels se retrouve une partie influente de la communauté scientifique à un moment donné, non pas un ensemble de propositions ayant recueilli l'unanimité. À la différence d'autres disciplines, les relations internationales n'ont jamais vu se clore aucun débat né en leur sein.

Ainsi voit-on le débat commencé à l'époque de la deuxième guerre mondiale entre « réalistes » et « idéalistes » (Smouts) rebondir périodiquement. Aux « néoréalistes » apparus dans la décennie soixante-dix s'opposent à présent les « néo-idéalistes » [28]. Les premiers persistent à faire de l'État l'acteur essentiel des relations internationales, et de la puissance le facteur structurant du système mondial [45]. Ils considèrent toujours que la compétition est l'essence même des rapports internationaux, et que rien n'a changé dans la façon dont les États poursuivent leurs objectifs depuis le XIVe siècle [33]. Les seconds mettent l'accent sur ce qui permet aux acteurs collectifs de coopérer à travers les frontières et sur les

15

nouvelles formes de « gouvernance ». À ce premier clivage entre internationalistes, s'ajoute la division née de l'offensive très rude déclenchée dans les années cinquante par les « behavioristes » quantitativistes contre les « traditionalistes » [47]. L'arrivée d'une nouvelle génération dans le monde académique coïncidait alors avec l'avènement des ordinateurs. Grâce aux ressources de l'informatique, il devenait possible d'utiliser les outils mathématiques et les méthodes des sciences exactes, en remplaçant le laboratoire par la simulation sur ordinateur, et l'on pouvait prétendre hausser, enfin, les relations internationales au rang de véritable science [42]. Les « traditionalistes » proches de l'« école anglaise » [10] et ceux qui jugeaient, avec Raymond Aron, que la multiplicité des objectifs simultanément poursuivis rendait l'indétermination des acteurs trop importante pour que soit possible une vraie théorie, avec prémisses, hypothèses et lois (Hoffmann, Hassner), ceux-là étaient taxés de positivistes attardés, incapables de faire de la Science. La querelle déchirait les départements et ne s'apaisa dans une sorte de coexistence pacifique que vers la fin des années soixante-dix. On la voit aujourd'hui repartir de plus belle. La raréfaction des ressources financières n'est probablement pas étrangère au besoin de truffer les démonstrations de courbes et d'équations. L'emploi de formules mathématiques et de techniques sophistiquées serait un gage de sérieux scientifique. Mais il y a plus et plus intéressant. Au-delà de la compétition féroce pour obtenir des postes et des crédits, une véritable question de philosophie des sciences se pose, toujours la même depuis cinquante ans : peut-on étudier le comportement des acteurs internationaux de façon à faire apparaître des régularités et à dégager des lois permettant d'interpréter et, surtout, de prévoir ? L'enjeu épistémologique va bien au-delà de la définition d'une méthode appropriée. C'est toute la question de la rationalité et de l'objectivité qui est posée [1]. Le sujet est actuellement relancé, de façon parfois caricaturale, par les plus extrêmes des auteurs post-modernes pour qui, de toute façon, tout n'est que construction sociale, discours, textes à découvrir, sous-textes à déconstruire [2] [3, 14]. La controverse alimente ce que Lapid a appelé le « troisième débat [3] ».

Le mouvement behavioriste ne doit pas être entièrement confondu avec l'approche quantitativiste. L'étude du comportement des acteurs est un choix d'objet. L'approche quantitative est un choix de méthode [4]. Si cette dernière n'a pas rempli tous les espoirs placés en elle, en revanche, le fait de mettre l'accent sur les études de comportement a fait considérablement progresser la connaissance des relations internationales. Cette première brèche dans l'analyse stato-centrée, jusque-là exclusive, a cassé l'image de l'État comme acteur unitaire rationnel pour faire apparaître le poids des administrations, le rôle des représentations, l'influence des facteurs psychologiques dans la conduite des politiques extérieures (Cohen). L'approche behavioriste a aussi permis de faire entrer les acquis d'autres disciplines dans l'analyse des relations internationales : la théorie des systèmes pour l'étude du système interétatique (Kaplan),

---

1. On trouvera un bon exposé des termes du débat dans le livre profond (mais un peu difficile) de Hollis et Smith [27] et des références bibliographiques dans le chapitre 14, « The Epistemology of International Relations » par Nicholson et Bennett dans Groom et Light [24].
2. Pour une critique en règle de ce type de post-modernisme, voir Pauline Rosenau [40].
3. Y. Lapid, « The Third Debate : on the Prospects of International Theory in a Post-positivist Era », *International Studies Quarterly*, 33 (3), 1989, p. 235-254.
4. Sur l'utilité des méthodes quantitatives, voir Merle ([34], p. 104-118).

la sociologie des organisations pour l'étude de la prise de décision en politique étrangère (Allison, Halperin), la psychologie pour les pathologies de la cognition (Jervis, Janis), l'anthropologie politique et la sociologie des mouvements sociaux pour les relations transnationales et pour l'articulation des dimensions interne/externe (local/ global) de la politique internationale (thèmes explorés aujourd'hui par les revues *Millenium* en Grande-Bretagne et *Cultures et conflits* en France). Bref, ce mouvement a contribué à faire prendre conscience du fait que les relations internationales étaient faites par des êtres humains et non par des entités abstraites.

L'« école anglaise » a, de son côté, contesté très tôt les postulats réalistes et proposé une vision plus nuancée du système international [1]. Pour ses auteurs (fort différents, d'origine roumaine ou australienne, et n'ayant en commun que le fait d'écrire ou d'enseigner en Angleterre), les rivalités de puissance n'excluent pas des institutions communes, s'agissant notamment de la gestion fonctionnelle de domaines d'intérêt collectif (Mitrany). L'anarchie se trouve tempérée par des règles. Au nom de l'intérêt bien compris, elle porte en elle-même des possibilités d'ordre et l'on peut parler de « société des États » ou « société internationale ». Selon Bull, cet ordre international repose sur cinq institutions : l'équilibre de la puissance, le droit international, la diplomatie, la guerre (dans la mesure où l'usage de la force obéit à des règles préétablies et sert des buts collectifs), le club des grandes puissances. Cette démarche, on le voit, reste encore stato-centrée. John Burton va plus loin et propose un modèle en forme de toiles d'araignée (*cobweb*) tissées

---

1. Pour une réflexion sur ces thèmes et sur la fameuse distinction entre les trois visions respectivement inspirées de Hobbes, Grotius et Kant, voir Pierre Hassner (« La guerre et la paix », [26], p. 23-61).

des innombrables flux commerciaux, mouvements de population, échanges culturels, relations entre villes ou villages, interactions sociales entre communautés. Les unes sont plus solides que d'autres, plus concentrées et serrées dans certains endroits, plus lâches et plus étendues dans d'autres. La superposition de ces millions de toiles d'araignée couvrant la surface du globe composerait la carte de la « Société mondiale » [7].

La notion de société peut-elle s'appliquer à un ensemble aussi conflictuel et disparate ? Les travaux du sociologue et historien Michael Mann donnent des arguments à ceux qu'une telle idée ne choque pas [1]. Dans sa monumentale histoire du pouvoir, il récuse la vision de la société comme un tout unitaire et sans problème, et la définit comme de « multiples réseaux organisés de pouvoir et d'interactions qui se chevauchent et s'entrecroisent : l'histoire et la structure des sociétés s'expriment en termes d'interrelations entre les quatre sources du pouvoir social : idéologique, économique, militaire et politique » ([32], p. 1-3). (Les dimensions de la puissance « déterritorialisée » définies par Susan Strange [43] ne sont pas très différentes.)

Aux États-Unis, Keohane et Nye furent les premiers qui osèrent carrément rejeter le paradigme stato-centré, « inadapté à l'étude du changement de la politique mondiale », pour proposer leur propre paradigme de « politique mondiale » (*world politics paradigm*). Leur premier ouvrage, *Transnational Relations and World Politics*, démontre l'émergence d'acteurs transnationaux autonomes menant leurs propres politiques étrangères et pouvant délibérément s'opposer ou mettre des obstacles aux politiques conduites par les États [29].

---

1. Pour une présentation plus approfondie de l'approche en termes de « société mondiale », voir Olson et Groom ([35], chap. 9).

L'ensemble des courants envisageant le monde comme un ensemble de relations multicentrées dans lesquelles les acteurs non étatiques occupent une place importante compose le « paradigme pluraliste ».

Selon Michael Banks, dont la catégorisation est devenue la vulgate de toute présentation des théories de relations internationales, après le « paradigme réaliste » qui s'intéresse aux États, à la puissance, à la compétition et à la guerre, après le « paradigme pluraliste » qui s'intéresse à la coopération et aux interactions entre acteurs publics et privés de la société mondiale viendrait un troisième paradigme, le « paradigme structuraliste » [4]. De façon très abusive, toutes les approches mettant en cause les structures de l'ordre établi sont placées dans cette catégorie : les écoles de la dépendance des années soixante et soixante-dix [1] ; la *Peace Research* lancée par Galtung au milieu des années soixante ; les travaux de Robert Cox dans les dernières décennies. Les deux premières ont apporté un point de vue hétérodoxe, largement teinté de néo-marxisme, en proclamant que la différence entre les États n'était pas une différence de ressources et de capacité comme le soutenaient les réalistes mais que la structure même de l'échange international traduisait un impérialisme porteur d'inégalité et source de violence [19]. Leur grand apport fut de faire éclater les limites spatiales du système international, jusque-là borné par les frontières interétatiques et les considérations géostratégiques bipolaires, en soulignant les effets politiques et sociaux des processus de production et de la division internationale du travail à l'échelle planétaire. Elles ont aussi fait éclater les limites tempo-

---

1. Furtado, Cardoso, Faletto, Samir Amin, Gunder Frank, Wallerstein qui se dit l'héritier de ces écoles. Pour une présentation de cette démarche, voir Coussy [13].

relles en montrant qu'un système global s'était mis en place dès la naissance du capitalisme [44], voire dès l'Antiquité et dès le passage au mode de production féodal [1, 2]. Actuellement, les travaux de Stephen Gill s'inscrivent dans cette perspective et cherchent dans la longue durée les différentes phases d'un ordre global façonné par les forces sociales elles-mêmes structurées par les rapports du capital et du travail dans l'économie mondiale [21, 22].

Dans le courant contemporain de théorie critique, Robert Cox reste l'un des plus novateurs. On lui doit notamment d'avoir introduit la pensée gramscienne dans les relations internationales [1], d'avoir précisé la notion de structure hégémonique et d'avoir contribué au renouveau des études sur le multilatéralisme en y incluant les groupes sociaux et les diverses composantes de la société civile (Smouts).

Dès la fin des années soixante-dix, les termes du débat entre ces trois paradigmes étaient donc posés, dont Olson et Groom ont fait remarquer qu'ils étaient déjà là au XIXᵉ siècle. Pendant toute une décennie, la discipline parut stagner, enfermée dans trois logiques parallèles ne débouchant sur rien de bien neuf.

L'apparition d'un « quatrième débat », très en vogue dans les années quatre-vingt-dix, n'a pas vraiment renouvelé les arguments. Son principal intérêt est de les résumer tous, sous une forme plus contemporaine. La querelle, cette fois, oppose les tenants de l'approche en termes de « choix rationnel » (*rational choice*) qui ont dominé la discipline dans les années quatre-vingt et

---

1. Il est intéressant de noter qu'à peu près dans le même temps, Jean-François Bayart relisait aussi Gramsci et utilisait la notion de « bloc historique » pour analyser le fonctionnement de l'État en Afrique.

triomphé à partir de la théorie des régimes (Smouts) et tous les autres, classés pêle-mêle dans la catégorie attrape-tout des « constructivistes », où l'on range tout à la fois les post-modernes déconstructeurs par principe et ceux qui, timidement, font valoir que la recherche du choix optimal et la rationalité des jeux de coopération n'est peut-être pas très pertinente pour comprendre ce qui se passe au Kosovo ou dans la région des Grands Lacs, que les relations internationales sont aussi affaire de perceptions, de réinventions subjectives, d'identités imaginées et qu'elles demandent de solides études de terrain pour identifier les acteurs et décrypter leurs motivations. On aura deviné que les auteurs de cet ouvrage sont plus proches de ceux-ci que de ceux-là.

Dans un contexte intellectuel d'une morosité certaine, l'ouvrage de Susan Strange, *States and Markets* [43] puis celui de James Rosenau, *Turbulence in World Politics* [38], vinrent enfin bousculer le paysage. D'un côté, Susan Strange synthétisait de façon magistrale l'économie et la politique. Sa définition de l'Économie Politique Internationale (EPI, Coussy) est un véritable programme de recherche pour les relations internationales : « L'EPI a pour objet les arrangements sociaux, politiques et économiques affectant les systèmes mondiaux de production, d'échange et de distribution, ainsi que le mélange de valeurs qui s'y reflète. Ces arrangements ne sont pas ordonnés par la divinité, ils ne sont pas le fruit d'un hasard aveugle. Ils sont le résultat de décisions humaines prises dans le cadre d'institutions créées par des hommes et d'ensembles de règles et de pratiques construites par eux. » ([43], p. 18.) D'un autre côté, James Rosenau problématisait de façon inédite la dialectique de l'ordre et du désordre (les « turbulences ») dans la politique mondiale. Il montrait comment les grandes structures de la politique mondiale étaient transformées par ce qui se passait au niveau interne (érosion des structures d'autorité traditionnelles, déplacements de loyautés, fragmentation des collectivités, montées en puissance des sous-groupes au détriment des États) et développait la thèse d'une « bifurcation » du système international avec la « coexistence d'un système stato-centré et d'un système multi-centré aussi puissant mais plus décentralisé [1] » ([39], p. 11).

De façon significative, ces deux ouvrages furent mieux accueillis en Europe, et notamment en France, qu'aux États-Unis. Le signal donné par ces deux vétérans de la discipline était pourtant le signe avant-coureur de remises en cause profondes.

Les nouvelles perspectives

Va-t-on vers la fin des relations internationales ? La question n'est plus abstraite. Des écrits de plus en plus nombreux remplacent la formule « relations internationales » par « politique mondiale » (*global politics*), signifiant par là que le jeu du pouvoir et l'exercice de l'autorité ne se définissent plus à l'intérieur de frontières nationales et que la division traditionnelle entre États et acteurs non étatiques n'a plus de pertinence [18, 31]. La crise du paradigme fondateur de la discipline – la compétition anarchique entre États souverains territorialement organisés – a entraîné des conséquences en chaîne amenant à modifier les visions du monde et les programmes

---

1. Dans un ouvrage ultérieur, James Rosenau a exploré les différents scénarios d'ordre mondial pouvant émerger de la tension entre les phénomènes d'intégration et de fragmentation simultanément à l'œuvre. Il propose le concept de « *fragmegration* », lapalissade peu euphonique [39].

de recherche. C'est à l'exploration de ces directions nouvelles que convie cet ouvrage.

Premier constat : le système que l'on dit westphalien ne s'est pas écroulé mais il s'est transformé, l'État n'a pas disparu mais il n'a plus le même sens (Badie). La puissance classique, territoriale et politico-militaire, se voit concurrencée par des jeux informels animés par des réseaux avec lesquels l'État doit composer. Les fonctions de régulation économique sont en partie transférées à des organisations internationales, voire à des acteurs privés (Coussy). L'ère de la monopolisation de la guerre par les États, qui ne fut d'ailleurs jamais complète et ne représente qu'une longue parenthèse historique, est close, et le rapport entre violence et politique s'en trouve fondamentalement changé (Bigo). Dans ces conditions nouvelles, l'État ne peut plus être une fin en soi. Ses fonctions ne sont plus – ou en tout cas plus seulement – d'incarner une collectivité mais de servir une communauté humaine mondialisée et interdépendante. La diffusion des enjeux éthiques par des réseaux humanitaires ou écologiques plus ou moins relayés par les mouvements sociaux est là pour le rappeler (Colonomos). La théorie des relations internationales rejoint la théorie du contrat social (Badie), elle a une dimension normative et ne saurait se passer ni de la science politique ni de la philosophie politique (Hassner).

Plus que la coexistence de deux systèmes, stato-centré et multi-centré, décrite par Rosenau, c'est l'interpénétration des deux systèmes faite de concurrence et de complicité qu'il s'agit de gérer. L'analyse de la prise de décision en politique étrangère montre que les appareils d'État y sont mal préparés (Cohen). L'entreprise est d'autant plus difficile que la relativisation du principe territorial a multiplié les espaces dans lesquels peuvent s'exprimer les aspirations et les choix politiques. Le rapport entre les revendications identitaires et le territoire est particulièrement complexe. D'une part, la multiplication des espaces créés par la mondialisation (espaces de communication notamment) a pour effet d'affaiblir la relation du citoyen à l'État ; de l'autre, les revendications nationalistes poussent à la consolidation d'espaces politiques inscrits dans une réalité territoriale, la plupart du temps à réinventer (Dieckhoff, Jaffrelot).

Les constructions régionales, et l'Europe communautaire au premier chef, semblent une réponse à cette nécessité ressentie de nouveaux espaces politiques où conduire des politiques sectorielles débordant les frontières au bénéfice de sociétés de plus en plus interdépendantes, et vers lesquels les forces sociales pourraient diriger des attentes que l'État-nation n'est plus en mesure de satisfaire. L'Union européenne offre un tel exemple d'espace de « gouvernance » et de « réseaux d'action publique » avec une multiplicité d'acteurs, publics et privés, participant à la formulation et à la mise en œuvre des politiques publiques. Elle aurait pu préfigurer le mode de partenariat idéal entre États, réseaux, professions et autres acteurs sociaux. Pourtant, la dispersion croissante du pouvoir entre acteurs de plus en plus divers au sein d'instances de plus en plus nombreuses conduit à des décisions « qui peuvent paraître d'autant plus oppressives aux citoyens qu'elles ne sont pas imputables à une institution ou à une autorité clairement responsables » (Lequesne). La question de la représentation politique dans un monde multicentré reste ouverte. Elle est au cœur des réflexions sur la réforme des organisations internationales et la construction d'un « nouveau multilatéralisme » (Smouts).

Les nouvelles visions du monde sont marquées par le sentiment d'une formidable compression de l'espace et du temps (Postel-Vinay). Pour certains analystes, non seulement la coupure entre l'interne et l'externe est dépassée, mais ces deux notions mêmes semblent obsolètes. Pour penser les nouvelles relations mondiales, il faudrait envisager un au-delà de la territorialité et renverser les propositions habituelles, comme invitent à le faire les « nouveaux géographes » français : c'est l'observation des interactions qui définit l'aire de l'activité humaine et non plus le lieu donné qui définit la société. La géographie ne serait plus le cadre fixe des rapports de puissance, contrairement à ce qu'enseignait la géopolitique. Le discours géopolitique devrait être examiné afin de voir comment fonctionne le pouvoir d'imposer sa propre interprétation de l'organisation spatiale du politique. Si l'hypothèse est séduisante, le paysage de « l'au-delà territorial » reste flou. Par bien des aspects, l'attrait de la régionalisation, de nouveau en vogue après une décennie de pessimisme, tient au fait qu'elle permet de dépasser l'opposition trop rigide entre territoire et interactions et d'introduire une dimension médiane entre l'espace national et l'espace mondial.

La compression du temps n'est pas moins significative. Le concept de temps mondial aide à comprendre comment certains événements font converger des processus lourds pour produire de nouvelles façons de voir le monde (Laïdi). La problématique qui lui est attachée ranime la discussion sur l'articulation entre longue durée et événement. Elle formalise l'idée de résonance et permet de comprendre pourquoi des événements, à un moment donné, réveillent des représentations symboliques et dégagent des significations inédites accréditant l'idée d'une ère nouvelle, d'un Avant et d'un Après. La dimension sociologique du temps mondial permet de saisir, par exemple, comment deux processus, la fin de la guerre froide et l'accélération de la mondialisation, se sont « enchaînés » et « répondus » pour produire une nouvelle problématique.

La mondialisation marque-t-elle le début d'une ère post-moderne ou, comme le pense Giddens, un processus de radicalisation de la modernité ? Les auteurs de cet ouvrage restent prudents sur ce point, et probablement ne seraient-ils pas d'accord sur le diagnostic. Mais, sur un point, ils sont unanimes : ni la logique de la fragmentation ni celle de l'homogénéisation ne sont inéluctables. Et ce n'est pas le moindre des paradoxes de la mondialisation que ce double ancrage à la fois dans le marché mondial et dans les aspirations communautaires. Cette tension est particulièrement forte dans les réseaux transnationaux et joue en leur faveur (Colonomos). Situés en permanence au point de rencontre des dynamiques transnationales et des logiques locales, ils bénéficient d'une marge de manœuvre leur permettant d'« irriguer simultanément plusieurs secteurs de la vie politique, économique, sociale et culturelle » (certains mouvements religieux, certaines ONG, les compagnies multinationales). Pratiquant, tour à tour ou simultanément, le contournement de l'État ou la participation, ils introduisent des formes d'expression intermédiaires « entre conformité et déviance », ordre et désordre.

La pluralité des acteurs, la compression du temps et de l'espace favorisent la circulation des idées. Une « véritable industrie de la promotion démocratique a ainsi vu le jour », organisée autour de pôles publics et privés, nationaux et internationaux (Santiso). Que les idées jouent un rôle sur la scène internationale à l'instar des intérêts semble démontré. Mais les relations de causalité entre leur diffusion et les changements politiques intervenus, en Amérique latine ou dans l'Est de l'Europe, sont difficiles à cerner autant qu'à expliquer. Le politique a ses temporalités propres. La démocratie, en particulier, est plus centrée sur le présent que sur l'avenir, nonobstant les discours sur l'urgence et la mise sur pied de forces d'action « rapide ».

En dernier ressort, la question des régimes politiques et de la démocratie se retrouve au cœur de la réflexion. Salamé et Hassner se montrent sceptiques à l'égard de la proposition largement répandue outre-Atlantique selon laquelle la démocratie mène à la paix. Ils n'en considèrent pas moins que la faiblesse simultanée des États et des sociétés civiles recèle un potentiel totalitaire et « démocide » plus dangereux que la course aux armements et les rivalités entre États (Hassner). Face à ce danger, quelle stratégie possible ? Les stratèges de l'ère bipolaire avaient accumulé les scénarios sur des guerres virtuelles, impossibles, laissant aux anthropologues le soin de comprendre les guerres réelles (Salamé). Ils se trouvent relativement démunis à présent que la notion de risque, diffuse, dépolitisée, « incommensurable » a remplacé la notion de menace avec ce qu'elle impliquait de parité entre adversaires clairement identifiés. Les États-Unis, parfois présentés comme le « dernier empire universel », ont pris la tête d'une révolution militaire essentiellement technologique (armes conventionnelles « intelligentes » et « révolution de l'information ») destinée à mettre aux pas les États « tricheurs » (Le Gloannec). Après tout ce qui a été dit, faudrait-il s'en tenir à une lecture américaine du monde ?... Les contributions de Salamé, Bigo, Hassner montrent à l'évidence combien une telle démission serait dangereuse tant pour la compréhension du monde que pour son fonctionnement.

L'exploration des multiples éventualités offertes par ces nouvelles perspectives pose de sérieuses questions de méthode. Le nouvel agenda de recherche exposé dans cet ouvrage sort des cadres imposés par les fameux débats – premier, deuxième, troisième ou quatrième –

dans lesquels a été enfermée la théorie des relations internationales et qui, de toute façon, n'ont jamais beaucoup intéressé les internationalistes français. Il montre la nécessité d'un effort de conceptualisation empruntant tout autant à l'anthropologie politique qu'à la sociologie des mobilisations, à l'économie politique internationale qu'à la réflexion sur l'État et à la philosophie politique. La spécificité du CERI, où spécialistes d'« aires culturelles » et spécialistes de relations internationales coopèrent quotidiennement, a toujours été de combiner en permanence les différentes sciences sociales et de considérer l'absence d'autonomie des relations internationales en France non pas comme un handicap pour le développement de la discipline mais comme un atout. Mais le défi à relever est à la hauteur de l'ambition proclamée et la prochaine étape ne sera franchie qu'à partir de solides études de cas.

Marie-Claude SMOUTS

BIBLIOGRAPHIE

1. Anderson (Perry), *Passages from Antiquity to Feudalism*, Londres, New Left Books, 1974.
2. Anderson (Perry), *Lineages of the Absolutist State*, Londres, Routledge, 1974.
3. Ashley (Richard), Walker (R.B.J.) (eds), « Speaking the Language of Exile : Dissidence in International Studies », *International Studies Quarterly*, numéro spécial, 34 (3), septembre 1990.
4. Banks (Michael), « The Inter-Paradigm Debate », dans Light (Margot), Groom (A.J.R.), *International Relations. A Handbook of Current Theory*, Londres, Frances Pinter, 1985, p. 7-264.

5. Booth (Ken), Smith (Steve), *International Relations Theory Today*, Cambridge, Polity Press, 1995.
6. Braillard (Philippe), Djalili (Mahammad Reza), *Les relations internationales*, 4ᵉ éd., Paris, PUF, coll. « Que sais-je ? », 1994.
7. Burton (John), *Systems, States, Diplomacy and Rules*, Cambridge, Cambridge University Press, 1968.
8. Burton (John), *World Society*, Cambridge, Cambridge University Press, 1972.
9. Burton (John), Tarja (Väyrynen), « The End of International Relations », dans Groom (A.J.R.), Light (Margot) [24], p. 69-80.
10. Bull (Hedley), *The Anarchical Society,* Londres, Macmillan, 1977.
11. Carlsnaes (Walter), « The Agency-Structure Problem in Foreign Policy Analysis », *International Studies Quarterly*, 36 (3), 1992.
12. Cox (Robert), Sinclair (Timothy J.), *Approaches to World Order*, Cambridge, Cambridge University Press, 1996.
13. Coussy (Jean), « Extraversion économique et inégalité de puissance. Essai de bilan théorique », *Revue française de science politique,* 4-5, août-octobre 1968, p. 859-898.
14. Der Derian (James), Shapiro (Michael J.) (eds), *International/Intertextual Relations : Postmodern Readings of World Politics*, Lexington, Lexington Books, 1989.
15. Dougherty (James E.), Pfaltzgraff (Robert L.), *Contending Theories of International Relations*, New York, Harper Collins, 4ᵉ éd., 1996.
16. Dunn (Timothy), « The Social Construction of International Society », *European Journal of International Relations,* 1 (3), septembre 1995, p. 367-389.
17. Everts (Philip P.), « The Events in Eastern Europe and the Crisis in the Discipline of International Relations », dans Allan (Pierre), Goldmann (Kell) (eds), *The End of the Cold War. Evaluating Theories of International Relations,* Dordrecht, 1992, p. 55-81.
18. Ferguson (Yale H.), Mansbach (Richard W.), « Political Space and Westphalian States in a World of "Polities" :

Beyond Inside/Outside », *Global Governance,* 2 (2), mai-
août 1996, p. 261-287.

19. Galtung (Johan), « A Structural Theory of Imperialism »,
Journal of Peace Research, 13 (2), 1971.

20. Giddens (Anthony), *The Constitution of Society : An Out-
line of the Theory of Structuration,* Cambridge, Polity
Press, 1984.

21. Gill (Stephen), « Transformation and Innovation in the
Study of World Order », dans Gill (S.), Mittleman (J.),
Innovation and Transformation in International Studies,
Cambridge, Cambridge University Press, 1997, p. 5-24.

22. Gill (Stephen), Law (David), *The Global Political Economy,* Baltimore, Johns Hopkins University Press, 1988.

23. Gilpin (R.), *War and Change in World Politics,* Cambridge, Cambridge University Press, 1981.

24. Groom (A.J.R.), Light (Margot), *Contemporary International Relations. A Guide to Theory,* Londres, Pinter, 1994.

25. Hassner (Pierre), « À la recherche de la cohérence perdue :
du côté de la semi-périphérie », *Revue française de
science politique,* 30 (2), avril 1980, p. 237-261.

26. Hassner (Pierre), *La violence et la paix. De la bombe atomique au nettoyage ethnique,* Paris, Esprit, 1995,
p. 23-61.

27. Hollis (Martin), Smith (Steve), *Explaining and Understanding International Relations,* Oxford, Clarendon Press,
1990.

28. Kegley (Charles W. Jr), « The Neoidealist Moment in
International Studies ? Realist Myths and the New International Realities », *International Studies Quarterly,* 37,
juin 1993, p. 131-146.

29. Keohane (Robert), Nye (Joseph) (eds), *Transnational
Relations and World Politics,* Cambridge (Mass.), Harvard University Press, 1971.

30. Korany (Baghat) (dir.), *Analyse des relations internationales,* Montréal, Gaëtan Morin, 1987.

31. Macmillan (John), Linklater (Andrew), *Boudaries in
Question. New Directions in International Relations,*
Londres, Pinter, 1995.

32. Mann (Michael), *The Sources of Social Power, A history of Power from the Beginning to A.D. 1760*, Cambridge, Cambridge University Press, 1986.

33. Mearsheimer (John J.), « The False Promise of International Institutions », *International Security*, 19, hiver 1994-1995.

34. Merle (Marcel), *Sociologie des relations internationales*, Paris, Dalloz, 4ᵉ éd., 1988.

35. Olson (William C.), Groom (A.J.R.), *International Relations Then and Now*, Londres, Harper Collins, 1991.

36. Putnam (Robert D.), « Diplomacy and Domestic Politics : The Logic of Two-Levels Games », *International Organization*, 42, été 1988.

37. Roche (Jean-Jacques), *Théories des relations internationales*, 2ᵉ éd., Paris, Montchrestien, 1997.

38. Rosenau (James N.), *Turbulence in World Politics* : *A Theory of Change and Continuity,* Princeton, Princeton University Press, 1990.

39. Rosenau (James N.), *Along the Domestic – Foreign Frontier : Exploring Governance in a Turbulent World*, Cambridge, Cambridge University Press, 1997.

40. Rosenau (Pauline), *Postmodernism and the Social Sciences : Insights, Inroads and Intrusions*, Princeton, Princeton University Press, 1991.

41. Singer (David), « The Level-of-Analysis Problem in International Relations », dans Knorr (Klaus), Verba (Sidney) (eds), *The International System : Theoretical Essays*, Princeton, Princeton University Press, 1961.

42. Singer (David), « Vers une science de la politique internationale : perspectives, promesses et résultats », dans Korany (Baghat) (dir.), *Analyse des relations internationales*, Montréal, Gaëtan Morin, 1987, p. 267-294.

43. Strange (Susan), *States and Markets*, Londres, Pinter Publishers, 1988.

44. Wallerstein (Immanuel), *Capitalisme et économie-monde,* Paris, Flammarion, 1980.

45. Waltz (Kenneth), *Theory of International Politics*, New York, Random House, 1979.

46. Wendt (A.E.), « The Agent-Structure Problem in International Relations Theory », *International Organization,* 41 (3), été 1990, p. 335-370.
47. Zinnes (Dina), « An Introduction to the Behavioral Approach : a Review », *The Journal of Conflict Resolution*, 12, juin 1968, p. 258-267.

PREMIÈRE PARTIE

LES AVATARS
DU MODÈLE WESTPHALIEN

Chapitre 1

De la souveraineté
à la capacité de l'État

Les relations internationales, pour être fidèles à leurs origines, devraient développer leur intitulé en se revendiquant « inter-stato-nationales ». L'idée de départ était bien celle-ci : étudier, selon la formule de Raymond Aron [1], la rivalité millénaire qui oppose entre eux les États-nations, du système européen s'émancipant de l'émiettement féodal jusqu'au système-monde d'aujourd'hui. Le projet est aussi simple qu'évident : l'État webérien [58], revendiquant avec succès le monopole de la violence physique légitime sur un territoire donné, doit construire, avec les autres États, des relations d'un type particulier, irréductibles aux principes régissant la vie politique interne. Les pères fondateurs de la philosophie politique moderne ne sont pas loin : Hobbes [21], en particulier, en définissant les modalités contractuelles de la naissance du souverain, nous conduit à distinguer entre un espace interne de sécurité et des relations internationales qui prolongent l'ancien état de nature, désormais dominé par la concurrence entre États.

Heurs et malheurs de la souveraineté

On imagine déjà tout le parti qu'on a pu – et qu'on peut – tirer de cette perspective. On pressent aussi qu'elle risque autant de souffrir d'ossification (voire de simplisme) que d'un rejet trop naïf ou systématique. Ce sont pourtant là les principales tensions qui affectent aujourd'hui la discipline. À ce niveau, nous retiendrons l'affirmation fondatrice : l'État est l'unité de base, l'élément constitutif des relations internationales. Si on reste dans la droite ligne qui conduit du pacte hobbesien à l'hypothèse monopolistique de Weber [58], l'État s'impose même comme élément unique, à l'exclusion de tout autre acteur. De cette vision découlent trois postulats essentiels destinés à nous renseigner sur le comportement de cet acteur central : la rivalité qui l'oppose à ses semblables est alimentée par l'insécurité qui domine la vie internationale ; il y fera face par une politique de puissance qui pourra le conduire à des choix d'alliance ; sa conduite sera, dans cette perspective, forgée par la satisfaction d'un intérêt national, fait d'une maximisation de sa sécurité et de sa puissance. Pour ces trois raisons, le domaine de l'externe se distingue de celui de l'interne : la politique internationale doit être séparée de la prise en compte des modes de fonctionnement interne des États. De toutes ces affirmations dérive la théorie réaliste des relations internationales, que l'historien E.H. Carr [10] commence à formaliser dès 1939 et que l'expérience du second conflit mondial semble avoir systématisé sous la plume, notamment, de H.J. Morgenthau [34].

Cette perspective semble réunir les juristes qui éprouvent, pour la plupart, le besoin d'appuyer l'ordre normatif international sur le postulat que seuls les États, souverains par essence, sont producteurs de droit. La théorie positiviste de Vattel [55] s'impose ainsi face aux difficultés de bâtir un droit naturel dont Grotius [18] avait posé les fondements et dont on ne parvient pas à penser de façon suffisamment consensuelle la manière d'en définir le contenu. Les historiens se retrouvent sur une ligne voisine, surtout l'école française dominée par la personne de Pierre Renouvin [40], profondément imprégnée de l'expérience de la première guerre mondiale, puis par celle de J.-B. Duroselle [16], dont la méthode privilégie le rôle des États, de leurs dirigeants et de leurs représentants.

L'État ainsi mis en scène est donc d'abord celui du juriste et de l'historien du Vieux Continent. C'est celui qui s'est forgé à la Renaissance, tel que l'analysent de façon déjà critique l'historien Joseph Strayer [51] ou le politologue Charles Tilly [53]. C'est celui qui triomphe avec la paix de Westphalie (1648), marquant en même temps l'agonie du modèle impérial, l'officialisation des principes de territorialité et de souveraineté. En cela, on retrouve la célèbre définition que nous en donnent les juristes, pour qui l'État est en même temps un gouvernement, un territoire et une population. Selon la définition de Robert Sack [43], le territoire est cet espace pertinent dont la configuration et le bornage deviennent le principe structurant d'une communauté politique et le moyen discriminant de contrôler une population, de lui imposer une autorité, d'affecter et d'influencer son comportement. En ce sens, le territoire confère au gouvernement sa compétence d'action et offre à la population un moyen de se définir, au-delà des critères culturels et particularistes. L'État se conçoit donc par l'interaction de ces trois composantes qui lui permettent de revendiquer la souveraineté, que Morgenthau [34] définit précisément comme « ce pouvoir centralisé qui exerce son autorité sur un territoire ». En tant que tel, ce pouvoir est ultime, ne peut être précédé d'aucun autre, ni contraint par aucun principe qui le transcenderait. Ainsi la souveraineté pure s'accorde-t-elle pleinement avec l'idée que les relations internationales ne peuvent être que des rapports de puissance indépendants de tout principe transcendant, reproduisant à l'infini cet état de nature dont nous parlait Hobbes ou cette anarchie à laquelle se réfère Hedley Bull [7]. Le monde réaliste est bien celui de la puissance, comme le suggère notamment Schwartzenberger [45], et nous permet d'interroger le réel à partir d'une mesure de cette puissance, de ses effets structurants et déstabilisateurs.

Le couple souveraineté-puissance est, de ce point de vue, fortement heuristique. Le concept de souveraineté permet d'établir une hypothèse de départ très suggestive pour examiner le rôle de l'État dans les relations internationales. Comme le rappelle Onuf [38], il décrit une « majesté » qui recouvre le respect dû aux institutions étatiques, au-dedans comme au-dehors des États ; il désigne aussi un mode de représentation dotant les gouvernants du droit d'agir au nom des autres et pour les autres ; surtout, il indique une capacité de diriger, mais aussi d'exprimer et d'agir. En cela, il détermine une compétence qui se veut en même temps territoriale, personnelle, patrimoniale et fédérative. Cette compétence s'exerce autant dans le domaine politique que dans le domaine économique, c'est-à-dire sur les ressources naturelles et dans l'encadrement des relations économiques internationales. Dans cette première approche, la souveraineté reste la qualité principale que la théorie se doit de reconnaître à l'État : puisque celui-ci agit dans un univers d'anarchie et d'insécurité, il est raisonnable qu'il protège d'abord son droit à détenir le pouvoir ultime et qu'il admette ensuite le droit de l'autre à la souveraineté, de manière que tous les autres le lui reconnaissent, dans l'intérêt bien pensé de sa propre sécurité. On perçoit déjà que souveraineté et reconnaissance sont intimement liées selon un procédé qui se doit d'atténuer les effets inquiétants du dilemme de sécurité : renforcer ma propre sécurité est certes déjà une menace pour l'autre, mais qui sera nuancée si nous reconnaissons mutuellement notre souveraineté. On ne s'étonnera pas que ce principe soit dès lors au centre de toute codification internationale du rôle des États, jusque dans la Charte des Nations unies qui proclame haut et fort l'égalité souveraine des États, laquelle rend inadmissible l'ingérence des uns dans les affaires des autres, tout en abolissant toute formalisation de la domination et de la dépendance.

C'est ici que l'action internationale de l'État apparaît déjà contradictoire : parce qu'il est souverain, l'État accumule librement de la puissance et donc une capacité d'agir sur la scène internationale qui, évidemment, est profondément inégale, sauf dans les discours utopistes. Loin de gêner la théorie réaliste, cette contradiction est au centre de sa construction, validant une nouvelle fois la conception pessimiste qui conduisait Raymond Aron [1] à en déduire une sociologie de la guerre et une construction éminemment politique de la dépendance, tandis que Morgenthau [34] ou Arnold Wolfers [59] en dégageaient une science de l'équilibre des puissances et de la recherche subséquente des alliances entre États. La souveraineté abandonne ainsi à la puissance une bonne part de sa portée heuristique et empirique pour devenir une fiction juridique dont le respect formel protège la vie internationale d'un chaos trop grave ; elle est aussi un moyen de valider la distinction entre l'interne et l'externe, sans laquelle la théorie réaliste perdrait l'intelligibilité du monde. En cela, c'est davantage dans son cynisme que dans son formalisme que cette théorie trouve l'optimum de ses vertus opératoires.

Pourtant, le réel est incontestablement plus complexe. Il serait facile de mettre en perspective la théorie et l'histoire en faisant de la première théorie des relations internationales l'expression d'un monde « classique » qui tend aujourd'hui à disparaître, notamment sous les coups de la mondialisation. Le réalisme reconnaît Thucydide [52] comme l'un de ses pères fondateurs lorsqu'il décrit les alliances entre cités et les mécanismes d'équilibre des puissances qui en dérivent. Machiavel [31], Bodin [4], Hobbes [21], Clausewitz [12] assurent le lignage conceptuel d'une vision ponctuée aussi par les grands moments de l'histoire occidentale de l'État : sa naissance à la fin du Moyen Âge, le dépérissement des empires, la paix de Westphalie, les guerres napoléoniennes, le système issu du congrès de Vienne, les deux premières guerres mondiales, la guerre froide, la bipolarité et même la décolonisation qui semble, dans un premier temps, sous l'impulsion de ses grands promoteurs, se caler sur les modèles issus de l'histoire européenne.

Le rapprochement est pourtant trop simple. On sait maintenant que le système issu du congrès de Vienne n'était pas assimilable à une alliance conclue en fonction d'un rapport de forces, mais déjà un mode d'intégration entre États partageant les mêmes valeurs et les mêmes conceptions de la sécurité. Karl Deutsch [15] suggère que les États ne sont pas ces atomes qui agissent exclusivement en fonction d'une rivalité de puissance sans fin, mais aussi des unités interdépendantes, non seulement d'un système international, mais aussi de sous-systèmes d'intégration plus ou moins marquée, pouvant forger notamment des communautés de sécurité. De même, l'attention exclusive portée aux États ne correspond à aucune séquence historique : même les périodes les plus « westphaliennes » n'étaient pas dépourvues d'acteurs qui, à l'instar de l'Église de Rome ou des grandes compagnies maritimes, rivalisaient avec les États sur la scène internationale. Inversement, les processus contemporains de mondialisation n'ont pas mis l'État en extinction : plusieurs travaux suggèrent, au contraire, comment celui-ci peut aussi sortir renforcé de l'actuelle transformation qui affecte les relations internationales. Dans une perspective néo-réaliste, Kenneth Waltz [57] rappelle comment l'État s'impose aujourd'hui plus que jamais comme partenaire crédible, voire régulateur, maintenant ou amplifiant sa fonction diplomatico-stratégique (comme l'atteste, par exemple, la constitution du G7), continuant à légiférer et capable, en préservant son capital de puissance, de garder un ascendant déterminant sur les acteurs non étatiques. De même, le néo-institutionnalisme de S. Krasner [28] souligne la capacité des États d'édicter des « régimes internationaux », c'est-à-dire des normes, des principes, des procédures organisant les attentes et les comportements des acteurs dans un secteur précis de la vie internationale. Ajoutons à cela que l'État continue à accumuler des ressources de plus en plus décisives qui potentialisent son rôle d'acteur, point de vue que, dès 1959, Bernard Brodie [5] n'avait pas manqué d'évoquer pour lier l'avènement de la dissuasion nucléaire au renforcement des capacités de l'acteur étatique.

Une universalisation périlleuse

Si l'État n'a pas été aboli et si le réalisme n'est pas mort, le débat est pourtant loin d'être clos. D'un certain point de vue, la thèse initiale avait été elle-même conçue de manière quelque peu fragile. On n'a probablement pas été assez attentif aux particularités historiques de l'État occidental : obsédés par les certitudes évolutionnistes et rationalistes, les premiers théoriciens ont pu penser que l'État était bel et bien universel. Les leçons de la sociologie historique ont pourtant montré qu'il y a bien une différence de nature entre l'État français, différencié et institutionnalisé, et l'État anglais faiblement bureaucratisé. Dans ce sillage, il est pour le moins scabreux de postuler une uniformisation de toutes les communautés politiques du monde : si la décolonisation a, dans un premier temps, marqué le triomphe du modèle étatique un peu partout sur terre, les décennies qui l'ont suivie ont révélé les dysfonctions et les échecs de cette uniformisation illusoire [2]. Cette crise de l'importation des modèles affecte la capacité des États de plusieurs manières. Elle atteint leur fonction de mobilisation des hommes et des ressources, affaiblissant le rôle des États d'Afrique et d'Asie, notamment dans l'édiction et l'exécution de leurs politiques étrangères. Elle valorise, à l'inverse, le rôle des acteurs individuels et des réseaux de clientèle au sein desquels ils s'insèrent, tandis qu'elle confère à des acteurs collectifs de substitution une capacité de mobilisation qui l'emporte souvent sur celle des États eux-mêmes : aussi le rôle international des réseaux religieux ou marchands, des solidarités communautaires, tribales ou classiques est-il fréquemment décisif, comme le suggèrent les exemples du monde musulman, de l'Afrique, voire de l'Amérique latine. Ce phénomène vient également bousculer les allégeances et conférer aux solidarités transnationales une importance remarquable ; en même temps, il banalise le processus d'effondrement des États, à l'instar de ce qu'on a pu observer en Somalie, au Liberia, au Mozambique ou au Zaïre et que W. Zartman [60] envisage sous la rubrique des *collapsed states*. Sans aller jusqu'à cette extrémité, nombreux sont les États extra-occidentaux très affaiblis dans leur capacité matérielle et symbolique et donc dans leur souveraineté et leur action internationale, comme le rappelle R. Jackson [25] dans son étude sur les *quasi states*. On ne s'étonnera pas que cette évolution vienne bousculer la sociologie classique des conflits, reconstruisant de façon inédite le rapport que les réalistes avaient établi entre guerre et État : M. Haendel [19] montre ainsi comment la relation s'inverse, abandonnant de plus en plus aux États de faible puissance la tentation de faire la guerre, tandis que se généralise la pertinence internationale des guerres civiles.

Au-delà encore, cette remise en cause des certitudes universalistes a favorisé la promotion de l'analyse culturelle dans l'étude des relations internationales. Amorcée par R. Jervis [26], elle a surtout été promue, à la fin des années quatre-vingt, par R. Little et S. Smith [29], puis entre autres par J. Chay [11]. Si l'État n'est plus le monstre froid et rationnel des réalistes, il est marqué, dans son action, par les systèmes de valeurs et de croyances de ceux qui en ont la charge, mais aussi, de plus en plus, par les systèmes de sens différenciés qui distinguent entre eux des États issus d'histoires qui ne sont pas identiques. L'État, en Europe occidentale, dans le monde musulman ou en Afrique, mobilise des acteurs individuels ou collectifs qui ne partagent pas les mêmes schémas cognitifs : de cette affirmation aujourd'hui évidente, on risque vite de glisser soit vers un dangereux relativisme culturel, soit vers une réification des cultures, transformant la carte du monde en représentation figée des « clashes de civilisations » chers à Samuel Huntington [24]. On doit donc se garder de transformer cette analyse en « géo-culture », distinguer clairement entre une sociologie culturelle de l'acteur et la réhabilitation d'un essentialisme qui débouche inévitablement sur la thèse d'une impossible cohabitation entre systèmes de croyances ne variant ni dans leur nombre, ni dans leur taille, ni dans leur contenu, ni dans leur portée belligène.

En fait, la théorie réaliste est abusivement universaliste dans la mesure où elle postule aussi que tout État est également État-nation, c'est-à-dire a vocation à régir une communauté revendiquant son unité sous forme d'un « plébiscite quotidien ». Les deux derniers siècles ont déjà suggéré que l'application de ce principe à l'histoire européenne était quelque peu incertaine. Hors du Vieux Continent, le postulat devient indéfendable. Du fait d'abord d'une tradition segmentaire et communautaire évidemment beaucoup plus puissante, en Afrique ou en Asie, qu'en Europe occidentale ou en Amérique du Nord. Du fait, surtout et encore, d'une pratique politique marquée du sceau d'un universalisme naïf : Karl Deutsch [14] rappelle que la construction nationale ne s'improvise pas, qu'elle est liée à la lente formation d'une mobilisation sociale, éloignant l'individu de ses allégeances communautaires pour l'insérer dans un public construit par l'urbanisation, l'alphabétisation, l'essor des *mass media*, le développement des infrastructures, etc. Au-delà même de cette vision peut-être trop évolutionniste, il convient de ne pas oublier que les faibles capacités mobilisatrices de l'État, curieusement alliées aux effets de la mondialisation, font du primordialisme une entreprise politique efficace dont l'appel semble concurrencer avec succès l'allégeance citoyenne. Aussi l'État acteur est-il de plus en plus défié par les acteurs primordialistes subnationaux (clans, ethnies, tribus, minorités qui s'érigent en « peuples ») ou transnationaux (mouvements pan-religieux ou pan-linguistiques). Les perspectives ainsi ouvertes par une sociologie critique de la mobilisation nationale, initiée notamment par Anthony Smith [46], relayée par Ernest Gellner [17], permettent de progresser dans l'identification des acteurs internationaux, dans l'évaluation des capacités et des insuffisances de l'État-nation, mais aussi dans la connaissance des conflits qui en dérivent, de moins en moins internationaux et de plus en plus ethnicisés, comme le montrent Pierre Hassner [20] ou J.E. Spence [48].

La société au-delà de l'État

De bien des points de vue donc, l'histoire tend des pièges à la théorie des relations internationales, de façon d'autant plus complexe qu'elle ne saurait lui opposer une construction systématique plus probante. En outre, les postulats réalistes ainsi malmenés ont dû parallèlement subir les critiques internes aux sciences sociales dont la prise en compte constitue une source importante d'enrichissement. On ne saurait négliger d'abord le rôle décisif joué par le behaviorisme : depuis Snyder [47], en particulier, la science du comportement nous a suggéré que l'État n'était pas un acteur unifié ni personnalisé, mais que les conditions de son fonctionnement révélaient sa nature foncièrement éclatée. L'État en fonction ramène inévitablement à l'étude des politiques publiques et, singulièrement, de la politique étrangère, de la politique de défense, mais aussi, de plus en plus, de la politique économique à laquelle l'internationaliste ne peut pas rester indifférent. L'étude des relations internationales a fait des progrès sensibles en profitant des réflexions menées par les spécialistes des politiques publiques qui nous apprennent que, loin d'être la réalisation d'un hypothétique intérêt national unifié, la politique internationale des États est le produit d'une composition d'acteurs multiples, gouvernants, partis, bureaucraties, médias, groupes de pression, porteurs de valeurs, de perceptions et d'intérêts divergents. Cet État éclaté doit donc être pris en compte comme tel par l'internationaliste : les systèmes d'actions sont ainsi plus heuristiques que la rationalité étatique conçue au singulier, la capacité des États renvoyant, pour sa part, à la capacité de ce système complexe et non à celle d'une entité idéalisée.

Comment, dès lors, réinterpréter la puissance si l'État doit abandonner cette personnalisation abusive que nul aujourd'hui n'ose lui attribuer explicitement ? La question avait déjà été émise par John Vasquez [54] qui rappelait utilement qu'avant *d'expliquer*, la puissance devait *être expliquée*. En sortant de la période bipolaire, on peut légitimement s'interroger sur plusieurs étrangetés : comment l'Union soviétique avait-elle pu se maintenir au niveau de super-puissance en ne misant que sur le registre militaire et en échouant si nettement dans les domaines économiques et sociaux ? Comment ce monde nouveau, post-bipolaire, peut-il logiquement articuler les différents types de puissance qui se trouvent désormais libérés, et qui sont non seulement de nature militaire, mais aussi économique, financière, commerciale, voire démographique ou culturelle ? Mieux encore, Susan Strange [49] se demande explicitement si la puissance, à l'époque de la mondialisation, peut encore se définir comme une capacité de l'État ou si elle n'intègre pas aussi, et de plus en plus, toute une série d'acteurs, économiques, sociaux ou culturels, insérés dans des réseaux et producteurs d'un *soft power* [35] particulièrement efficace. Dans la compétition entre l'URSS et les États-Unis, la première a été défaite précisément parce qu'elle défendait une conception classique, territoriale et politico-militaire de la puissance, alors que les seconds déployaient une capacité déterritorialisée, systémique, alimentée de relations informelles donnant naissance à un jeu de réseaux. Dans ces conditions, la capacité des États doit être repensée au-delà d'une perspective institutionnelle, pour désigner désormais la capacité de ce système interactif qui allie des acteurs publics et des acteurs privés sur la scène mondiale. Attention doit dès lors être portée à la nature plus ou moins formelle de cette articulation, à l'image de la recherche que mènent Susan Strange et J. Stopford [50] sur les relations entre États et firmes.

Enfin, les progrès de la mondialisation s'accommodent de moins en moins de la grammaire « souverainiste » pour promouvoir le concept d'interdépendance. Banalement admise – ou presque – cette formulation n'en est pas moins bouleversante pour la théorie des relations internationales. Il n'est pas simple de penser l'État comme acteur interdépendant, alors que toutes les définitions qu'on lui donne passent par l'édiction de son indépendance. La réflexion a pourtant été amorcée, d'abord par la sociologie de la dépendance puis, dès les années soixante-dix, par Robert Keohane et Joseph Nye [27] qui ont ainsi posé les jalons d'une perspective « interdépendantiste » prenant en compte la démultiplication des échanges qui s'opèrent, d'une part, entre États et, d'autre part, entre les acteurs étatiques et les autres acteurs internationaux.

Cette perspective nouvelle approfondissait l'hypothèse d'une banalisation de l'État parmi l'ensemble des acteurs qui pouvaient, avec le progrès de la mondialisation et de la globalisation, prendre leur place et tenir leur rôle sur une scène désormais plus mondiale qu'internationale. C'est dans cet esprit que James Rosenau [42], rejoignant la plupart des conclusions de Susan Strange [49], a dégagé les traits fondateurs du paradigme des relations transnationales. Celui-ci approfondit la critique de l'État, telle qu'elle avait été déjà amorcée, et la systématise en opposant un « monde multicentré » et un « monde stato-centré ». Le premier résulte de la prolifération, sur la scène mondiale, des acteurs non étatiques, individuels ou collectifs, qui suscitent, par leurs échanges, un nombre considérable de « flux transnationaux » qu'on peut définir comme toute relation qui se déploie sur la scène mondiale en contournant, de façon délibérée ou par destination, le contrôle des États-nations, transgressant notamment leur souveraineté et leur compétence territoriale. Face au monde des États qui demeure, avec ses principes traditionnels et les pratiques qui lui sont propres, se constitue ainsi un autre monde comptant une infinité d'acteurs cherchant d'abord à protéger et à promouvoir leur autonomie, jouant davantage de la coopération (ou du refus de coopération) que de la force, et échappant aux normes traditionnelles de la diplomatie.

De nouvelles intégrations

Le débat suscité par cette nouvelle perspective est aussi riche que délicat à trancher. Comme le suggérait J. Rosenau [42], il pose d'emblée le problème de l'interaction entre les deux mondes, c'est-à-dire entre États et acteurs non étatiques. Doit-on, comme les néo-réalistes, considérer que la mondialisation conforte l'État dans son rôle d'unique partenaire responsable et de seule instance régulatrice ? Doit-on, au contraire, suivre Rosenau lorsqu'il considère que ces nouvelles donnes dévalorisent la ressource politico-militaire, relativisent les frontières, affadissent les allégeances et confèrent au critère d'efficacité fonctionnelle une pertinence supérieure à celle de la légitimité des États ? En fin de compte, le cœur du débat nous ramène bien à l'interprétation du système au sein duquel se déploie l'action internationale : s'agit-il d'un système international amendé, comme le suggèrent en fait Keohane et Nye [27], ou s'agit-il de l'avènement progressif de la « société mondiale » annoncée par John Burton [8] ? Dans le premier cas, on pourrait faire l'hypothèse d'une crise transitoire des capacités de l'État qui devraient être adaptées aux données présentes de la globalisation (capacités élargies aux régulations économiques et sociales, selon le modèle des conférences intergouvernementales qui se démultiplient sur le commerce, la démographie, l'environnement, l'habitat, etc.) ; dans le second cas, c'est d'un nouveau partenariat qu'il devrait s'agir, bousculant les droits régaliens, glissant vers une *global governance*, voire une *soft-governance* et qui, bien au contraire, sanctionnerait l'incapacité croissante de l'État à prendre en charge les nouveaux défis internationaux. Apparaît alors la confiance dans l'effet de composition des réseaux, et dans la capacité des nouveaux acteurs, ONG, collectivités locales, firmes, associations transnationales, etc.

Un débat comparable se retrouve dans les analyses consacrées au principe d'intégration régionale des États. Celles-ci distinguent deux moments de l'histoire contemporaine qui renvoient deux images opposées de l'État. Dans l'ambiance de la fin de la seconde guerre mondiale, David Mitrany [33], en partie relayé par la pensée fédéraliste européenne, cherchait, par la construction d'ensembles régionaux fonctionnels, à dépasser la rivalité belligène des États et à construire ainsi un monde de paix, au service d'abord de l'humanité dont il devait prioritairement satisfaire les besoins : dans cet accomplissement, l'État n'avait plus vocation qu'à être un échelon parmi d'autres. À une époque plus récente, dominée par la mondialisation et le début de la crise économique, succédant aux Trente Glorieuses, le néo-régionalisme se veut une parade protégeant l'État du risque de submersion, la construction régionale définissant un juste équilibre entre un « souverainisme » devenu utopique et un « mondialisme » subordonnant totalement l'État au libéralisme du marché.

Ici aussi, les résultats sont contrastés : le fonctionnalisme de Mitrany et le fédéralisme des pères fondateurs de l'Europe ont assez vite laissé la place à un intergouvernementalisme beaucoup plus pragmatique, aboutissant à repenser les États de l'Union européenne à travers la formule abâtardie de « pool de souverainetés » avancée par Hoffmann et Keohane [22]. L'internationaliste doit en même temps innover conceptuellement pour repenser l'État européen, sans pour autant se départir des catégories classiques. L'incertitude est encore plus grande quand il s'agit du néo-régionalisme. Celui-ci laisse apparaître tantôt des espaces d'intégration qui s'émancipent du contrôle des États (comme les « territoires économiques naturels » dessinés par les réseaux d'échange envisagés par Scalapino [44] à propos de l'Asie orientale), tantôt une juxtaposition d'États souverains qui se contentent d'harmoniser leur marché (comme dans le cas du NAFTA). On a, en fait, le sentiment que l'intégration régionale soulève à nouveau la question que posait le paradigme des relations transnationales : l'État peut-il adapter ses capacités à la mutation des espaces, l'avènement d'une territorialité à géométrie variable, ou bien celle-ci est-elle destinée, à terme, à produire de nouvelles règles du jeu politique, réévaluant le rôle des acteurs transnationaux, à l'instar de l'« État virtuel » de Rosecrance [41] ou de l'« État-région » de K. Ohmae [37] ?

Vers un monde de responsabilité ?

Dans ce contexte incertain, la théorie des relations internationales tend à redevenir normative : le discours néo-réaliste vante la suprématie de l'État et le gage de sécurité et d'ordre que procure son maintien. Le néo-libéralisme plaide au contraire pour l'avènement d'une société mondiale régulée par le marché [39]. Surtout, occupant des positions intermédiaires, de nombreux travaux réfléchissent sur l'hypothétique adaptation de l'État à toutes ces transformations. Soit pour craindre une dégénérescence de la rationalité étatique, celle-ci devant faire de plus en plus de concessions tant aux appels transnationaux de nature utilitaire qu'aux appels identitaires de nature primordialiste. Il en dérive une conception évanescente de l'État reposant sur l'hypothèse de la fin de la souveraineté [9], de la géographie [36], d'un monde aux allégeances ordonnées [56], ou des frontières [32]. Si ces hypothèses sont stimulantes et très heuristiques sur le plan de la recherche, elles peuvent aussi se combiner avec une tentative visant à définir ce qu'est l'État « au-delà de Westphalie » [30] ou, après avoir « reconstruit la souveraineté » [3], ou encore en distinguant entre « les forces nouvelles et passées » [6]. À la limite, la réflexion peut se prolonger jusqu'à s'interroger sur ce qui apparaît au-delà de l'État-nation lui-même [23].

La crise affectant les paradigmes et la pratique est suffisamment forte pour réhabiliter les questions simples : quelle est la fonction de l'État et, par-delà, celui-ci est-il un instrument ou une fin en soi ? Les incertitudes récentes ont permis de comprendre que la théorie réaliste avait en fait promu cette seconde vision : acteur normal des relations internationales, l'État n'avait de compte à rendre qu'à un intérêt national fictif, c'est-à-dire à lui seul. La mondialisation, la relativisation de la souveraineté, la crise de l'État importé, les formes nouvelles d'intégration ont peu à peu révélé que cette « autofinalisation » ne résistait pas devant les enjeux nouveaux : émergence des biens communs de l'humanité transcendant les frontières, interdépendance entre les communautés politiques et entre les économies, multiplicité des espaces d'intégration. Dans ce contexte nouveau, les signes tendent à s'inverser : l'État n'est plus une fin en soi, mais un instrument ; avant d'incarner une communauté humaine, il est destiné à la servir ; cette communauté humaine n'est plus étroitement souveraine, et s'insère dans une société dont certains paramètres sont clairement mondialisés. Autrement dit, la théorie des relations internationales redécouvre la théorie du contrat social, tout en s'agrémentant d'une conception ouverte de la communauté humaine. C'est, bien sûr, ce dernier point qui est inédit et donc chargé d'incertitudes : l'État, avant d'être souverain, est responsable, et cette responsabilité ne désigne pas seulement son espace de souveraineté, mais la communauté humaine tout entière, égale et fortement interdépendante devant les dangers écologiques, les incertitudes du développement, les tribulations de l'économie mondiale, les disparités démographiques, mais aussi devant les coups portés aux droits de l'homme et la dissémination de la violence [13].

Incertitude triple : que veut dire exactement responsabilité ? Quel lien entretient-elle avec la capacité inégale des États ? Comment la mettre en œuvre ? La première question invite déjà à distinguer entre les dimensions positiviste et éthique du concept : chaque État est responsable sur la scène mondiale, car la plupart de ses actions et des enjeux auxquels il est confronté ont des effets globaux ; pour cette raison, il peut être tenu à l'obligation morale d'intervenir hors de chez lui. La seconde question conduit à relativiser la nature radicalement nouvelle qu'on prête un peu trop vite à ce paradigme : l'imputabilité de l'État et l'effectivité de son intervention sont évidemment fonction de ses capacités et donc de sa puissance ; la responsabilité reste celle du fort face au faible et se réinscrit ainsi au moins partiellement dans le cadre du réalisme. On pourrait même dire que le paradigme nouveau de la responsabilité reprend la thématique réaliste de la puissance en lui retranchant celle de la souveraineté... Quant à la troisième question, elle met en relief le retard des institutions par rapport à la pratique et aux idées : que seules des institutions intergouvernementales puissent satisfaire ce besoin nouveau de responsabilité révèle bien l'extrême difficulté d'aller au-delà de la souveraineté et de l'État-nation. Les institutions internationales demeurent en fait le principal conservateur du modèle stato-national et des pratiques internationales passées.

Bertrand BADIE

BIBLIOGRAPHIE

1. Aron (R.), *Paix et guerre entre les nations*, Paris, Calmann-Lévy, 1962.
2. Badie (B.), *L'État importé. Essai sur l'occidentalisation de l'ordre politique*, Paris, Fayard, 1992.
3. Biersteker (T.), Weber (C.) (eds), *State Sovereignty as Social Construct*, Cambridge, Cambridge University Press, 1996.
4. Bodin (J.), *Six livres de la République*, Paris, Fayard, 1986 (1re éd. 1576).
5. Brodie (B.), *Strategy and the Missile Age*, Princeton, Princeton University Press, 1959.

6. Brown (S.), *New Forces, Old Forces and the Future of World Politics*, New York, Harper, 1990.
7. Bull (H.), *The Anarchical Society*, New York, Columbia University Press, 1977.
8. Burton (J.), *World Society*, Cambridge, Cambridge University Press, 1972.
9. Camilleri (J.), Falk (J.), *The End of Sovereignty ?*, Londres, Elgar Aldershot, 1992.
10. Carr (E.H.), *The Twenty Year's Crisis, 1919-1920*, Londres, Macmillan, 1939.
11. Chay (J.) (ed.), *Culture and International Relations*, New York, Praeger, 1990.
12. Clausewitz (K. von), *De la guerre*, Paris, Minuit, 1955 (1re éd. 1832-1834).
13. Deng (F.) et al., *Sovereignty as Responsibility*, Washington, Brookings, 1996.
14. Deutsch (K.), *Nationalism and Social Communication*, Cambridge, Cambridge University Press, 1966.
15. Deutsch (K.), *Political Community and the North Atlantic Area*, Princeton, Princeton University Press, 1957.
16. Duroselle (J.-B.), *Tout empire périra*, Paris, Presses de la Sorbonne, 1981.
17. Gellner (E.), *Nations et nationalisme*, Paris, Payot, 1989.
18. Grotius (H.), *Droit de la guerre et de la paix*, Centre de philosophie politique et juridique, Caen, 1984, (1re éd. 1625).
19. Haendel (M.), *Weak States in the International System*, Londres, Frank Cars, 1990.
20. Hassner (P.), *La violence et la paix*, Paris, Esprit, 1995.
21. Hobbes (T.), *Leviathan*, Paris, Sirey, 1971 (éd. orig. 1651).
22. Hoffmann (S.), Keohane (R.), *The New European Community*, Boulder (Col.), Westview Press, 1991.
23. Horsman (M.), Marshall (A.), *After the Nation-State*, Londres, Harper, 1995.
24. Huntington (S.), « The Clash of Civilizations ? », *Foreign Affairs*, été 1993, p. 22-49.
25. Jackson (R.), *Quasi-States : Sovereignty, International*

Relations and the Third World, Cambridge, Cambridge University Press, 1990.

26. Jervis (R.), *Perception and Misperception in International Politics*, Princeton, Princeton University Press, 1976.

27. Keohane (R.), Nye (J.), *Power and Interdependence*, Boston, Little Brown, 1977.

28. Krasner (S.), *International Regimes*, Ithaca, Cornell University Press, 1983.

29. Little (R.), Smith (S.) (eds), *Belief Systems and International Relations*, Oxford, Blackwell, 1988.

30. Lyons (G.) (ed.), *Beyond Westphalia*, Baltimore, The Johns Hopkins University Press, 1995.

31. Machiavel (N.), *Le prince*, 1513, Paris, Gallimard, 1952.

32. Macmillan (J.), Linklater (A.) (ed.), *Boundaries in Question*, Londres, Pinter, 1995.

33. Mitrany (D.), *A Working Peace System*, Londres, Royal Institute of International Affairs, 1943.

34. Morgenthau (H.J.), *Politics among Nations*, New York, A. Knopf, 1950.

35. Nye (J.), *Bound to lead : the Changing Nature of the American Power*, Basic Books, New York, 1990.

36. O'Brien (R.), *Global Financial Integration : the End of Geography*, Londres, Royal Institute of International Affairs, 1992.

37. Ohmae (K.), « The Rise of the Region State », *Foreign Affairs*, printemps 1993, p. 78-87.

38. Onuf (N.), « Intervention for a Common Good », dans Lyons (G.) (ed.), [30], p. 43-58.

39. Reich (R.), *L'économie mondialisée*, Paris, Dunod, 1993.

40. Renouvin (P.) (dir.), *Histoire des relations internationales*, Paris, Hachette, 1955, 7 tomes.

41. Rosecrance (R.), « The Rise of the Virtual State », *Foreign Affairs*, 4, 1996, p. 45-61.

42. Rosenau (J.), *Turbulence in World Politics*, New York, Harvester, 1990.

43. Sack (R.), *Human Territoriality*, Cambridge, Cambridge University Press, 1990.

44. Scalapino (R.), *The Politics of Development*, Cambridge (Mass.), Harvard University Press, 1989.
45. Schwartzenberger (G.), *Power Politics*, Londres, Stevens, 1951.
46. Smith (A.), *Theories of Nationalism*, Londres, G. Duckworth, 1971.
47. Snyder (R.), *Decision-Making as an Approach to the Study of International Politics*, Princeton, Princeton University Press, 1954.
48. Spence (J.E.), « Ethnicity and International Relations », *International Affairs*, 72 (3), juillet 1996, p. 439-443.
49. Strange (S.), *States and Markets*, Londres, Pinter, 1988 ; *The Retreat of the State*, Cambridge, Cambridge University Press, 1996.
50. Strange (S.), Stopford (J.), *Rival States, Rival Firms*, Cambridge, Cambridge University Press, 1991.
51. Strayer (J.), *Les origines médiévales de l'État moderne*, Paris, Payot, 1979.
52. Thucydide, *La guerre du Péloponnèse*, Paris, Les Belles Lettres, 1964.
53. Tilly (C.) (ed.), *The Formation of National States in Western Europe*, Princeton, Princeton University Press, 1976.
54. Vasquez (J.), *The Power of Power Politics : a Critique*, New Brunswick, Rutgers University Press, 1983.
55. Vattel (E. de), *Le droit des gens*, Paris, Guillaumin, 1863 (1re éd. 1758).
56. Walker (R.B.J.), Mendlovitz (S.H.) ed., *Contending Sovereignties*, Boulder (Col.), Lynne Rienner, 1990.
57. Waltz (K.), *Theory of International Politics*, Reading (Mass.), Addison-Wesley, 1979.
58. Weber (M.), *Économie et société*, Paris, Plon, 1971.
59. Wolfers (A.), *Discord and Collaboration*, Baltimore, Johns Hopkins, 1962.
60. Zartman (W.) (ed.), *Collapsed States*, Boulder (Col.), Lynne Rienner, 1995.

Chapitre 2

De l'État-nation
au post-nationalisme ?

Alors qu'au début du XIXe siècle le système international rassemblait une dizaine d'États, majoritairement européens, il en comprend aujourd'hui près de deux cents. Cette croissance témoigne de la vigueur du principe d'autodétermination qui proclame le droit des peuples à disposer d'eux-mêmes [28]. Pourtant, la dialectique entre l'affirmation de la dynamique nationaliste et les transformations de la société internationale n'a été que très marginalement prise en compte dans les approches théoriques. Celles portant sur le nationalisme se sont pour l'essentiel cantonnées à une analyse détaillée, et souvent très riche, des « conditions de production » de la nation, mais dans une perspective largement interniste. La *summa divisio* sépare ici les théories primordialistes qui considèrent la nation comme un « donné », un prolongement des ethnies, et les thèses modernisatrices qui considèrent la nation comme une construction propre à l'ère industrielle [23]. Quant aux théories des relations internationales, longtemps dominées par le paradigme réaliste, elles voyaient dans les États-nations l'unité politique de base de la société internationale moderne et le principe d'organisation pour ainsi dire naturel de celle-ci sans trop s'interroger sur la persistance du phénomène nationaliste lui-même [3]. Pierre Hassner avait toutefois souligné, dans un article à contre-courant des idées dominantes de l'époque, que les nationalismes, loin d'être dépassés, étaient appelés à jouer un rôle essentiel dans l'évolution des relations internationales [20].

Si les théories de la nation se sont longtemps abstenues d'aborder de front les répercussions internationales de la diffusion du modèle de l'État-nation, elles l'ont traité en creux, étant donné que le principe d'autodétermination qui fonde le nationalisme a des implications internationales à travers le phénomène des sécessions. Aujourd'hui, la réflexion sur le nationalisme accorde une place plus large à l'interaction entre les dynamiques nationales et les évolutions mondiales à travers la remise en cause et le dépassement de l'État-nation dans le cadre de la globalisation.

Les implications internationales
des théories classiques du nationalisme

Les implications internationales du principe d'auto-détermination ont souvent été appréhendées de deux points de vue opposés. Un Élie Kedourie voit dans le nationalisme, parce qu'il satisfait le besoin d'appartenir à une communauté cohérente et stable, un principe puissant mais aussi régressif parce que opposé aux valeurs universalistes, et profondément déstabilisateur, dans la mesure où l'octroi d'un État à chaque nation (au sens culturel) conduit à des conflits incessants. Le simple tracé de frontières susceptibles d'englober tous les membres de la nation est source de désordre permanent pour la société internationale [25]. À l'inverse, un auteur comme Walker Connor estime que c'est plutôt le non-respect de l'autodétermination des peuples qui serait un agent de déstabilisation, le maintien au sein d'un même ensemble politique de « nations » dont les particularismes sont niés étant le plus sûr moyen d'alimenter la violence. À ses yeux, la prise de conscience par les différents groupes ethnoculturels de leurs spécificités identitaires est loin d'être un processus achevé et il faut donc s'attendre à une prolifération des mouvements nationaux d'autodétermination. Ce mouvement est inhérent à la modernisation étant donné que le développement des moyens de communication, en multipliant les contacts, rend les groupes nationaux davantage conscients de leurs spécificités et exacerbe leur volonté de les préserver [9]. Cette perspective prend le contre-pied de l'école du *nation building* qui, dans sa variante cybernétique, voyait, à terme, dans la croissance des processus de communication, un facteur d'effacement des particularismes nationaux et d'assimilation des groupes périphériques par les groupes majoritaires [11].

Dans une perspective complémentaire de celle de Connor mais fondamentalement matérialiste, Gellner insiste beaucoup sur les potentialités de fragmentation des États, par voie de sécession, en liant celle-ci à l'inégale distribution des ressources économiques. Dès lors que sur un territoire donné une population B, relativement périphérique et défavorisée, voit son ascension sociale contrariée par une ethnie A – regroupée au « centre » et plus prospère – qui entend préserver sa suprématie à l'intérieur du système politico-économique, le groupe B peut avoir intérêt à mettre en avant sa spécificité culturelle pour consolider un nationalisme alternatif et revendiquer l'indépendance pour le territoire où sa population est majoritaire [15].

Cette thématique de la sécession, qui se trouve à

l'intersection de l'interne et de l'externe, est d'une pertinence particulière pour la sociologie des relations internationales. Si l'émergence de mouvements séparatistes dans un État donné est liée aux modalités historiques de sa construction et à la structuration des relations de pouvoirs entre les groupes, leur développement et leur succès dépendent toutefois très fortement de la capacité des sécessionnistes à se projeter sur la scène mondiale. Tout nationalisme en rébellion doit pouvoir disposer du soutien extérieur d'autres États et/ou de réseaux transnationaux susceptibles de lui apporter une logistique militaire, financière et politique [21]. Les Érythréens ont ainsi bénéficié d'une aide multiforme provenant de l'Union soviétique comme des États de la Ligue arabe ainsi que des réseaux de solidarité musulmans. Le succès final d'une entreprise sécessionniste dépend aussi de l'existence d'un environnement géopolitique favorable (comme en 1971, lorsque l'intervention militaire de l'Inde contre Islamabad permit l'accession à l'indépendance du Pakistan oriental sous le nom de Bangladesh). De fait, la conjoncture politique ne permet qu'exceptionnellement à des mouvements séparatistes d'arracher leur indépendance. Même s'ils parviennent à obtenir une aide ponctuelle d'États extérieurs désireux de les utiliser pour leur capacité de nuisance (à l'instar des Kurdes soutenus, par intermittence, par l'Iran, l'Irak et la Syrie), cet appui va rarement jusqu'à endosser pleinement les velléités indépendantistes tant l'intégrité territoriale continue d'être valorisée par des États qui persistent à la tenir pour un principe de stabilité de l'ordre international. De plus, bien que le droit international ne soit pas très précis en la matière, la pratique juridique a réservé l'application du principe d'autodétermination aux peuples colonisés [10]. Plus récemment, elle l'a étendu à la dissolution d'États fédéraux (URSS, Tchécoslovaquie, Yougoslavie) sans jamais que la création de nouveaux États s'accompagne d'une modification des anciennes limites administratives entre les entités fédérées [1].

Le nationalisme, dans un monde régi par la logique stato-nationale, n'est donc en mesure de créer de nouveaux États que dans des circonstances très particulières ; les sécessions réussies sont rares et les irrédentismes victorieux plus exceptionnels encore [27]. C'est davantage la décomposition soudaine d'une structure impériale qui a conduit à la multiplication des États dans l'ancienne URSS plutôt que l'irrésistible poussée de nationalismes périphériques, particulièrement faibles en Asie centrale [37].

Certains ont pourtant voulu voir, dans la prolifération de revendications identitaires à fondement ethno-national, l'inéluctable marche du monde vers un néo-tribalisme, les individus cherchant de plus en plus à se regrouper en fonction d'affinités religieuses, culturelles et ethniques [22, 24, 41]. L'identitarisme exacerbé est incontestablement un facteur belligène. En remettant en cause l'association politique tissée par les liens de la citoyenneté au nom de communautés soi-disant naturelles, il conduit à subvertir le principe de territorialité, politique et conventionnel, pour le remplacer par l'ancrage dans un espace « originel », avec un État porteur d'un projet national fort [12]. Cette substitution est source de désordres, l'inscription de chaque peuple sur une « terre primordiale » ne pouvant s'opérer qu'au prix de déplacements de populations, de regroupements forcés, voire d'épurations ethniques ou de génocides.

---

1. La désintégration des trois États fédéraux communistes s'inscrit dans une logique spécifique puisqu'on peut arguer qu'en se déclarant indépendants les peuples ne faisaient que reprendre une liberté qu'ils avaient provisoirement aliénée durant leur association au sein de la structure fédérative.

L'ethnicisation du monde est lourde de violence et de déstabilisation en chaîne [4].

Pour autant, la logique de la fragmentation n'est ni générale, ni inéluctable. Comme le dit joliment Ernest Gellner, « il ne faut pas seulement s'intéresser au chien qui aboie, mais aussi à celui qui n'aboie pas ». Autrement dit, il est des régions entières où le nationalisme ne se manifeste guère sous la forme sécessionniste (comme en Amérique, à l'exception du Québec) et d'autres où, malgré une poussée de fièvre passagère, il semble s'être assagi (Europe orientale). Si les théories du nationalisme liées aux sécessions conservent de leur intérêt, elles semblent aujourd'hui moins novatrices que celles se centrant sur le dépassement de l'État-nation. L'intérêt se polarise en effet à présent davantage sur les remises en cause de l'ordre stato-national, à travers la « globalisation » et les intégrations régionales plutôt qu'à travers les phénomènes de désintégration « par en bas ».

État-nation et globalisation

Une vision optimiste de la mondialisation voit dans l'extension du libéralisme économique la meilleure parade contre l'exacerbation des nationalismes. La constitution de marchés intégrés à l'échelle régionale (Amérique du Sud, Europe, Asie orientale...) et l'universalisation progressive de l'économie de marché conduiraient à la domestication et au reflux des nationalismes. La mondialisation, en abolissant les frontières politiques, rendrait les nationalismes archaïques. Désormais, la satisfaction de l'intérêt économique primerait sur la promotion d'identifications nationales et favoriserait l'apparition de nouvelles unités pertinentes, les États-régions, zones économiques souvent transfrontalières mais bien mieux adaptées à la mondialisation que des États-nations tenus pour dysfonctionnels [29]. L'économique frapperait ainsi d'obsolescence le politique. Cette approche diffère de celle d'Immanuel Wallerstein pour qui une « économie-monde » européenne, qui aurait pris forme avec l'avènement du capitalisme au XVIᵉ siècle, se caractériserait par la domination d'un petit nombre d'États sur une périphérie (quasi) colonisée [40]. Mais dans les deux cas l'économique est premier et peut, à terme, remettre en cause l'État-nation.

Les théories de la globalisation, qui ne sont pas seulement centrées sur les processus économiques, réservent cependant une place variable au nationalisme. Un des pionniers en la matière, Robertson [30, 31], date les débuts de la globalisation du XVᵉ siècle européen, lorsque se développent à la fois les idées de nation, d'individu et d'humanité. Ce processus prend véritablement corps en parallèle avec l'essor des États-nations parce que ceux-ci sont « un aspect de la globalisation » ([33], p. 26) en tant qu'ils homogénéisent le monde (du moins au sein de leurs frontières) et qu'ils sont appelés à collaborer (pas seulement à se battre) au plan économique et politique. Robertson peut donc écrire que « la diffusion de *l'idée* de la société nationale comme forme sociétale institutionnalisée [...] est au cœur de la globalisation accélérée qui a commencé il y a quelques centaines d'années » ([32], p. 58). Pour Mike Featherstone aussi, la globalisation – qu'il envisage davantage sous l'angle culturel – ne va pas nécessairement de pair avec un déclin des États-nations, étant donné que la « culture globale » n'est pas réductible à une synthèse destructrice des cultures nationales :

« Il est donc faux de concevoir la culture globale comme impliquant forcément un affaiblissement de la souveraineté des

États-nations, qui, sous l'effet d'on ne sait quel évolutionnisme téléologique ou autre méta-logique, seraient inévitablement absorbés dans des entités plus vastes et finalement dans un État mondial à l'origine d'une homogénéité culturelle et d'une intégration. » ([13], p. 1.)

Les théoriciens de la globalisation qui mettent l'accent sur les processus culturels sont généralement plus enclins à sonner le glas de l'État-nation. La plupart d'entre eux s'inspirent de modèles explicatifs de l'émergence du nationalisme et des nations – comme celui de K. Deutsch et de B. Anderson – mais la contradiction n'est qu'apparente. Ces auteurs mettaient en effet les processus cybernétiques au cœur de leurs analyses pour considérer que la nation se construisait, pour Deutsch, à mesure que s'étendaient les réseaux de communication vecteurs de « mobilisation sociale » sur un territoire donné, pour B. Anderson, notamment à mesure qu'une communauté linguistique donnée se trouvait intégrée, par la lecture de la presse, à l'âge du « capitalisme de l'imprimé » [1]. Que devient la nation dès lors que les communications s'intensifient et transcendent des frontières que les médias audiovisuels, en particulier, ignorent largement ?

Dès les années soixante, certains théoriciens développementalistes considéraient que l'interdépendance croissante à l'échelle mondiale devait conduire logiquement à l'homogénéisation générale des sociétés et à la constitution, *in fine*, d'un État mondial [6]. Plus récemment, l'essor des moyens de communication à l'échelle planétaire a amené certains auteurs à évoquer l'émergence d'un « oekoumène global » [18]. C'est un des éléments centraux de l'analyse d'Arjun Appadurai, à côté de l'intensification des mouvements de population (migrations, tourisme, etc.). Si le « capitalisme de l'imprimé » de B. Anderson a créé les nations, les nouvelles formes du « capitalisme électronique » peuvent avoir des effets similaires et même plus puissants car ils n'opèrent pas seulement au niveau des États-nations. Les médias audiovisuels, en particulier, peuvent être à l'origine de « communautés de sentiment » « transnationales et même post-nationales » ([2], p. 8).

Ce *mediascape* n'est toutefois qu'une des cinq dimensions du « flux culturel mondial », à côté des *ethnoscapes*, c'est-à-dire du rapport à l'espace global induit par les mouvements de population, des *technoscapes*, c'est-à-dire des transferts de technologie à travers les frontières, des *finanscapes*, c'est-à-dire des échanges financiers et des *ideoscapes*, c'est-à-dire des idéologies et des contre-idéologies nées de la rencontre des valeurs occidentales de l'âge des lumières et des cultures « périphériques » ([2], p. 33 et suiv.). Ces différents « espaces » (*scapes*) ont pour effet d'affaiblir la relation du citoyen à son État-nation, notamment parce que l'attachement au territoire connaît une forte érosion. Bien des idéologies qui se présentent comme des nationalismes ethniques ont en fait perdu une composante traditionnelle de ces derniers – l'intimité avec le territoire – parce qu'ils sont la création de communautés diasporiques incapables de territorialiser leur imaginaire national. Les immigrés sikhs, tamouls, haïtiens, arméniens, etc., sont ainsi à l'origine de véritables formations post-nationales ([2], p. 165).

Appadurai ne souscrit cependant pas à la notion de « village mondial » avancée dès 1964 par McLuhan [26] parce qu'il n'ignore pas les conditions différenciées de réception des flux transnationaux par les sociétés : la globalisation doit, selon lui, être analysée au niveau local pour saisir les effets de vernacularisation et de « domestication ». Il en résulte le plus souvent des hybrides, et ce processus de métissage permet de conclure que la « globalisation n'implique pas nécessairement ni même fréquemment homogénéisation ou américanisation » ([2], p. 13). Les sociétés sont en effet promptes à réinventer leur différence [7]. En fait, la globalisation, pour les post-modernes, se traduit essentiellement par un rétrécissement de l'espace-temps [19] qui permet « une communication plus intense (*greater connectedness*) et la dé-territorialisation » ([42], p. 136).

Le déclin, voire *La fin des territoires* [4], constitue sans doute le plus rude des coups portés à l'État-nation. Ce phénomène a surtout été analysé dans les années quatre-vingt-dix [5] à partir d'une densification des flux transnationaux [36], non seulement – ni principalement – culturels ou liés aux mouvements de population mais d'abord économiques (compagnies multinationales, gonflement des investissements et de la spéculation d'origine étrangère), sociaux (rôle croissant des ONG), politiques (pan-idéologies comme l'islamisme) et clandestins (terrorisme international, trafics en tous genres, drogues, armes...). L'essor de ces flux avait conduit Rosenau à considérer, dès 1980, qu'il conduirait à « une transformation, et même à un effondrement, du système d'États-nations, tel qu'il en existe un depuis les quatre derniers siècles » ([35], p. 2). Selon lui, la scène mondiale s'est dédoublée de telle sorte qu'au système international fondé sur la logique stato-nationale se superpose désormais un réseau de flux transnationaux [8]. Le phénomène de déterritorialisation a été analysé, en des termes à peine différents, par Rosecrance comme le produit d'innovations technologiques permettant aux entreprises puis aux États de réduire l'espace dont ils avaient besoin pour leur production économique. Désormais, les activités les plus rentables relevant du secteur des services ou des techniques de pointe, l'État moderne devient « virtuel », une tête de réseau relié aux États producteurs

– dont le territoire reste important – par toute une batterie de moyens de communication [34].

Certains « vieux » théoriciens du nationalisme considèrent toutefois qu'il ne faudrait pas enterrer trop vite l'État-nation au nom de la globalisation. Pour Anthony Smith, la notion de « culture mondiale » est une contradiction dans les termes et, si les réseaux de communication diffusent à présent des produits standardisés à travers la planète, cela ne signifie pas qu'ils ont le pouvoir de battre en brèche les identités nationales. Pour cela, il manque à la « culture mondiale » une profondeur historique. À la différence des cultures nationales, elle est « sans mémoire » – et il ne peut en être autrement puisque les conflits entre États-nations étaient la règle jusqu'à une époque récente. Pour Smith, les nations dérivent d'un « noyau ethnique » fait de symboles, de souvenirs et de mythes qui, à travers une langue, une religion et une culture, façonnent l'identité collective, ce qui laisse peu de prise à une éventuelle « culture mondiale » ([38], p. 180-181). Au mieux, il est peut-être possible de « transcender la nation à travers une forme de nationalisme qui serait plus large... », ce que Smith nomme les « pan-nationalismes » ([39], p. 171). Aucun d'entre eux – du panslavisme au panarabisme, en passant par le panturquisme et le panafricanisme – n'a pour l'instant été couronné de succès, mais la notion d'une identité paneuropéenne paraît promise à un meilleur avenir, étant donné l'héritage historique que les pays du Vieux Continent ont en commun.

Europe : vers le post-nationalisme ?

La confiance mitigée de Smith dans l'affirmation d'une identité européenne reflète en partie sa conception un peu « primordialiste » du nationalisme. D'autres, davantage sensibles à la malléabilité des identités, ont vu au contraire dans la construction européenne une expérience politique qui permettrait d'aller, pour reprendre l'expression de Karl Deutsch, « au-delà du nationalisme » [11]. Ce dépassement du nationalisme s'exprime en réalité sous deux modalités différentes. Dès les années cinquante, les tenants du néo-fonctionnalisme émirent l'hypothèse que l'édification de la Communauté européenne conduirait à un approfondissement progressif de l'intégration économique qui gagnerait peu à peu d'autres sphères, en particulier politiques. Le renforcement de la construction européenne devait donc générer un processus de débordement (*spill-over*) automatique de l'économique vers le politique, et ce à une échelle supranationale. La multiplication d'espaces de coopération et l'adoption de politiques communes dans des domaines de plus en plus nombreux allaient conduire à l'émergence d'un nouveau centre de pouvoir supplantant les États membres et reléguant leur nationalisme au rang de pièce de musée [17].

Ce supranationalisme, démenti par les faits, visait à terme à l'apparition d'un super-État européen et d'une nation européenne. De ce point de vue, il ne sortait pas d'une logique qui demeurait stato-nationale. Il en va différemment de la proposition de Jean-Marc Ferry qui vise à ouvrir un nouveau chapitre : celui du post-nationalisme [14]. Pour cet auteur, l'Europe communautaire dispose désormais d'un espace public spécifique dans lequel les citoyens doivent effectuer de façon prioritaire leurs choix politiques. L'État-nation classique n'est plus le cadre idéal d'expression de la volonté politique des citoyens : le décentrement et la pluralisation des identités rendent impérative la consolidation d'un cadre politique européen post-national. Cela implique la disjonction entre l'ordre juridique de la communauté politique (l'Europe) et l'ordre culturel des identités nationales, autrement dit la différenciation entre citoyenneté et nationalités. Il s'agit de promouvoir, pour reprendre la formule que Jürgen Habermas avait initialement adoptée dans le contexte ouest-allemand, un authentique « patriotisme constitutionnel », c'est-à-dire d'inventer un motif universaliste (et foncièrement non nationaliste) de participation au politique fondé sur l'adhésion aux valeurs de la démocratie et de l'État de droit. Ce principe unificateur irait de pair avec le maintien de la diversité culturelle au niveau national. Le post-nationalisme – dont l'idée de citoyenneté européenne avancée par le traité de Maastricht constitue une première anticipation – fait toutefois l'objet de sérieuses critiques. Peut-on en effet définir l'identité politique en termes purement universalistes ? N'est-il pas illusoire de la disjoindre de l'appartenance à une communauté historique de culture ? Tout projet politique collectif n'a-t-il pas besoin d'une inscription dans un contexte national spécifique ? En ce cas, le principe de congruence entre culture et société politique mis en avant par Gellner [16] n'est pas prêt d'être invalidé et le nationalisme reste encore promis à un bel avenir.

Alain DIECKHOFF
Christophe JAFFRELOT

BIBLIOGRAPHIE

1. Anderson (Benedict), *L'imaginaire national*, Paris, La Découverte, 1996 [1983].
2. Appadurai (Arjun), *Modernity at Large. Cultural Dimensions of Globalization*, Minneapolis, University of Minnesota Press, 1997.
3. Aron (Raymond), *Paix et guerre entre les nations*, Paris, Calmann-Lévy, 1962.
4. Badie (Bertrand), *La fin des territoires*, Paris, Fayard, 1995.
5. Badie (Bertrand), Smouts (Marie-Claude) (dir.), *L'international sans territoire*, Paris, L'Harmattan, 1996.
6. Black (Cyril), *The Dynamics of Modernization. A Study in Comparative History*, New York, Harper & Row, 1966.
7. Clifford (James), *The Predicament of Culture. Twentieth Century Ethnography, Literature and Art*, Cambridge (Mass.), Harvard University Press, 1988.
8. Colonomos (Ariel) (dir.), *Sociologie des réseaux transnationaux*, Paris, L'Harmattan, 1995.
9. Connor (Walker), *Ethnonationalism. The Quest for Understanding*, Princeton, Princeton University Press, 1994.
10. Crawford (James), *The Creation of States in International Law*, Oxford, Clarendon, 1979.
11. Deutsch (Karl), *Nationalism and Social Communication. An Inquiry into the Foundation of Nationality*, Cambridge (Mass.), MIT Press, 1969 (1re éd. 1953).
12. Dieckhoff (Alain), « Nationalisme d'État et intégrisme nationaliste : le cas d'Israël », dans Birnbaum (Pierre), *Sociologie des nationalismes*, Paris, PUF, 1997.
13. Featherstone (Mike), « Global Culture : an Introduction », dans Featherstone (Mike) (ed.), *Global Culture. Nationalism, Globalization and Modernity*, Londres, Sage, 1990.
14. Ferry (Jean-Marc), Thibaud (Paul), *Discussion sur l'Europe*, Paris, Fondation Saint-Simon et Calmann-Lévy, 1992.

15. Gellner (Ernest), *Thought and Change*, Londres, Weidenfeld and Nicholson, 1964.
16. Gellner (Ernest), *Nations et nationalisme*, Paris, Payot, 1989 (1983).
17. Haas (Ernst), *The Uniting of Europe*, Stanford, Stanford University Press, 1958.
18. Hannerz (Ulf), « Notes on the Global Ecumene », *Public Culture*, 1 (2), 1989.
19. Harvey (David), *The Condition of Post-Modernity*, Oxford, Blackwell, 1989.
20. Hassner (Pierre), « Nationalisme et relations internationales », *Revue française de science politique*, 3, juin 1965.
21. Horowitz (Donald), *Ethnic Groups in Conflict*, Berkeley, University of California Press, 1985.
22. Horsman (Mathew), Marshall (Andrew), *After the Nation-State. Citizens, Tribalism and the New World Order*, Londres, Harper & Collins, 1994.
23. Jaffrelot (Christophe), « Les modèles explicatifs de l'origine des nations et du nationalisme », dans Delannoi (Gil), Taguieff (Pierre-André), *Théories du nationalisme. Nation. Nationalité, ethnicité*, Paris, Kimé, 1991.
24. Jürgensmeyer (Mark), *Religious Nationalism Confronts the Secular State*, Delhi, Oxford University Press, 1996 [1993].
25. Kedourie (Élie), *Nationalism*, Oxford, Blackwell, 1993 (1re éd. 1961).
26. McLuhan (Marshall), *Understanding Media*, Londres, Routledge, 1964.
27. Mayall (James), *Nationalism and International Society*, Cambridge, Cambridge University Press, 1990.
28. Moynihan (Daniel), *Pandaemonium. Ethnicity in International Politics*, Oxford, Oxford University Press, 1993.
29. Ohmae (Kenichi), *De l'État-nation aux États-régions*, Paris, Dunod, 1996.
30. Robertson (Robert), « Interpreting Globality », dans Robertson (R.), *World Realities and International Studies*, Glenside, Pennsylvania Council on International Education, 1983.

31. Robertson (Robert), « The Relativization of Societies : Modern Religion and Globalization », dans Robbins (T.), Shephered (W.), McBride (I.) (eds), *Cults, Culture and the Law*, Chicago, Scholars, 1985.
32. Robertson (Robert), *Globalization*, Londres, Sage, 1992.
33. Robertson (Robert), « Mapping the Global Condition : Globalization as the Central Concept », dans Featherstone (Mike) (ed.), *op. cit.*
34. Rosecrance (Richard), « The Rise of the Virtual States », *Foreign Affairs*, 75 (4), juillet-août, 1996.
35. Rosenau (James), *The Study of Global Interdependence*, New York, Nichols, 1980.
36. Rosenau (James), *Turbulence in World Politics*, Princeton, Princeton University Press, 1990.
37. Roy (Olivier), *La nouvelle Asie centrale ou la fabrication des nations*, Paris, Seuil, 1997.
38. Smith (Anthony), « Towards a Global Culture ? », dans M. Featherstone [12].
39. Smith (Anthony), *National Identity*, Londres, Penguin Books, 1991.
40. Wallerstein (Immanuel), *The Modern World-System*, New York, Academic, 1974.
41. Walzer (Michael), « Le nouveau tribalisme », *Esprit*, novembre 1992.
42. Waters (Malcolm), *Globalization*, Londres, Routledge, 1995.

Chapitre 3

Décision, pouvoir et rationalité
dans l'analyse de la politique étrangère

Actualité et utilité
de l'approche décisionnelle

L'approche décisionnelle de la politique étrangère a suscité fort peu de recherches en France et ne figure qu'exceptionnellement dans les programmes d'enseignement, alors qu'aux États-Unis elle a donné lieu à une littérature foisonnante, abordant les problèmes de la décision en politique étrangère à travers des angles très différents : le rôle des acteurs étatiques (présidents, administrations, militaires, « complexes militaro-industriels », etc.) et non étatiques (Parlements, groupes de pression, médias, opinion publique, etc.), les problèmes de contrôle de l'information et ceux de la mise en œuvre, la gestion des crises, le problème des perceptions. Dans l'impossibilité de faire ici le bilan exhaustif de cette littérature, nous n'aborderons que les ouvrages clés qui ont marqué la discipline, en tentant au préalable de définir ce qui distingue l'analyse décisionnelle (AD) des autres approches théoriques de la politique étrangère.

Contrairement à beaucoup de spécialistes de la politique étrangère qui analysent les objectifs, les stratégies et les intentions des décideurs à partir des résultats, l'AD s'intéresse prioritairement aux processus internes, qu'ils soient politiques, bureaucratiques ou cognitifs et à leur influence sur la politique extérieure. Située au confluent de plusieurs disciplines scientifiques (la science politique, la sociologie, la psychologie sociale, l'histoire), l'AD se revendique comme une « approche scientifique » de la politique étrangère. Elle propose d'isoler les variables significatives et de les mesurer, cherchant à démontrer davantage qu'à spéculer. Le champ du *decision making process* s'est développé en référence – par attrait et le plus souvent par répulsion – au modèle de la « décision rationnelle » auquel on attribue généralement les caractéristiques suivantes :

1. L'unicité de l'acteur étatique incarné par le « prince », chef de l'État ou de gouvernement qui conçoit, décide et agit au nom de l'intérêt général. L'AD s'inscrit en faux contre la vision d'un État acteur unique, homogène, réifié, abstrait, structure huilée au sein de laquelle la répartition des tâches serait parfaitement rationnelle entre des décideurs politiques qui définissent les objectifs, décident, et une administration disciplinée et vouée aux tâches de préparation et d'exécution des décisions. L'« État » y est considéré comme un système complexe de forces agissant chacune selon sa propre logique, disposant d'intérêts propres, d'une vision particulière de l'intérêt national et de la menace extérieure. Elle présuppose une dynamique interne dont l'issue, souvent imprévisible, vient peser sur les choix de politique étrangère [1]. L'attention va dès lors se porter sur le rap-

---

1. Raymond Aron [4] soulignera, un peu tardivement et sans s'y être véritablement impliqué, « l'importance qu'il y a à substituer à l'acteur personnalisé, rationnel, la complexité du mécanisme politique [...] ».

port entre ces différentes structures administratives et le pouvoir politique incarné par le chef de l'exécutif, traditionnellement responsable de la conduite de la diplomatie et de la défense, pour tenter de démêler l'écheveau de la décision, identifier les responsabilités, savoir qui décide réellement et non seulement formellement, qui détermine les principaux choix et selon quelle logique, à partir de quelles informations, en fonction de quelle grille d'analyse. Comment l'appareil exécutif et les acteurs non étatiques perçoivent-ils le monde et sont-ils susceptibles de peser sur les choix finaux ?

2. La rationalité des choix : ceux-ci résulteraient d'une analyse utilitariste en termes de coûts-bénéfices. Des multiples options qui s'offrent à lui et à partir d'une information très complète et d'une capacité d'anticiper les conséquences de ces décisions, le décideur suprême dégagerait un choix optimal, le plus conforme à l'intérêt national. La littérature du dernier quart de siècle sur la prise de décision en politique étrangère tente de montrer les conditions réelles dans lesquelles sont prises les décisions, les difficultés auxquelles les décideurs politiques sont confrontés, le poids des valeurs, de l'idéologie, le mode de perception des contraintes externes et internes, l'élasticité de la notion d'intérêt national.

3. L'intentionnalité des décisions : l'action est supposée être une réponse délibérément choisie en vue de réaliser un objectif politique précis. Mais pour l'AD, la politique étrangère se réduit rarement à la réalisation d'un quelconque grand dessein. Elle est souvent faite de multiples actions concrètes, manquant de cohérence, improvisées, prises dans des conditions d'urgence et dépourvues de vision stratégique d'ensemble. Simon et March [15, 31] montrent, pour leur part, que les décideurs n'ont pas toujours des objectifs clairement définis

à l'avance et cherchent davantage la « satisfaction » que l'« optimisation ».

L'analyse décisionnelle constitue aussi une sorte de rupture par rapport aux autres approches de la politique étrangère [1]. Elle se démarque de l'« approche réaliste », savamment représentée par H. Morgenthau [34], qui privilégie les explications de la politique étrangère par leurs finalités, définies essentiellement comme une quête de puissance et de maximisation de l'intérêt national. Or, non seulement l'« utilitarisme » est prédominant chez les adeptes de la théorie réaliste, comme le note C.-P. David [16], mais l'est également la notion d'« intentionnalité », puisque ces derniers postulent l'existence d'objectifs politico-stratégiques précis.

L'AD se distingue également de l'« approche sociétale » [42] qui tient pour facteur explicatif déterminant de la politique étrangère le contexte national et international : les contraintes économiques, géographiques, ou démographiques ou encore le caractère du régime politique (démocratie, régime autoritaire, etc.) et qui rendent plus ou moins prévisible le comportement de l'État sur la scène internationale. Elle se différencie notamment de l'« approche structuraliste » qui considère la structure du système international comme le facteur explicatif déterminant du comportement de l'État. Sans rejeter complètement ces approches, l'AD considère qu'elles ne suffisent pas à expliquer la politique extérieure des États, les fluctuations plus ou moins fortes des orientations qui peuvent se produire, qu'elles induisent un déterminisme incompatible avec l'observation des réalités concrètes et l'existence de choix véritables qui pourtant s'offrent aux responsables. Elles font abstraction de l'importance du

---

1. Pour une analyse détaillée de ces approches, voir Badie, Smouts [6], C.P. David [16], Dougherty, Pfaltzgraff [19] et Roche [41].

facteur organisationnel, des luttes d'influence, des débats internes, des dysfonctionnements au niveau de la préparation, de l'information et de la mise en œuvre. Elles laissent dans l'ombre le problème des perceptions comme celui des valeurs, de la personnalité des décideurs politiques, de leur implication dans la conduite des affaires. L'analyste de la décision tente de comprendre pourquoi certaines options ont été préférées à d'autres, il s'intéresse aussi bien aux choix qu'aux non-choix, aux décisions qu'aux « non-décisions » [5].

L'AD n'ignore pas l'importance des contraintes environnementales, mais c'est la manière dont les acteurs perçoivent ces contraintes qui compte, l'importance qu'ils leur accordent, la manière dont ils définissent les intérêts nationaux, la hiérarchie des priorités qu'ils se forgent, la grille d'analyse qui leur sert à ordonner les informations qu'ils reçoivent. Les « contraintes » ne sont pas des données purement objectives, mais doivent leur importance à un coefficient que leur attribuent les acteurs de la décision, souvent en fonction de leur propre grille cognitive. L'interprétation et la perception par les acteurs deviennent des variables explicatives incontournables.

L'AD se distingue également des approches dites « nouvelles » des relations internationales, notamment de l'école transnationaliste qui met l'accent sur l'importance croissante des forces transnationales qui se sont développées au détriment de l'« État ». Certains auteurs remettent en cause la notion de « politique étrangère » et de « souveraineté » de l'État [1]. Certes, les relations internationales ne se réduisent pas aux relations interétatiques et la politique étrangère ne peut plus être définie comme « la partie de l'activité étatique qui est tournée

---

1. Sur ce débat, voir le chapitre 2 de l'ouvrage de Badie, Smouts [6].

vers le dehors [1] », mais ce serait une erreur que de sous-estimer le rôle central que les États continuent à jouer dans le système international, les fonctions importantes qu'ils assurent : sécurité de la nation ; adaptation à l'environnement international ; incarnation de l'identité nationale ; préservation des équilibres géopolitiques ; défense de certaines valeurs communes, telles la paix, la démocratie. Ces mêmes acteurs non étatiques qui concurrencent l'État n'attendent d'ailleurs pas moins le soutien de ce dernier (c'est le cas des entreprises qui exportent ou des ONG humanitaires qui opèrent dans des zones à risques et qui, sans la protection de l'État, seraient vouées à la paralysie, voire à la disparition). La concurrence va de pair avec une certaine complicité. Dans les circonstances de crise grave, c'est l'État qui impose généralement ses volontés aux acteurs non étatiques.

Présidents et bureaucrates dans l'analyse de la politique étrangère

Parmi les travaux publiés sur la prise de décision, certains ont plus particulièrement marqué la discipline. L'ouvrage de Graham T. Allison [1], qui traite de la crise des missiles de Cuba, d'octobre 1962, la plus grave, sans doute, que la guerre froide ait produite [2], est un de ceux-

---

1. Comme le note Marcel Merle, *La politique étrangère*, Paris, PUF, 1984.
2. La crise éclate le 15 octobre 1962 après la découverte par un avion *U2* américain du déploiement sur le sol de Cuba de missiles soviétiques capables d'atteindre le territoire des États-Unis. Un comité ad hoc, l'ExComm, est formé par le président Kennedy qui prendra la décision de mettre en place un blocus naval. La crise s'achève le 28 octobre, par le retrait des fusées soviétiques, JFK s'engageant à ne pas envahir l'île et à retirer ses missiles de Turquie.

là. Allison n'est pas un précurseur, d'autres avant lui – notamment Moldeski [33], Snyder, Bruck et Sapin [48], Paige [38] – ont souligné l'importance du comportement des acteurs dans la conduite de la politique étrangère. Mais il est le premier à avoir tenté d'élaborer des modèles théoriques. C'est paradoxalement le livre le plus cité dans ce champ particulier, mais aussi le plus controversé dans la littérature outre-Atlantique. Les ouvrages de théorie de relations internationales publiés en France qui daignent le mentionner ignorent tout de ces controverses et des travaux les plus récents réalisés à partir de témoignages et d'archives. Ce cas d'école, un des plus célèbres de l'époque contemporaine, nous servira de fil directeur dans l'analyse des différentes approches, bureaucratique, cognitive et par l'opinion publique, que nous avons choisi d'aborder.

S'appuyant sur les travaux d'Herbert Simon [46] sur la « rationalité limitée », Allison tente de démontrer que les acteurs de la crise, en dépit des apparences, sont loin de se comporter selon le modèle de l'acteur rationnel. Ce dernier devrait, par conséquent, « être complété, voire supplanté » [1] par des cadres de référence davantage axés sur le fonctionnement de la machine gouvernementale. Il en proposera deux : le « modèle organisationnel » et le « modèle bureaucratique ». Le premier définit l'appareil gouvernemental comme formé d'un conglomérat d'organisations semi-féodales agissant non pas tant en fonction d'instructions de dirigeants gouvernementaux ou d'une stratégie globale et d'objectifs à long terme, mais selon des routines et des procédures préétablies, en vue de résoudre des problèmes à court terme et pour faire face à des situations d'urgence. Les décideurs politiques, auxquels revient le rôle d'arbitres et de coordinateurs, sont tributaires de ces organisations qui ne fournissent pas spontanément au gouvernement toute l'information qui lui est nécessaire, limitant ainsi considérablement sa liberté de manœuvre. Selon Allison, ce cadre conceptuel permet d'expliquer, notamment, les erreurs de l'armée soviétique qui négligea de camoufler et de durcir les sites des fusées mis en place à Cuba, agissant ainsi selon les normes en vigueur sur le territoire soviétique [1]. Mais il expliquerait également la décision de Khrouchtchev de déployer ces missiles, décision largement influencée par les conceptions des forces nucléaires stratégiques. Il permettrait également de rendre compte du retard américain dans la découverte des sites, retard provoqué par la lenteur des services et les désaccords entre la CIA et l'armée de l'air se disputant la réalisation du vol de reconnaissance de l'avion *U2* au-dessus de Cuba qui permit de photographier les sites.

Dans le modèle bureaucratique, Allison met davantage en valeur les rivalités qui opposent les différentes unités décisionnelles et les marchandages auxquels elles se livrent. Ces acteurs ne sont pas guidés par une vision stratégique globale mais par des objectifs à caractère corporatiste, personnel ou national. Leur point de vue sur un problème dépend prioritairement de la position qu'ils occupent dans le système décisionnel [1]. La décision qui en résulte ne constitue pas un choix guidé par des considérations rationnelles mais un compromis négocié et dont le caractère dépend du poids et de l'habileté des acteurs respectifs. Ainsi, le blocus naval est-il présenté comme un compromis entre des points de vue différents oscillant entre l'immobilisme et une action militaire d'envergure. Cette décision résulterait d'un mélange d'erreurs de conception, de communication, d'information, de marchandages et de tiraillements, auquel s'ajou-

---

1. « *Where you stand depends on where you sit* », formule attribuée par Allison à Don Price [1].

tent des considérations d'intérêts de sécurité nationale [1]. Pour l'auteur, chacun de ces deux modèles est valable mais correspond à un niveau différent de la réalité.

Les critiques d'Allison tendent à remettre en cause les prémisses sur lesquelles sont fondés les deux derniers modèles théoriques, modèles qui ne sont, d'ailleurs, nullement exclusifs l'un de l'autre [7], mais se recouvrent, ce dont Allison conviendra sans difficulté [2]. La plupart d'entre eux relativisent l'importance qu'il accorde aux bureaucraties et revalorisent l'influence du décideur politique suprême. Tentons de résumer les principales d'entre elles.

– Les appareils bureaucratiques sont présentés par Allison exclusivement comme un facteur négatif, comme une entrave à la liberté du décideur politique alors qu'ils ont, bien souvent, un rôle constructif dans l'invention de solutions concrètes. Sans eux, le président serait contraint de tâtonner, de prendre des risques considérables. Ils ont un rôle de garde-fou contre les initiatives intempestives qu'un président fraîchement élu pourrait, dans l'euphorie de son élection, être amené à prendre sans en mesurer tous les risques [11, 50]. Allison surestime les rigidités de ces organisations, ne faisant pas de distinction entre les différents types de services impliqués dans le processus de décision. Il y a des différences considérables entre, par exemple, l'administration des Affaires étrangères et les appareils militaires, structures lourdes et complexes, contraints de planifier longtemps à l'avance leurs plans d'opérations en fonction d'hypothèses de conflits qui, bien souvent, ne se produiront pas. Confrontés à une situation nouvelle, il leur faut du temps pour s'y adapter et proposer une réponse *ad hoc*. La crise des missiles de Cuba montre que des efforts d'adaptation ont bien été faits. L'absence de camouflage des sites pourrait aussi bien s'expliquer, selon Welch [50], par le manque de compétence ou par la mauvaise communication au niveau de la chaîne de commandement. La publication des archives infirme, par ailleurs, la thèse d'une rivalité entre la CIA et l'armée de l'air au sujet de l'envoi de l'avion *U2* pour survoler Cuba [44].

– Allison privilégie beaucoup trop le lien entre la fonction exercée par les acteurs et la position qu'ils défendent. Il n'existe pas de lien de causalité simple entre ces deux variables, sinon on devrait en conclure que tout autre président que Kennedy aurait pris la décision du blocus, tout comme en 1945 tout autre président que Truman aurait décidé les bombardements d'Hiroshima et de Nagasaki et que la décision de De Gaulle de faire sortir la France des organismes militaires intégrés de l'OTAN, en 1966, aurait été prise de toute manière, toutes choses indémontrables, discutables et qui relèvent d'une démarche parfaitement déterministe. De même, faudrait-il croire que les militaires seraient *a priori* des « faucons » et les dirigeants civils, des « colombes » ? Or, en réalité, comme le montre Allison lui-même, l'opposition entre faucons et colombes est loin d'être aussi marquée, les positions des différents acteurs étant loin d'être aussi tranchées. Le secrétaire à la Défense, Robert McNamara, avait d'ailleurs, pour sa part, opté pour une solution plus modérée que celle préconisée par ses subordonnés [7]. Des études conduites dans d'autres domaines – la guerre du Viêt-nam, les rapports entre le pouvoir politique et l'armée en France [12] – montrent que les opinions des différents acteurs ne traduisent pas nécessairement leurs positions. Les civils se montrent souvent davantage va-t-en-guerre que les militaires mais, comme le fait remarquer Welch, une fois la décision prise, les militaires font pression pour élever le volume des forces engagées [50]. En France, depuis la fin de la guerre d'Algérie, la plupart des interventions militaires extérieures, en Afrique, au Proche-Orient ou en ex-Yougoslavie, ont été réalisées à l'instigation des dirigeants civils [12]. Allison donne incontestablement une vision trop monolithique des bureaucraties. Au sein d'une même arme, pour ne prendre que cet exemple, peuvent cohabiter différents corps de métier, différentes conceptions de l'intérêt national ou de l'intérêt organisationnel.

– *Essence of decision* sous-estime très largement l'influence du président sur la bureaucratie, les ressources dont il dispose pour s'affranchir de la tutelle des experts. Il a la possibilité de s'entourer de collaborateurs personnels à la fidélité éprouvée, de nommer les hauts responsables et de les révoquer, comme l'ont montré Halperin et George [20, 22]. Tous n'échappent pas toujours au désir de se montrer utiles au président, de lui plaire, certains évitant de le contredire, au risque d'ailleurs de porter atteinte à la qualité du processus de décision, comme l'a montré Irving Janis [25]. Allison évoque le problème des rivalités entre les services en omettant de préciser que celles-ci sont une gêne pour le président mais aussi une garantie d'une information diversifiée. Lors de la guerre de Kippour, en octobre 1973, le gouvernement israélien avait fait l'expérience à ses dépens du grave inconvénient que représentait le fait de confier à un seul service, Aman (le renseignement militaire), la responsabilité du renseignement et de l'évaluation dans le domaine stratégique [27].

– Il y a quelques excès à présenter les « marchandages » comme une norme dans les relations entre le président et les appareils bureaucratiques et le « compromis » comme le mode habituel de résolution des conflits entre les différents acteurs. Des décisions peuvent être prises par le président, seul ou conseillé par quelques proches collaborateurs. Inversement, certaines d'entre elles sont élaborées et mises en œuvre par les responsables de services sans que le président s'en soit mêlé. L'influence des appareils est inversement proportionnelle à l'implication des dirigeants politiques dans le processus de décision. Dans le cas de la crise des missiles de Cuba, ainsi que les archives les plus récentes le révèlent (notamment l'enregistrement des débats de l'ExComm, réalisés sur ordre de JFK à l'insu de ses membres), le rôle de JFK a été beaucoup plus important que ne le laisse entendre Allison [8, 32, 35]. Le choix de JFK se porte sur le blocus parce qu'il est le plus proche de ses « critères de satisfaction », selon la formule de Crozier et Friedberg [15] : éviter une reculade qui aurait été néfaste politiquement à quelques semaines des élections pour le Congrès, ou un conflit nucléaire tout aussi inacceptable. Le comportement de JFK renvoie partiellement au modèle du décideur rationnel – modèle qui comporte des éléments encore utiles à la compréhension de la politique étrangère – calculant coûts et bénéfices de chaque option. Estimant que le blocus ne réglait pas tous les problèmes, Kennedy décide de proposer aux Soviétiques le démantèlement des missiles américains en Turquie. Cette proposition sera négociée secrètement entre Robert Kennedy, frère du président et l'ambassadeur soviétique à Washington, Anatoly Dobrynin, sans que l'Executive Commitee (ExComm) en ait été informé au préalable. Bon nombre de ses membres s'étaient dits opposés à cette option lorsqu'elle fut évoquée la première fois. Kennedy avait donné l'impression de rallier le camp des détracteurs de cette solution mais il fit, en définitive, l'inverse, se montrant plus conciliant que bon nombre de ses subordonnés [35]. Cette décision fut prise dans le plus grand secret pour ne pas inquiéter les membres européens de l'OTAN. Ce retrait avait été envisagé par

JFK avant la crise – il lui était donc peu coûteux – mais aucune décision n'avait encore été prise, contrairement à ce qu'affirme Allison [44].

Non seulement la décision-compromis n'est pas conforme à la réalité de cette crise, mais elle ne peut être présentée comme un modèle dominant, à caractère universel. Dans le système décisionnel d'un pays développé, plusieurs processus cohabitent : la décision unilatérale du chef de l'exécutif, la décision-consensus, la décision-compromis, la non-décision, la décision par le bas. Chacun de ces modèles dépend de multiples paramètres, parmi lesquels figurent la complexité du dossier, la nature du régime politique, l'autorité du chef de l'exécutif, sa personnalité, sa perception du problème, son degré d'implication, la qualité de ses conseillers, etc.

– Allison ne s'intéresse pas au « dysfonctionnement politique », aux dégâts qui peuvent être occasionnés au processus décisionnel du fait de négligences de la part du pouvoir politique, de son inertie, de son incompétence dans certains domaines, ou, au contraire, du fait de sa précipitation à agir sans s'entourer des avis nécessaires, de l'absence d'objectifs clairs, de son désintérêt pour certains problèmes qui ne figurent pas parmi ses priorités, laissant ainsi une grande marge de manœuvre aux bureaucraties. La « puissance » des bureaux résulte le plus souvent d'une défaillance de l'autorité politique. Elle est inversement proportionnelle au degré d'implication de celle-ci dans le processus décisionnel [11].

– Les modèles d'Allison peuvent-ils, dans ce cas, prétendre au statut de modèle théorique ? Peut-on, d'ailleurs, tirer des conclusions d'un pareil niveau de généralité à partir de l'étude d'un cas unique, aussi intéressant soit-il ? C'est le travers de beaucoup d'études aux États-Unis, comme le notent Dougherty et Pfaltzgraff [19], de ne s'intéresser qu'à la situation américaine, mais aussi et surtout, faut-il ajouter, de vouloir extrapoler à partir d'un cas unique. Un modèle décisionnel doit prendre en considération une variété de cas, portant sur une assez longue durée [1]. Toutes ces critiques n'invalident pas complètement la réflexion théorique d'Allison. Ses « modèles » ont davantage valeur d'outils conceptuels d'une utilité incontestable si on les manie avec discernement. Ils ont contribué à déniaiser le comportement de certains analystes, trop proches du modèle de la décision rationnelle, et, involontairement, à démythifier le poids des bureaucraties, à relativiser les maux qu'on leur prête.

L'approche cognitive de la décision et ses limites

Le problème des perceptions tient également une place très importante dans l'analyse décisionnelle, où il apparaît comme une variable fondamentale dans le travail d'Allison, sans pour autant que la manière dont les décideurs appréhendent le monde ait été approfondie. Or, les processus cognitifs, la manière dont les informations sont perçues par les acteurs et transformés en choix, sont considérés par certains auteurs comme essentiels à la compréhension de la décision. Selon Holsti [23], l'« image » que les décideurs se font de la réalité acquiert plus d'importance que la « réalité objective ». Les travaux sur la perception sont fondés sur le postulat selon lequel il existe un hiatus entre le « monde réel » et la vision que le décideur se fait de ce monde, hiatus

---

1. C'est là que se trouve une des difficultés majeures de la recherche dans le domaine de l'analyse décisionnelle.

qui peut conduire à une mauvaise compréhension de la réalité et à des décisions inappropriées [23].

Quelles sont les causes de ce décalage ? A. George [20] mentionne l'incapacité du décideur à saisir toute la complexité de certaines réalités, ce qui le conduit à trier, à simplifier la réalité, à la réduire à ses attributs les plus significatifs afin de rendre plus aisée la procédure de l'analyse des options et des choix.

D'autres auteurs ont souligné l'importance du « système de croyances » du décideur qui contribue à structurer sa vision du monde. Les croyances sont déterminées par la personnalité du décideur, son éducation, ses expériences vécues, son adhésion à certaines valeurs, à la conception qu'il se fait de son rôle. Elles agissent comme une « carte d'orientation » [21], comme une grille d'analyse guidant le décideur dans le choix des objectifs à atteindre [23], comme un verre filtrant les informations les plus compatibles avec sa vision du monde. Les croyances ne sont pas statiques, elles peuvent évoluer en fonction de la capacité du décideur à les remettre en question, de son ouverture d'esprit, de sa capacité d'adaptation à des données nouvelles.

R. Jervis [26], psychologue de formation, tente d'énumérer les facteurs cognitifs qui perturbent le bon fonctionnement du processus de décision et qui faussent l'analyse : la tendance à percevoir ce à quoi on s'attend (le *wishful thinking*) et à chercher à intégrer les informations nouvelles dans des représentations déjà établies, à les accorder aux croyances préexistantes, ce qui, en période de crise, peut conduire à une vision erronée de l'adversaire, à sous-estimer les risques ou au contraire à les surestimer. Dans son étude consacrée au système de croyances de John Foster Dulles, secrétaire d'État sous la présidence Eisenhower, et en particulier à sa perception de l'URSS, Holsti [23] montre, à travers l'analyse de plusieurs centaines de documents (témoignages, discours prononcés par Dulles), comment Dulles réinterprète les actions soviétiques de manière à préserver sa conviction profonde de l'existence d'une « mauvaise foi inhérente au communisme ».

Jervis souligne l'importance des expériences passées et des leçons de l'histoire qui affectent les perceptions des décideurs [1]. Il reproche (exemples à l'appui) à ces derniers de se laisser entraîner à de fausses analogies historiques, à méconnaître les causes profondes des faits historiques sélectionnés pour les besoins de la décision, mais également à réitérer les solutions qui se sont avérées efficaces dans le passé et à rejeter celles qui n'ont pas fait leurs preuves, sans trop chercher à savoir si la comparaison est pertinente.

Cet auteur énumère, également, les types de comportement les plus courants des décideurs confrontés à une « dissonance cognitive », un décalage entre l'information reçue et le système de croyances : certains tendent soit à les ignorer, soit à minimiser la véracité de l'information ou la valeur de la source, recherchant les informations susceptibles d'invalider l'information dérangeante. Les décideurs, réduits à remettre en cause leur grille d'interprétation, le font lentement et généralement aux marges de leur système de croyances.

Pour stimulante qu'elle soit, l'application à la politique étrangère de concepts empruntés à la psychologie n'en souffre pas moins d'une faiblesse majeure : la difficulté à les opérationaliser. Les exemples utilisés par Jervis pour sa démonstration ressemblent davantage à

---

1. On peut y voir dans l'attitude de François Mitterrand au moment de l'effondrement du communisme en Europe une bonne illustration de ce problème. Voir Samy Cohen (dir.), *Mitterrand et la sortie de la guerre froide*, Paris, PUF, 1998.

une illustration qu'à une preuve convaincante. Les discours d'un homme d'État (ceux utilisés dans l'article de Holsti) sont-ils révélateurs de sa vision du monde ou construits à des fins politiques, destinés à diaboliser l'adversaire ? Les perceptions des décideurs sont des objets difficiles à appréhender, qui se prêtent mal à une analyse rigoureuse. Dans certains cas, le problème posé est tout autant celui de la dissonance cognitive que celui de la difficulté à choisir entre des options qui comportent toutes autant d'avantages que d'inconvénients. Certains échecs comportent des causes multiples et ne peuvent être réduits à un hypothétique problème de perception. Enfin, comme le font remarquer Dougherty et Pfaltzgraff [19], le processus à travers lequel chemine l'information reçue, pour se transformer en décision, est extraordinairement complexe à retracer. En dépit de son incontestable intérêt, l'approche cognitive pose encore des problèmes théoriques et méthodologiques qui sont loin d'être résolus.

L'irruption de l'opinion publique dans l'analyse décisionnelle

Dans le « modèle bureaucratique », reformulé un an après la publication de *Essence of Decision*, Allison [2] distingue deux grandes catégories d'acteurs : les acteurs majeurs – les principaux responsables de l'exécutif, les chefs des principaux services – qui dominent le jeu, et les acteurs mineurs – les membres du Congrès, les groupes d'intérêts, les médias, l'opinion publique – qui se contentent de l'influencer. On ne s'attardera ici que sur ce dernier acteur qui suscite encore de vives controverses et au sujet duquel une littérature importante s'est développée. Les minutes des réunions de l'ExComm n'apportent pas la preuve que les décisions du président américain aient été influencées par des considérations de politique intérieure [32]. Mais l'hypothèse d'une pareille influence ne peut pour autant être exclue. Kennedy, on le sait, redoutait qu'une attitude par trop conciliante à l'égard de Khrouchtchev ne soit sévèrement jugée par le public américain, entraînant une sanction lors des élections pour le Congrès devant se tenir quelques semaines plus tard. C'est une des raisons pour lesquelles il entoure du plus grand secret le compromis russo-américain portant sur le démantèlement des missiles américains en Turquie. La même interrogation – sur le rôle de l'opinion publique dans les décisions de politique étrangère – apparaît lors de la guerre du Viêt-nam. Ce conflit marque un tournant dans l'intérêt que va manifester la science politique américaine pour l'opinion publique. L'étude de son influence donne naissance, au cours des décennies quatre-vingt et quatre-vingt-dix, à une littérature abondante. Celle-ci se caractérise par la remise en cause du « paradigme minimaliste », dominant au cours des années soixante et soixante-dix qui présentait l'opinion publique comme un acteur mineur en politique internationale en raison : du caractère minimal de l'information du public et de son intérêt pour les affaires internationales ; du très faible degré de stabilité et de cohérence de l'opinion publique sur ces questions [1].

Un auteur tel que G. Almond [3] invoque l'indifférence des personnes interrogées par sondages aux questions de politique étrangère, indifférence qui peut se transformer, en cas de crise internationale, en appréhen-

---

1. Le paradigme minimaliste s'érigea contre la définition de Gallup pour qui l'opinion publique « c'est ce que mesurent les sondages » [36]. Converse [14] aux États-Unis puis Bourdieu [9] en France furent les représentants les plus actifs de cette tendance.

sion ou en colère, mais cela resterait une réaction d'«humeur», une réponse superficielle et versatile. Elle exercerait une pression indirecte, diffuse et au total peu efficace, les gens ne débattant des problèmes qu'une fois la décision prise. Ces mêmes arguments servirent bien plus tôt à des auteurs tels Rousseau ou Tocqueville pour justifier le caractère non démocratique de la politique étrangère.

Le *New-Look* [47] dans la recherche sur l'opinion publique tend à réhabiliter les sondages comme instrument de mesure des attitudes du public de masse, réfute l'idée d'un « minimalisme » pour lui préférer la notion de cohérence et de stabilité « minimales », montre que les responsables de la politique étrangère sont devenus plus attentifs à l'opinion publique, ouvre, enfin, des perspectives nouvelles dans la méthode d'évaluation de l'influence de l'opinion publique. Un des travaux les plus novateurs est celui de Page et Shapiro [37] qui analyse les tendances de l'opinion publique américaine à travers cinquante années de sondages. S'opposant à la *mood theory* d'Almond, ces auteurs dénotent l'existence d'une stabilité de l'opinion publique et la capacité du public de masse au discernement et à la différenciation, même sur des sujets complexes et techniques. Les changements d'attitude qu'ils constatent ne sont pas l'effet du hasard mais correspondent à un changement de contexte, à l'apparition d'informations nouvelles. En France, mais aussi aux États-Unis, plusieurs recherches portant sur l'intervention militaire extérieure dans la période de l'après-guerre froide, confirment l'existence d'une cohérence et d'une stabilité minimales de l'opinion publique [13].

Mais ces travaux ne s'intéressent pas à l'influence, objet des recherches de B. Russett, de T. Graham, de Bernard Cohen ou encore de Philip Powlick. Tout en réfutant lui aussi la notion d'« ignorance » du public, Russett [43] constate, en corrélant les résultats de sondages avec les choix politiques correspondants, l'existence d'une influence de l'opinion publique, celle-ci étant toutefois variable selon les enjeux. Se fondant sur les archives de différentes présidences et sur les résultats de plusieurs centaines de sondages, Graham [18] tente, pour sa part, de développer un « modèle d'influence » en fonction de quatre facteurs qui, selon lui, déterminent si l'opinion publique aura ou non une influence :

1. Le niveau de soutien de l'opinion. Il en distingue cinq : un courant fortement dominant (80 %, ou plus), imposera quasi automatiquement ses choix aux décideurs ; un courant inférieur à 50 % a fort peu de chances d'influencer les décideurs. Entre ces deux extrêmes, trois niveaux apparaissent dont chacun autorise une marge de manœuvre plus ou moins grande des décideurs.

2. L'étape du processus de décision : l'opinion publique aurait une influence directe au moment de la « mise sur agenda » d'une négociation et au moment de la ratification de celle-ci. Elle serait indirecte au moment des phases de la négociation et de l'exécution. Cette argumentation nous paraît peu convaincante. Dans la réalité, la décision est rarement ainsi segmentée [45]. Les dirigeants ne disposent pas toujours de sondages avant ou au moment de la prise de décision. La « mise sur agenda », par ailleurs, ne dépend pas toujours de l'opinion publique, les dirigeants se réservant bien souvent l'initiative qu'ils savent entourer du plus grand secret. Enfin, plusieurs travaux ont souligné l'importance de l'opinion publique au moment de la mise en œuvre des décisions [30].

3. Le degré de connaissance de l'opinion par les décideurs : compte tenu de la « nature multidimensionnelle de l'opinion de masse », il est essentiel pour les diri-

geants de découvrir l'aspect de l'opinion le plus pertinent à prendre en considération par rapport à la politique que l'on veut mettre en œuvre. Or, il s'avère que cette prise en compte ne s'opère pas de façon toujours satisfaisante.

4. La capacité des acteurs à développer des stratégies de communication compatibles avec les attitudes préexistantes du public. Mais, ainsi que le fait remarquer Lawrence Jacobs [24], toute stratégie de communication comporte un « effet boomerang » : afin d'obtenir le soutien du public, il faut répondre à certains de ses appels.

Ces méthodes appuyées sur des données quantitatives et sur le dépouillement d'archives seront complétées par ce que l'on pourrait appeler l'« approche perceptionniste », la plus novatrice et sans doute la plus prometteuse. Elle est fondée sur l'idée que l'opinion publique existe dès lors que les décideurs lui reconnaissent une influence sur leurs décisions. V.O. Key [28] affirmait, il y a bien longtemps, que « l'opinion publique recouvre les opinions des citoyens dont les gouvernants trouvent prudent de tenir compte ». À partir de ces prémisses, s'est développée l'étude de l'influence de l'opinion publique à travers la vision subjective des décideurs. L'enquête menée par Bernard Cohen [10] puis, de manière plus approfondie, par Philip Powlick [39] [40], en 1988-1989, auprès des membres du National Security Council et du Département d'État, apporte de nombreuses indications utiles sur l'influence directe et indirecte ainsi que sur le degré d'attention accordée par les décideurs à l'opinion publique. Mais ces travaux, fondés, pour l'essentiel, sur une enquête quantitative, auraient gagné à être complétés par des études de cas, comme celle réalisée, en France, par Natalie La Balme [30]. Ces différentes approches (quantitatives, historiques et perceptionnistes) ne sont nullement exclusives l'une de l'autre et gagneraient à être combinées[1].

Ces progrès réalisés dans le domaine de l'étude de l'opinion publique n'élucident pas complètement le problème de son influence sur la politique étrangère. Aucun modèle théorique global ne s'en dégage. Le *new-look* ne constitue pas un nouveau paradigme. Il tire le centre de gravité du débat vers une ligne plus médiane. Rien, à l'inverse, ne permet de conclure à une « dictature de l'opinion » [17]. Il est rare que l'opinion publique joue à elle seule un rôle décisif. Ici aussi, l'influence dépend de beaucoup trop de variables différentes (nature de l'enjeu, degré de mobilisation des médias, détermination du président) dont la prévisibilité est réduite. Au moment de voter, le public ne se détermine qu'exceptionnellement sur des enjeux de politique internationale [13]. Il lui arrive souvent d'être pris entre des aspirations contradictoires (de vouloir, par exemple, dans le cas de prise d'otages, refuser de céder au chantage mais, pour sauver la vie de ces derniers, d'accepter de négocier avec les terroristes). Hubert Védrine [49], ancien proche collaborateur de François Mitterrand, insiste sur l'importance de la relation triangulaire pouvoir-médias-opinion : « Si l'opinion publique n'a pas d'avis arrêté sur un sujet, le pouvoir peut convaincre du bien-fondé de son action pourvu que les médias ne soient pas activement hostiles et que lui-même ait une vision claire. Si l'opinion publique est fixée *a priori* et que les médias sont sur la même ligne, le pouvoir ne pourra pas retourner la situa-

---

1. L'approche perceptionniste, pour stimulante qu'elle soit, doit inciter le chercheur à une grande prudence dans la conduite de ses entretiens, certains décideurs pouvant être tentés de surévaluer l'importance d'un facteur afin de justifier leurs décisions ou au contraire à le sous-évaluer pour faire valoir leur indépendance par rapport aux contraintes de politique intérieure.

tion sans de longs efforts. Si ce dernier ne sait pas ce qu'il veut, ou n'ose pas le dire, il subira, quoi qu'il fasse, les poids cumulés de l'opinion et des médias, l'une suivant les autres, ou réciproquement. »

La mention ici des médias ne doit pas constituer une surprise : les décideurs politiques leur sont très sensibles. C'est un acteur qui intervient régulièrement dans leur réflexion et dans l'action, influençant, souvent par anticipation, à la fois le contenu et la présentation des décisions [1].

*

L'analyse des processus décisionnels ne se limite évidemment pas aux problèmes présentés dans ce chapitre. De nombreux aspects qui le méritaient, tels que la décision en situation de crise, la dimension psychologique de la décision, le rôle des médias ou l'amélioration du processus de prise de décision, n'ont pas pu être approfondis ou même abordés. L'AD ne propose pas une « théorie globale de la décision », consciente de la difficulté qu'il y a à conceptualiser cette notion [45] sans retomber dans les pièges du modèle de l'acteur rationnel et des théories normatives. Sur le plan méthodologique, elle se heurte à plusieurs difficultés, liées à la maîtrise de la technique des interviews, à la difficulté de reconstituer des processus décisionnels souvent très complexes, à l'identification des influences et des responsabilités, travail d'autant plus délicat que les « vraies décisions », comme celles prises par Kennedy en octobre 1962, sont plutôt rares. La politique étrangère est souvent faite de mesures ponctuelles, bricolées plus ou moins habile-

---

1. Voir l'excellente synthèse de Lance Bennett, « The Media and the Foreign Policy Process », dans Deese [18].

ment, d'enchaînements échappant à la seule volonté des hommes. Les « grandes décisions » comme les actions routinières intéressent l'AD, toutes les deux étant révélatrices du fonctionnement d'un système décisionnel. En politique étrangère, le décideur ressemble à un joueur d'échecs menant plusieurs parties simultanément, où les gains ou les pertes ne s'évaluent que sur le long terme. En dépit de ces obstacles, l'analyse décisionnelle a permis d'importants progrès dans la compréhension de la politique étrangère.

Samy COHEN

BIBLIOGRAPHIE

1. Allison (Graham T.), *Essence of Decision : Explaining the Cuban Missile Crisis*, Boston, Little Brown, 1971.
2. Allison (Graham T.), Halperin (Morton H.), « Bureaucratic Politics : a Paradigme and Some Implications », *World Politics*, 24 (supplément), printemps 1972.
3. Almond (Gabriel A.), *The American People and Foreign Policy*, New York, Harcourt Brace, 1950.
4. Aron (Raymond), *Leçons sur l'histoire*, Paris, Le Livre de Poche, Éditions de Fallois, 1989.
5. Bachrach (P.), Baratz (M. S.), *Power and Poverty : Theory and Practice*, Oxford, Oxford University Press, 1970.
6. Badie (Bertrand), Smouts (Marie-Claude), *Le retournement du monde*, Paris, Presses de Sciences Po et Dalloz, 1992.
7. Bendor (Jonathan), Hammond (Thomas H.), « Rethinking Allison's Models », *American Political Science Review,* 2, 1986.
8. Blight (J.), Welch (D.), *On the Brink : Americans and Soviets Reexamine the Cuban Missile Crisis*, New York, Hill and Wang, 1989.

9. Bourdieu (Pierre), « L'opinion publique n'existe pas », *Les Temps Modernes*, 318, janvier 1973.

10. Cohen (Bernard C.), *The Public's Impact on Foreign Policy*, Boston, Little Brown & Co., 1973.

11. Cohen (Samy), *La monarchie nucléaire : les coulisses de la politique étrangère sous la Vᵉ République*, Paris, Hachette, 1986.

12. Cohen (Samy), *La défaite des généraux : le pouvoir politique et l'armée sous la Vᵉ République*, Paris, Fayard, 1994.

13. Cohen (Samy) (dir.), *L'opinion, l'humanitaire et la guerre*, Paris, Fondation pour les études de défense, La Documentation française, 1996.

14. Converse (Philip), « The Nature of Belief Systems in Mass Public », dans Apter (David E.), *Ideology and Discontent*, New York, Free Press, 1964.

15. Crozier (Michel), Friedberg (Erhard), *L'acteur et le système*, Paris, Seuil, 1977.

16. David (Ch. P.), *Au sein de la Maison-Blanche : la formulation de la politique étrangère des États-Unis de Truman à Clinton*, Québec, Les Presses de l'Université Laval, 1994.

17. Debray (Régis), *La puissance et les rêves*, Paris, Gallimard, 1984.

18. Deese (David), *The New Politics of American Foreign Policy*, New York, St Martin's Press, 1994.

19. Dougherty (James E.), Pfaltzgraff (Robert L.), *Contending Theories of International Relations. A Comprehensive Survey*, New York, Longman, 1997.

20. George (A. L.), *Presidential Decisionmaking in Foreign Policy : The Effective Use of Information and Advice*, Boulder (Col.), Westview Press, 1980.

21. Goldstein (Judith), Keohane (Robert O.), *Ideas and Foreign Policy*, Ithaca, Cornell University Press, 1993.

22. Halperin (Morton H.), *Bureaucratic Politics and Foreign Policy*, Washington DC, Brookings Institution, 1974.

23. Holsti (O.), « The Belief System and National Images : a Case Study », *Conflict Resolution*, 6 (3), septembre 1962.

24. Jacobs (Lawrence), « The Recoil Effect : Public Opinion and Policy Making in the US and Britain », *Political Science and Politics*, 27, mars 1994.

25. Janis (Irving), *Victims of Groupthink. A Psychological Study of Foreign Policy Decisions and Fiascos*, Boston, Houghton Mifflin, 1972.

26. Jervis (Robert), *Perception and Misperception in International Politics*, Princeton, Princeton University Press, 1976.

27. Kapeliouk (Amnon), *Israël : la fin des mythes*, Paris, Albin Michel, 1975.

28. Key (V.O.), *Public Opinion and American Democracy*, New York, A.A. Knopf, 1961.

29. Krasner (S.), « Are Bureaucracies Important or Allison Wonderland ? », *Foreign Policy*, 7, 1972.

30. La Balme (Natalie), « L'influence de l'opinion publique dans la gestion des crises », dans Cohen (Samy), *Mitterrand et la sortie de la guerre froide*, Paris, PUF, 1998.

31. March (J.-G.), Simon (H.-A.), *Les organisations*, Paris, Dunod, 1965.

32. May (Ernest), Zelikow (Philip), *The Kennedy Tapes. Inside the White House During the Cuban Missile Crisis*, Cambridge (Mass.), The Belknap Press of Harvard University Press, 1997.

33. Moldeski (George), *A Theory of Foreign Policy*, Londres, Pall Mall Press, 1960.

34. Morgenthau (Hans J.), *Politics Among Nations : The Struggle for Power and Peace*, New York, A. Knopf, 1973.

35. Nathan (James A.) (ed.), *The Cuban Missile Crisis Revisited*, New York, St. Martin's Press, 1992.

36. Padioleau (J.-G.), *L'opinion publique*, Paris, Mouton-EHESS, 1981.

37. Page (Benjamin), Shapiro (Robert), *The Rational Public. Fifty Years of Trends in American Policy Preferences*, Chicago, The University of Chicago Press, 1992.

38. Paige (Glenn D.), *The Korean Decision*, New York, Free Press, 1968.

39. Powlick (Philip), « The Attitudinal Bases for Responsiveness to Public Opinion Among American Foreign Policy Officials », *Journal of Conflicts Resolution*, 35, décembre 1991.
40. Powlick (Philip), « The Sources of Public Opinion for American Foreign Policy Officials », *International Studies Quarterly*, 39 (4), décembre 1995.
41. Roche (Jean-Jacques), *Théories des relations internationales*, Paris, Montchrestien, 1994.
42. Rosenau (James N.), *The Scientific Study of Foreign Policy,* New York, The Free Press, 1971.
43. Russett (Bruce), *Controlling the Sword : The Democratic Governance of National Security*, Harvard (Mass.), Harvard University Press, 1990.
44. Scott (Len), Smith (Steve), « Lessons of October : Political Scientists, Policy-Makers and the Cuban Missile Crisis », *International Affairs*, 70 (4), 1994.
45. Sfez (Lucien), *Critique de la décision*, Paris, Presses de Sciences Po, 1981.
46. Simon (Herbert), *Administration et processus de décision*, Paris, Economica, 1983.
47. Sniderman (Paul M.), « The New Look in Public Opinion Research », dans Finifter (Ada W.P.), *Political Science : the State of the Discipline*, II, Washington, APSA, 1993.
48. Snyder (Richard C.), Bruck (H.W.), Sapin (Burton), *Foreign Policy Decision Making*, New York, The Free Press of Glencoe, 1962.
49. Védrine (Hubert), *Les mondes de François Mitterrand*, Paris, Fayard, 1997.
50. Welch (David A.), « The Organizational Process and Bureaucratic Politics Paradigms », *International Security*, 17, 1992.

Chapitre 4

Comment penser l'Union européenne ?

« Plus qu'un régime et moins qu'une fédération... » C'est par cette définition volontairement vague que William Wallace résumait, au début des années quatre-vingt, la difficulté à faire entrer l'Union européenne dans les catégories de science politique connues. Alors qu'il présidait la Commission européenne, Jacques Delors n'hésitait pas non plus à présenter la Communauté européenne comme un « objet politique non identifié ». Au milieu des années quatre-vingt-dix, les anthropologues Marc Abélès et Irène Bellier parlaient, pour leur part, de la « bizarrerie communautaire ». Parce qu'elle présente à bien des égards les traits d'un État sans en être un, l'Union européenne pose décidément un défi théorique aux analystes. Nombreux sont toutefois ceux qui, depuis quarante ans, ont cherché à relever ce défi [11, 26, 58].

Développée dès la fin des années cinquante par les travaux des néo-fonctionnalistes américains – dont le plus célèbre reste Ernst Haas –, la théorie de l'intégration européenne a longtemps été le quasi-monopole des spécialistes de relations internationales. Une évolution s'est progressivement opérée à partir des années soixante-dix à mesure que l'intégration européenne soulevait une gamme de questions comme la légitimité des politiques publiques, l'efficacité des institutions, la représentation des acteurs, auxquelles la sociologie comparée de l'État était habituée à fournir des réponses. La boîte à outils théorique s'est de ce fait étoffée, et ce chapitre tentera d'en restituer les principaux composants d'une manière aussi critique que possible.

Cet exercice est l'occasion de rappeler deux principes simples. D'une part, si la théorie aide à mieux comprendre l'Union européenne en faisant émerger ce que Norbert Elias a appelé des « synthèses », elle n'est utile que si elle s'appuie sur un matériel empirique collecté en parallèle par le chercheur dans un terrain circonscrit. D'autre part, aucune théorie ne permet d'expliquer la totalité du processus de l'intégration européenne ; en revanche, toutes contiennent des ressources qui sont exploitables selon les questions que soulève la recherche empirique.

La boîte à outils théoriques présentée ici comprend trois étages. Dans le premier se trouvent rangées les principales théories américaines des relations internationales qui, depuis les années soixante, voient dans l'Union européenne un régime d'États rationnels, détenteurs de l'essentiel de la légitimité politique et contraints simplement par l'interdépendance à mettre en commun des intérêts qui restent agrégés au seul plan national. Le contenu du second étage est plus éclectique. Il comprend, d'une part, des approches néo-fonctionnalistes de l'intégration européenne qui, après une période de déclin, ont opéré un retour dans la théorie américaine des relations internationales au milieu des années quatre-vingt. Et, d'autre part, des approches visant à redonner aux institutions ou plutôt à la dynamique de l'institutionnalisation une place de choix dans l'étude de l'intégration européenne. Dans le troisième et dernier articulé se trouve classée l'approche qui est la plus directement contemporaine et qui, actuellement, attire le plus les spécialistes européens de l'intégration européenne : celle qui conçoit l'Union européenne comme un modèle de gouvernance. Partant du constat que les processus de recomposition transfrontalière ont eu un fort impact sur les modes d'action de *tous* les acteurs économiques, politiques et sociaux en Europe, cette approche tend à considérer l'Union européenne comme une configuration politique polycentrique, dans laquelle les notions d'autorité politique et de souveraineté sont devenues évasives. En vue de le démontrer, elle valorise généralement l'étude du *policy making* de l'Union européenne dans ses fonctionnements les plus quotidiens (on dirait en anglais *the day to day politics*) au détriment des « grands rendez-vous » institutionnels sur lesquels les théories des relations internationales se sont trop exclusivement focalisées.

Peut-être le lecteur français remarquera-t-il que la plupart des travaux mentionnés dans cette contribution sont, à l'exception de ceux sur le fédéralisme et les politiques publiques, issus d'auteurs qui ont d'autres nationalités que la sienne. Comment dès lors ne pas lui avouer que ce voyage au cœur du débat théorique sur l'intégration européenne a aussi été pensé comme une invitation à combler des vides, en particulier du côté des théories des relations internationales.

L'Union européenne : coopération organisée d'États

C'est en réaction à la faible capacité du néo-fonctionnalisme d'expliquer la politique d'obstruction du général de Gaulle au sein de l'Europe des Six (crise de la

« chaise vide » en 1965-1966, double refus des candidatures britanniques en 1963 et en 1967) qu'est née au milieu des années soixante aux États-Unis une approche théorique de l'intégration européenne se rattachant à la tradition réaliste des relations internationales. Enrichi à partir des années quatre-vingt par de nouvelles hypothèses qui ont contribué à le diversifier, ce courant, qui place les États au cœur du processus d'intégration européenne, fait partie intégrante du débat académique nord-américain et européen. Le choix de le présenter de manière détaillée, alors même que nous nous en sentons plutôt éloigné, est lié au fait que celui-ci est trop souvent ignoré en France, au même titre que toutes les théories américaines des relations internationales.

L'intergouvernementalisme originel

Élève de Raymond Aron à Paris, le politiste américain Stanley Hoffmann a été l'instigateur et longtemps l'unique représentant d'une approche dite *intergouvernementaliste* qui, à ses débuts, visa à expliquer l'intégration européenne en réhabilitant de manière critique la diversité des États par opposition à la convergence des élites chère à Haas et à Lindberg [15, 29, 58]. Plus de trente années de publications régulières ont permis à Stanley Hoffmann de réitérer, quelquefois en les nuançant, les principaux fondements théoriques de son approche [19]. La Communauté (Union) européenne est vue tout d'abord comme une coopération entre des États qui sont des acteurs rationnels et dont le fonctionnement interne est régi par des principes d'autorité et de hiérarchie. Dans un contexte d'interdépendance généralisée des économies, elle constitue une forme approfondie de *régime international* défini comme un ensemble de normes, d'institutions et de politiques communes permettant à ces États de gérer plus efficacement des problèmes spécifiques (*issue aeras*) comme le commerce, l'agriculture, l'environnement [18, 28]. La mise en commun de la souveraineté (*pooled sovereignty*) qui en résulte n'aboutit pas à diminuer le rôle des États mais au contraire à les renforcer en favorisant leur adaptation aux contraintes imposées par l'environnement international. Enfin, la création d'un régime n'entraîne pas obligatoirement celle d'autres régimes par un effet automatique d'engrenage, comme les néo-fonctionnalistes avaient pu le penser au début de leurs travaux. Se livrant à une relecture critique de la théorie du *spill over* élaborée par Ernst Haas, Stanley Hoffmann et Robert Keohane écrivent ainsi, en 1990, que cet engrenage ne peut se produire que s'il est précédé d'un « accord programmatique entre les gouvernements, exprimé sous la forme d'un marchandage intergouvernemental » [20]. En quelque sorte, l'expansion de l'agenda politique européen n'est possible qu'au prix de conflits et de compromis entre les gouvernements nationaux. Elle a lieu, en outre, plus facilement dans certains domaines (comme l'économie et le *welfare*) que dans d'autres (comme la politique étrangère et la défense), où les gouvernements préfèrent la sécurité de leur indépendance à l'incertitude d'une coopération qu'ils ne seraient pas certains de contrôler.

L'attention que Stanley Hoffmann a toujours portée aux politiques intérieures des États européens n'a toutefois jamais fait de lui un « réaliste pur » affirmant, à l'instar de Kenneth Waltz [54], que l'*intérêt national* d'un État dérive uniquement de sa position dans le système international. Ce souci de prise en compte du rapport interne-externe se retrouve chez une nouvelle génération de politistes qui, portés par le regain d'intérêt pour l'intégration européenne manifesté aux États-Unis après l'annonce du « programme 1992 », ont « revisité » le paradigme intergouvernemental à partir de la fin des années quatre-vingt [7].

Les nouvelles variantes de l'intergouvernementalisme

Si elles sont essentiellement le fait des *IR theorists* américains, c'est un historien britannique qui a contribué, par ses travaux, à leur diffusion en Europe. Pour Alan Milward, la forte interdépendance des marchés dans les domaines du charbon, de l'agriculture ou du commerce n'a laissé guère d'autre choix aux États providence européens, dès 1945, que de s'organiser collectivement pour prodiguer les politiques de bien-être à leurs citoyens [36]. Réfutant la thèse selon laquelle les États auraient renoncé à une part de leur souveraineté en créant des institutions communes (comme la Haute Autorité de la CECA), Alan Milward affirme qu'il s'est agi, au contraire, d'un moyen pour chacun d'eux de se restaurer individuellement. Sa thèse selon laquelle l'intégration européenne ne serait pas seulement une affaire d'élites désireuses de créer un État fédéral au lendemain de la guerre est rafraîchissante. Elle pèche néanmoins par excès. En réduisant la genèse de la Communauté européenne à sa seule dimension économique, Alan Milward sous-estime la guerre froide comme donnée contextuelle, l'idéologie des dirigeants politiques (en particulier le fait que la plupart d'entre eux appartiennent à la démocratie chrétienne et à la social-démocratie) et les débats autour des questions du territoire et de la souveraineté qui ont marqué les sociétés dès 1950. Plus fondamentalement, une conception statique de la souveraineté nationale amène Alan Milward à analyser la formation des Communautés européennes en considérant les États soit comme des « gardiens du temple » (la thèse qu'il

108

défend), soit comme des « abdicateurs » (la thèse qu'il réfute), alors qu'il est plus intéressant de s'extraire de ces idéaux types pour envisager des modèles intermédiaires [25].

Le renouveau des approches intergouvernementalistes s'est fait également par le biais de la théorie des choix rationnels qui a gagné énormément de terrain au sein de la science politique américaine depuis la fin des années quatre-vingt. Partant de l'hypothèse qu'il existe en Europe des États désireux de réduire des coûts de transaction dans un contexte d'économie ouverte, les tenants des choix rationnels considèrent avant tout l'intégration européenne comme une action collective visant, pour chacun des États, à optimiser des gains (au sens de la théorie de Pareto). Les travaux de Geoffrey Garrett sur la mise en place du marché intérieur ou sur la Cour de justice des Communautés européennes en sont les meilleurs exemples, bien que cet auteur prenne soin de ne pas réduire l'action collective au sein de l'Union européenne à la seule dimension économico-fonctionnelle [12, 13]. Il insiste sur la nécessité de prendre également en compte les *préférences politiques* de chaque État qui sont en fait les choix de politique intérieure des gouvernements centraux. Avec une certaine distance par rapport au réalisme classique, G. Garrett reconnaît, en outre, que les institutions et le droit communautaires exercent une influence sur les marchandages entre États. Il ne s'interroge en revanche jamais sur le rapport entre les préférences politiques des États et d'éventuelles demandes émanant des sociétés qui les composent. Cette négligence complète des acteurs sociaux – qui n'apparaissent nulle part – fait que les analyses de l'intégration européenne basées sur les seuls choix d'États voulant s'extraire rationnellement du « dilemme du prisonnier » trouvent rapidement leurs limites.

C'est dans un souci de rétablir le rapport État-société qu'Andrew Moravcsik a élaboré, au début des années quatre-vingt-dix, une autre approche, dite *intergouvernementaliste libérale*. Cette dernière s'est imposée comme une référence dans la littérature et l'on ne saurait l'ignorer lorsqu'on s'intéresse à l'intégration européenne [37, 38]. Poursuivant l'ambitieux projet de construire une théorie générale de l'intégration européenne, comme les jeunes (et les moins jeunes) universitaires américains sont tentés de le faire dans un monde académique où « avoir sa théorie » attire le respect de ses pairs, A. Moravcsik part de trois postulats de recherche : la rationalité de l'acteur étatique ; l'exercice du pouvoir comme résultante d'un marchandage entre des États ; et une théorie dite « libérale » de la formation des préférences nationales. Sur le plan méthodologique, sa démarche consiste à appliquer ces postulats à une réalité empirique qui est solidement maîtrisée ; ce qui est loin d'être le cas de tous les travaux théoriques américains sur l'intégration européenne.

Ses deux premières hypothèses s'inscrivent de manière classique dans la tradition du réalisme en relations internationales. Elles rejoignent celles que Stanley Hoffmann ou Geoffrey Garrett ont pu tester dans leurs travaux. On en soulignera trois limites [26]. Concevant les États au prisme des seuls gouvernements centraux, A. Moravcsik néglige complètement leur diversité interne (coalitions bipartites, rapport entre exécutif central et pouvoirs régionaux, concurrence entre agences et bureaucraties) qui est pourtant une donnée indispensable pour comprendre leurs positions différentes par rapport à l'intégration européenne. Postulant ensuite que l'Union européenne est une arène dans laquelle les *grands* États exercent le pouvoir, il simplifie considérablement les jeux décisionnels. Il n'est ainsi pas certain du tout que

« la convergence des choix de politique intérieure » de l'Allemagne, de la France et du Royaume-Uni en matière de marché ait pesé davantage sur l'adoption de l'Acte unique européen que le doublement des fonds structurels voulu par les États méditerranéens et l'Irlande ou les réformes institutionnelles auxquelles les pays du Benelux étaient très attachés [37]. Il s'est agi en fait, comme toujours, d'un « paquet » dont il est difficile et pas très utile de chercher à hiérarchiser les composants à partir de l'obsessionnelle question : « Qui a influencé le plus la décision ? » Enfin, Λ. Moravcsik voit dans les institutions communautaires (Commission, Parlement européen, Cour de justice) des agences créées par les États uniquement dans le but d'accroître « l'efficacité des marchandages interétatiques et [...] l'autonomie des responsables politiques vis-à-vis des groupes politiques composant l'arène politique nationale » [38]. Faute d'avoir étudié de l'intérieur le fonctionnement de ces institutions, il oublie qu'elles sont aussi des *organisations* ayant une capacité à générer des idées et à défendre des intérêts avec une marge d'autonomie par rapport aux États qui les ont créés.

La formation des préférences nationales constitue l'hypothèse la plus originale de l'intergouvernementalisme libéral par rapport à la tradition réaliste [39]. Si A. Moravcsik conçoit les marchandages entre États comme une confrontation d'*intérêts nationaux*, il voit également dans ces derniers des demandes qui sont adressées par des acteurs sociaux à des gouvernements qui les agrègent. Son schéma selon lequel des « donneurs d'ordre sociétaux délèguent leur pouvoir (ou d'une autre manière les contraignent) à des agents gouvernementaux » [38] est néanmoins trop simple. Il présuppose que l'État demeure en Europe l'unique scène de représentation des intérêts et que les acteurs sociaux nationaux n'ont en conséquence aucune capacité de s'organiser transnationalement. Lorsque A. Moravcsik écrit que « le programme marché intérieur [...] semble avoir été lancé indépendamment de toute pression des groupes d'intérêts », il néglige totalement l'impact que les organisations patronales européennes fédérées au sein de l'Union nationale des industries de la Communauté européenne (UNICE) ou de la « Table ronde européenne » ont pu exercer sur la Commission, parallèlement à leurs différents gouvernements. La chose importante est toutefois que ces omissions sont volontaires. En soutenant la thèse moniste que seuls les États (au sens de l'État-nation westphalien) comptent dans la formation de l'Union européenne, A. Moravcsik ne fait que mettre en pratique un autre postulat de recherche selon lequel la rigueur de la théorisation ne tolère pas une trop grande richesse phénoménale.

Dès lors, si l'intergouvernementalisme libéral en particulier et les approches intergouvernementalistes en général peuvent s'avérer des cadres théoriques utilisables pour l'analyse des « grands marchandages » (le traité de Rome, le SME, le traité de Maastricht, etc.) ou pour celle de politiques européennes qui restent très contrôlées par les administrations nationales, comme la Politique étrangère et de sécurité commune (PESC), il est assez facile d'entrevoir les limites attachées au parti pris moniste qui les sous-tend [26, 56]. Ce dernier interdit de saisir la formation politique de l'Union européenne à partir de configurations d'intérêts et d'idées qui, certes, sont portées par des gouvernements centraux mais de plus en plus aussi par des institutions communautaires, des régions, des acteurs non gouvernementaux, etc. De plus, les théories intergouvernementalistes envisagent les conflits politiques attachés à la formation de l'Union européenne toujours à partir de la même matrice linéaire

« plus ou moins d'*intégration supranationale* », alors que ceux-là portent de plus en plus sur des questions proches de celles que l'État pose à la sociologie politique : l'allocation et la distribution des ressources, la participation et la représentation des acteurs, l'efficacité et la légitimité des institutions et des politiques publiques. Ignorer les théories intergouvernementalistes constituerait néanmoins une erreur, ne serait-ce que parce que de nombreux travaux européens empirico-descriptifs sur l'intégration européenne en sont proches (le plus souvent sans le savoir) dans leur façon d'envisager la PESC, la défense ou l'élargissement de l'Union européenne à partir des marchandages entre *la* France, *l'*Allemagne ou *le* Royaume-Uni. Les théories intergouvernementalistes méritent enfin d'être connues dans la mesure où elles restent un élément référentiel du débat « anglo-saxon » sur l'intégration européenne. Il suffit, pour s'en convaincre, de lire des revues spécialisées comme *International Organization* ou *The Journal of Common Market Studies*, ou de fréquenter les grands colloques organisés par des associations universitaires comme l'European Community Studies Association, aux États-Unis, ou le European Consortium for Political Research en Europe.

Du modèle stato-centré à l'espace polycentrique

Depuis le milieu des années quatre-vingt, un débat a surgi au sein des études européennes sur la nécessité de dépasser le stato-centrisme au profit de l'analyse d'un espace politique polycentrique. La nécessité d'appréhender des configurations d'acteurs multiples a conduit à un retour discret du néo-fonctionnalisme. Elle s'est traduite aussi par de nouvelles approches théoriques de l'Union européenne empruntant non plus exclusivement à la théorie des relations internationales mais à des problématiques plus institutionnalistes.

Le retour discret du néo-fonctionnalisme

« Moribond » depuis le milieu des années soixante-dix, selon le propre constat d'un de ses concepteurs [16], le néo-fonctionnalisme a connu un regain de vigueur lors de la mise en place du marché intérieur. Contrairement à l'intergouvernementalisme, ce retour ne s'est pas manifesté par un projet de reformulation d'une théorie générale de l'intégration européenne mais plutôt par la régénération dans des travaux empiriques de deux hypothèses de recherche. La première est que l'intégration européenne serait largement le résultat d'une convergence d'intérêts entre des *élites transnationalisées* et des institutions communautaires (Commission, Cour de justice) possédant respectivement une forte marge d'autonomie par rapport aux États. La seconde est que l'intégration européenne serait un processus politique marqué par une logique d'expansion de ses activités procédant par petites modifications successives ; ce que l'on appelle en anglais *incrementalism*.

Bien qu'ils prennent soin de démarquer leur analyse de celle de Haas et de Lindberg, Wayne Sandholtz et John Zysman soutiennent ainsi que l'Acte unique européen est avant tout la réponse des élites européennes aux changements intervenus dans la distribution mondiale du pouvoir économique au milieu des années quatre-vingt [47]. Pour ces *political economists*, c'est une série d'alliances transnationales entre la Commission, présidée alors par Jacques Delors, et les élites industrielles européennes, conscientes des changements imposés aux économies européennes par la globalisation, qui explique l'inscription du marché intérieur à l'agenda de la Communauté en 1985. En observant que cette alliance a permis de « mobiliser une coalition d'élites gouvernementales » en faveur de l'objectif 1992, Sandholtz et Zysman ne nient pas l'importance d'une convergence entre les gouvernements comme condition de finalisation d'un compromis. Ils privilégient toutefois, et sans aucun doute exagérément, la formation d'une communauté transnationale d'intérêts entre la Commission et les industriels comme aiguillon du changement. Sur un thème *a priori* fort différent, c'est exactement la même thèse que soutiennent Anne-Marie Burley et Walter Mattli lorsqu'ils démontrent que le développement d'un ordre juridique communautaire est largement dû à une convergence entre une communauté de juristes européens et les juges de la Cour de Luxembourg [6].

Pour ces auteurs, le monisme inhérent à l'intergouvernementalisme doit absolument être abandonné en accordant aux groupes sociaux et aux institutions communautaires le statut d'*acteurs* à part entière du processus d'intégration européenne. Ce souci de diversification paraît fort légitime, bien que les approches néo-fonctionnalistes souffrent comme l'intergouvernementalisme d'une conception excessivement rationnelle des acteurs. La mobilisation de ces derniers dans le cadre européen est considérée comme une réponse à des objectifs stratégiques tels que la résistance à la mondialisation, la construction d'un marché efficace régulé par le droit... De plus, la diversité interne de ces acteurs (en particulier les institutions communautaires) n'est jamais prise en compte et le niveau d'analyse des processus politiques les impliquant reste exclusivement « macro » : il s'agit, une fois encore, d'expliquer des *grand bargains*. Le risque, qui devient vite un défaut, est alors de passer à côté des subtilités du *policy process* européen qui ressortent bien davantage de l'analyse de la routine que de celle des grands rendez-vous « constitutionnels ».

De nouvelles approches institutionnalistes

L'obsession des intergouvernementalistes comme des néo-fonctionnalistes (fussent-ils « nouvelle vague ») pour l'*acteur* a conduit assez logiquement, dans les années quatre-vingt-dix, certains analystes de l'intégration européenne à vouloir redonner de l'importance aux *institutions* conçues comme des organisations mais aussi comme des structures [43]. Faute de pouvoir être exhaustif, on ne fera référence ici qu'à deux approches institutionnalistes : celle empruntant au « nouvel institutionnalisme », d'une part, et à l'analyse comparée des systèmes fédéraux, d'autre part.

C'est au milieu des années quatre-vingt qu'un courant d'analyse dit « néo-institutionnaliste » s'est développé au sein de la science politique américaine autour de deux affirmations simples [32]. La première est que « les institutions sont davantage que des reflets de forces sociales sous-jacentes ». La seconde est que les institutions « font davantage que produire des "arènes neutres" pour l'interaction politique » [51]. Catalogue d'hypothèses de recherche plutôt que modèle analytique, le néo-institutionnalisme a donné naissance à plusieurs variantes dont l'*institutionnalisme historique* [52] qui a été vite utilisé par certains analystes de l'intégration européenne.

Dans un article publié en 1996 [57], Paul Pierson explique ainsi que l'Union européenne ne peut être analysée que par rapport à des *institutions* qui sont les réceptacles contemporains d'un processus *historique* ou temporel. Par institutions, il entend de manière large aussi bien des « règles formelles, des structures de politiques

116

publiques que des normes » [57]. De cette approche visant à réhabiliter les effets de structure découlent deux implications méthodologiques pour l'étude de l'intégration européenne. D'une part, la politique (*politics*) au sein de l'Union européenne, que P. Pierson aborde par le biais de la politique (*policy*) sociale, n'est plus conçue comme une succession de *décisions stratégiques* mais comme une série de trajectoires (*path dependency*), de situations critiques et de conséquences imprévues. D'autre part, les institutions existant au niveau communautaire ne doivent plus être regardées uniquement comme des instruments au service d'acteurs exogènes (en l'occurrence les États) mais comme des structures capables d'intégrer des expériences et des normes au cours du temps. C'est la même thèse que soutient le politiste britannique Simon Bulmer, qu'il parle d'institutions formelles (comme le Conseil européen) ou d'institutions informelles (comme les réseaux de politiques publiques) [5]. Si elles ne s'inscrivent pas dans la mouvance néo-institutionnaliste, une série de travaux empiriques sur la Commission [1, 9] et sur le Parlement européen [8] ont également démontré que les institutions communautaires capitalisent dans leurs procédures les tendances lourdes de l'intégration européenne, comme par exemple la dialectique entre un projet politique européen inédit et des projets politiques nationaux qui n'ont jamais disparu. L'apport essentiel de l'institutionnalisme historique, auquel nous souscrivons totalement, consiste donc à affirmer que la politique au sein de l'Union européenne ne peut être analysée et comprise que sur le mode diachronique. Toute politique (au sens de *policy*) ou toute activité politique (au sens de *politics*) y est vue comme un « bricolage » s'opérant à partir d'un « existant » ou d'un capital social qui se reflètent particulièrement dans les institutions. Sans la prise en compte de ces variables

temporelle et structurelle, l'analyse de l'intégration européenne se résume à la description d'une succession
d'instantanés (on dirait, en anglais, *a series of snaps-
hots !*) qui empêchent d'en saisir la dynamique globale.

Le retour des études fédéralistes est une autre évolution des années quatre-vingt-dix qui a contribué à réhabiliter les institutions dans l'analyse de l'intégration
européenne. À la différence de travaux européens plus
anciens, souvent normatifs car émanant dans bien des
cas d'universitaires aussi militants, les études fédéralistes
contemporaines ont gagné en « scientificité ».

Partant du constat que le fédéralisme était avant tout
un *principe* politique permettant à des acteurs aux allégeances diverses d'institutionnaliser leurs relations, et
que ce principe ne débouchait pas forcément sur la création de l'État fédéral, la politiste américaine Alberta
Sbragia a redonné du crédit à l'approche fédéraliste pour
étudier une Union européenne qui ne semble pas prendre
le chemin de la construction étatique [48]. Parmi les facteurs rendant la comparaison pertinente, Sbragia a
notamment identifié le fait que se pose dans l'Union
européenne comme dans les systèmes politiques fédéraux le problème permanent de l'équilibre – constituant
selon elle « l'essence même du principe fédéral » – entre
des intérêts *territoriaux* et des intérêts *fonctionnels*. Cette
lecture du fédéralisme offre des pistes utiles aux chercheurs qui souhaiteraient conceptualiser les deux stratégies – communautaire et intergouvernementale – prési-
dant à la formation de l'Union européenne depuis ses
débuts [42]. De la même manière, elle permet de mieux
théoriser le rapport dialectique entre un projet politique
déterritorialisé et des intérêts qui restent solidement
ancrés dans des territoires (nationaux mais aussi locaux)
que l'on observe empiriquement lorsqu'on étudie *les*
politiques et *la* politique de l'Union européenne.

Le constat, selon lequel les systèmes politiques fédéraux (en particulier allemand et canadien) ont eu tendance à évoluer dans les décennies récentes de leur forme dualiste originelle vers une *imbrication* toujours plus grande entre les niveaux de gouvernement (on parle dans ce cas de *fédéralisme coopératif*), s'est également révélé, au cours des années quatre-vingt-dix, un élément de comparaison pertinent pour les analystes de l'Union européenne [10, 27]. Des travaux sont ainsi nés de l'observation comparée des *policy processes* caractéristiques du fédéralisme coopératif. À partir des expériences allemande et européenne, Fritz Scharpf a, par exemple, identifié dans les deux systèmes un « piège de la décision conjointe », générateur de politiques publiques suboptimales, qui découlerait de cette obligation de trouver en permanence des accords unanimes ou des consensus entre les différents niveaux de gouvernement [49]. De manière plus intéressante, le fédéralisme coopératif a permis aux chercheurs de réfléchir à l'exercice de la *démocratie* dans des systèmes politiques (que ce soit celui de l'Union européenne ou celui du Canada) qui ont tendance à valoriser l'interaction entre les exécutifs (ministres, comités de fonctionnaires spécialisés) au détriment du contrôle des Parlements et des sociétés [10, 55].

En définitive, les travaux s'inspirant du fédéralisme offrent l'avantage d'aborder l'Union européenne non plus seulement comme un processus mais aussi comme un « ordre de gouvernement » [10]. Leur principale faiblesse est toutefois de se cantonner à une lecture de l'Union européenne qui, à sa manière, est également « intergouvernementale », négligeant par là fortement la prise en compte du lien entre politique et société.

Vers un nouvel espace de gouvernance

Les années quatre-vingt-dix ont été marquées par une assez forte convergence entre théoriciens des relations internationales et théoriciens de l'État sur le fait que l'État ne devait plus forcément s'analyser à partir de l'hypothèse de son retrait « au profit du marché ou de l'autogouvernement social » mais plutôt dans « l'interaction d'une pluralité d'acteurs "gouvernants" qui ne sont pas tous étatiques ni même publics » [23]. Devant qualifier les nouvelles formes de gouvernement que ce mouvement implique, ces auteurs ont souvent eu recours à la notion de *gouvernance*. Si cette notion a vite été « récupérée » par des organisations internationales comme la Banque mondiale ou le FMI aux fins de prôner l'intrusion obligatoire du marché dans les rouages de l'État (en appelant alors à une « *bonne* gouvernance »), elle n'en comporte pas moins un sens premier qui est analytique et qui la rend opérationnelle pour le chercheur. C'est pour mieux qualifier le fait que la politique internationale concerne l'activité des gouvernements *mais aussi* des « mécanismes informels, non gouvernementaux par lesquels des personnes et des organisations agissent, satisfont des besoins et atteignent leurs objectifs » que James Rosenau y a par exemple recours [45]. De même, Renate Mayntz l'utilise pour souligner que la dynamique des sociétés occidentales tend à autonomiser toujours plus les secteurs et les groupes sociaux, et que l'analyse de l'État implique dès lors d'identifier davantage des modes de coordination horizontale entre des sous-systèmes sociaux que des mécanismes d'autorité impérative ou d'administration verticale [34].

L'Union européenne ne laissant pas apparaître de manière évidente l'autonomie (et encore moins la souveraineté) d'*un* gouvernant, ni une frontière nette entre des acteurs « publics » et des acteurs « privés », il est compréhensible que certains chercheurs, voulant se démarquer du stato-centrisme, aient fait le choix de l'analyser comme un espace de gouvernance [21, 33]. S'appuyant sur des terrains où les interactions entre la Commission, les gouvernements, les régions et les groupes d'intérêts sont facilement identifiables (comme le développement régional, l'environnement ou la recherche), ces auteurs ont le plus souvent opéré un retour à l'étude détaillée du *policy making* de l'Union européenne. Leur démarche consiste en effet à s'interroger sur le sens global de l'intégration européenne en partant de l'analyse des configurations d'acteurs participant à formulation ou de la mise en œuvre d'action publique sectorielle. Cette approche volontairement « micro » et empirique, que nous appliquons à une recherche en cours sur la politique européenne des pêches, présente un certain nombre d'avantages mais aussi de limites dont il faut être conscient [26].

L'émergence d'un agenda politique européen

Les études sur la gouvernance et les politiques publiques ont, tout d'abord, l'habitude de s'interroger sur les conditions d'émergence d'un *agenda politique* européen. Ce terme est destiné à qualifier le passage d'une situation où les acteurs nationaux « possédaient globalement la maîtrise de la formulation des problèmes, et surtout de leur codification » à une situation où « dans un nombre de domaines toujours plus grand, ce processus de définition des problèmes devant faire l'objet d'une intervention publique est transféré [...] au niveau européen » [40, 41]. L'examen des débats et des controverses liés à la définition d'un agenda politique européen, dans des domaines comme l'agriculture, l'environnement, ou les fonds structurels, aboutit généralement à une série d'observations quant à la spécificité des acteurs se mobilisant dans l'espace politique européen. Parmi ces observations figure d'abord l'idée assez répandue que le changement d'échelle de l'activité politique s'accompagnerait d'une transformation simultanée des acteurs impliqués. Au niveau européen, les « experts spécialisés » (fonctionnaires des ministères nationaux, fonctionnaires de la Commission et surtout représentants des groupes d'intérêts) exerceraient ainsi beaucoup plus le pouvoir qu'au niveau national [44]. Les conflits s'articuleraient en conséquence moins autour de problèmes de représentation que de maîtrise de l'expertise, dont une des manifestations les plus évidentes serait la vaste activité de *lobbying* menée à Bruxelles par les administrations (nationales et régionales) et plus encore par les groupes d'intérêts [35, 14]. Cette vision assez managériale de la mise sur agenda politique est très présente dans de nombreuses études portant non seulement sur les groupes d'intérêts mais aussi sur les institutions communautaires. À l'exception de l'ouvrage de George Ross [43], les travaux sur la Commission européenne se concentrent ainsi presque toujours sur l'esprit d'entreprise (*entrepreneurship*) des fonctionnaires des directions générales au détriment de la manière dont les commissaires *représentent* la politique européenne dans leurs discours et leurs pratiques [9, 50]. De façon encore plus étonnante, les études sur le Parlement européen insistent beaucoup sur la posture « experte » des parlementaires au détriment de la représentation politique. En suivant les travaux de la commission des pêches du Parlement européen, nous observons effectivement que ses membres construisent une part de leur légitimité en délivrant des discours d'expert à leurs pairs sur des problèmes hautement techniques. Pour ce faire, ils adoptent dans leurs rapports écrits comme dans leurs prestations orales un style qui est souvent proche de celui des biologistes des instituts océanographiques. Mais ce constat bien réel ne doit pas faire oublier que des formes de représentation politique alliant les éléments classiques de la mise en scène et de la rhétorique parlementaires (comme les banderoles contre les essais nucléaires français brandis par certains parlementaires lors du discours de Jacques Chirac à la session plénière de juillet 1995) existent aussi au sein de l'assemblée de Strasbourg et agissent sur la définition d'un agenda politique européen. À trop minimiser ces mises en scène, ces prises de position et ces discours d'*hommes politiques*, les travaux sur les politiques publiques européennes commettent l'erreur de n'envisager l'intégration européenne que comme une question de « résolution de problèmes » alors qu'elle dépend aussi (même si c'est dans une moindre mesure qu'au sein des États) des formes tribunitiennes de la représentation politique.

Les modes opératoires de la décision

L'approche par la gouvernance et les politiques publiques a permis en second lieu de progresser dans la connaissance des modes opératoires de la décision au niveau européen. La principale observation est qu'en l'absence d'un axe vertical de pouvoir fort au sein de l'Union européenne, les formes décisionnelles sont fluides et peu hiérarchisées. Souvent saisies par la notion de *réseaux d'action publique,* ces formes se caractérisent par des configurations d'acteurs pluriels (comptant des fonctionnaires nationaux, des fonctionnaires de la Commission, des représentants des groupes d'intérêts...) qui ne se conforment pas à un modèle institutionnel unique mais tendent au contraire à se différencier par

123

l'émergence progressive de règles du jeu internes à chaque secteur. Reproduisant les fastidieuses typologies utilisées pour l'étude du *policy making* en Grande-Bretagne [31], les auteurs distinguent ainsi plusieurs types de réseaux d'action publique au niveau européen, en fonction de leur stabilité et des éléments qui structurent les échanges de leurs membres. Ce sont tantôt des intérêts communs, tantôt des connaissances communes (les communautés épistémiques), ou tantôt encore sur des croyances partagées (les *advocacy coalitions*) [44]. Cette différenciation s'alimente et alimente une *négociation* continue qui constitue le mode dominant d'échange politique au niveau européen [1]. Cette permanence de la négociation est renforcée par le fait qu'à l'exception de la politique agricole et de la politique régionale qui drainent vers elles 80 % d'un budget communautaire représentant à peine 2,4 % des dépenses publiques des États membres, les principales politiques communautaires (concurrence, protection de l'environnement, social...) sont essentiellement des politiques réglementaires. Or les politiques réglementaires encouragent les acteurs qui y sont soumis (en particulier les groupes d'intérêts) à négocier au cas par cas avec les bureaucraties les obligations précises qu'elles comportent [30]. Dans le cas européen, il s'agit essentiellement de la Commission européenne dont la légitimité est tantôt accrue et tantôt remise en cause par sa position d'agence initiatrice des politiques de réglementation. Accrue lorsque la Commission apparaît aux groupes d'intérêts comme la « porte d'entrée » institutionnelle permettant de régler des problèmes de standardisation technique, de pollution ou de compétitivité. Remise en cause lorsque les groupes d'intérêts se retournent vers elle pour contester le fait que les politiques de réglementation externalisent sur eux certains coûts de mise en œuvre [24].

L'intérêt de toutes ces études est d'amener à réfléchir sur l'hypothèse centrale de la gouvernance : au sein de l'Union européenne, des sous-systèmes sociaux prendraient de plus en plus à leur charge la gestion politique de leurs propres ressources au-dessus de la production de services aux autres. Dans une telle configuration politique, l'auto-organisation et la capacité de coordination horizontale primeraient ainsi sur la régulation centralisée ou l'imposition impérative d'*une* autorité politique [23]. Nul doute qu'il faille considérer avec une grande attention cette hypothèse qui pose la question essentielle de la spécificité du pouvoir *politique* au sein de l'Union européenne par rapport à ce que l'État nous a habitués à observer et à consigner dans les théories politiques traditionnelles. Il convient toutefois de se méfier de l'occultation trop systématique de formes d'autorité verticale au sein de l'Union européenne au profit de la seule coordination horizontale de réseaux. À cet égard, les effets d'un *droit communautaire* agissant comme une forme de régulation centralisée doivent être considérés avec beaucoup plus de sérieux par les politistes qui travaillent sur la gouvernance et les politiques publiques européennes. Pour ne prendre qu'un exemple familier, il est effectivement assez tentant d'envisager la gestion des pêcheries en Europe en identifiant un (ou des) réseau(x) de biologistes, de pêcheurs, de représentants de la Commission et des administrations nationales qui auto-organisent et autorégulent le secteur par le biais d'une négociation continue d'idées et d'intérêts. On n'aura néanmoins rien saisi de la politique européenne des pêches si l'on ne s'interroge pas aussi sur l'insertion des réseaux dans une configuration institutionnelle plus vaste dans laquelle des autorités politiques (que ce soit le Conseil européen ou la Cour de justice) fixent des normes (comme la liberté de circulation des biens et des capitaux, la non-discrimination des citoyens communautaires...) ayant vocation à réguler légitimement l'ensemble des comportements d'acteurs.

L'européanisation des ordres politiques nationaux

Les études sur la gouvernance et les politiques publiques permettent d'aborder en troisième lieu le problème de l'influence que l'Europe exerce sur les ordres politiques nationaux, appelé aussi problème de l'*européanisation* [2]. La question est alors celle du degré de *convergence* des institutions, des débats et des politiques nationales sous l'effet de normes d'action collective qui sont décidées de plus en plus au niveau européen. Ce phénomène de la convergence n'est pas nouveau si l'on se souvient des recherches de E. Barker montrant que, du XVIIe siècle au lendemain de la première guerre mondiale, chaque État européen avait conçu son modèle d'administration, de conscription, d'impôts ou d'éducation en empruntant largement aux expériences des autres États [3]. L'Union européenne accentue ce phénomène dans la mesure précisément où l'autorité de ses institutions (Commission, Cour de justice...) tend à imposer aux acteurs nationaux une convergence de leurs politiques publiques nationales par le biais de normes. Parmi ces normes, on citera bien entendu le marché mais aussi la subsidiarité [40]. Si l'évident rapprochement des politiques nationales en matière de rigueur budgétaire ou de privatisation des services publics donne sans nul doute de bons exemples de cette convergence en action, ce serait néanmoins une grossière erreur que d'y voir une uniformisation à terme. Parce qu'elles sont le produit d'une histoire spécifique entre l'État, la société et le marché, les institutions et les cultures politiques nationales demeurent en Europe des modèles (au sens anglais de *patterns*) fortement différenciés : le modèle allemand de partenariat social n'a ainsi encore rien à voir avec le modèle français de corporatisme sectoriel ; de même, l'enracinement du libéralisme dans le sens commun de l'opinion britannique (*embedded liberalism*) n'a pas d'équivalent dans une opinion française pour laquelle le service public conserve une forte valeur référentielle. Aussi l'européanisation des ordres politiques nationaux doit-elle être vue moins comme un processus d'adaptation que de *traduction* et de *réinterprétation* des normes communautaires par des institutions et des cultures nationales porteuses de diversité [50, 4]. Les exemples de réception différenciée d'une même politique communautaire dans les États de l'Union ne manquent pas, y compris dans des secteurs *a priori* très convergents comme la concurrence, les télécommunications [4] ou la protection de l'environnement [17]. Malgré la force « englobante » de l'Union européenne, les politiques et la politique restent donc des objets fragmentés par territoire national ou, pour le dire autrement et plus légèrement, l'Union européenne n'équivaut certainement pas à la fin de l'histoire !

Intégration européenne et théorie démocratique

Les études sur la gouvernance et les politiques publiques permettent enfin de reformuler le rapport entre intégration européenne et théorie démocratique [22]. Plutôt que d'avaliser les sempiternels regrets des acteurs sur la faible légitimité du Parlement européen ou sur le caractère technocratique de la Commission, il est en effet beaucoup plus pertinent de réfléchir au problème de la pluralisation des intérêts qui « engendre la dispersion croissante du pouvoir dans de multiples arènes et parmi de multiples acteurs » [23]. L'observation empirique d'une *diffusion* du pouvoir au moment de la confection et de la mise en œuvre des politiques communautaires conduit alors à mettre en évidence des décisions qui peuvent paraître d'autant plus oppressives aux citoyens qu'elles ne sont pas imputables à une institution ou à une autorité clairement identifiable. Cette question du « qui est responsable ? » (au sens anglais d'*accountable*) renvoie directement au problème, évoqué plus haut, de la représentation des hommes politiques dans une configuration politique polycentrique. Elle mérite sans nul doute d'être creusée davantage en ne laissant pas passer les occasions de comparaison qu'offrent les États fédéraux mais de plus en plus aussi les États qui, comme la France, ont connu l'expérience de la décentralisation.

*

Il ne fait aucun doute que la densité des études théoriques sur l'intégration européenne est loin d'être négligeable en science politique. Ce chapitre n'en restitue qu'un bref aperçu. La question est, bien entendu, de savoir dans quelle mesure toutes ces études permettent de « revisiter » les recherches empiriques qu'elles alimentent. À cet égard, l'intergouvernementalisme, comme le néo-fonctionnalisme, montrent clairement leurs limites en raison de leur incapacité à dépasser une vision rationnelle de l'acteur, que ce soit l'État d'un côté, les élites de l'autre. Les études sur la gouvernance et les politiques publiques sont davantage porteuses d'avenir, à condition toutefois d'éviter le piège visant à se focaliser uniquement sur l'analyse transactionnelle des acteurs [26]. Contrairement à J. Richardson, nous refusons l'hypothèse que la politique européenne pourrait se résumer à « qui gagne quoi, quand et comment ? » [44]. Celle-ci doit être analysée aussi comme le produit de processus cognitifs, de formes de représentation politique, d'instrumentalisation de discours.

Savoir s'il convient de valoriser un niveau « micro » ou un niveau « macro » d'analyse, des agents ou au contraire des institutions pour comprendre l'intégration européenne nous semble dès lors des questions assez mineures. Le principal problème qui se pose au chercheur est plutôt : comment dépasser une approche essentiellement positiviste de l'intégration européenne, prenant en compte des budgets, des politiques publiques, des procédures, pour montrer que celle-ci est aussi un construit évoluant grâce à des discours, à des symboles, à des représentations sociales ? Ces dimensions de la politique ne sont évidemment pas les plus visibles ; il n'est pas étonnant qu'elles restent les moins exploitées par les politistes.

Christian LEQUESNE

BIBLIOGRAPHIE

1. Abélès (Marc), *En attente d'Europe*, Paris, Hachette, 1996.
2. Andersen (Svein), Eliassen (Kjell) (eds), *Making Policy in Europe. The Europeification of National Policy-Making*, Londres, Sage, 1995.
3. Barker (E.), *The Development of Public Services in Western Europe 1660-1930*, Hamden, Archon Books, 1966 (1944).
4. Brenac (Édith), « De l'État producteur à l'État régulateur, des cheminements nationaux différenciés. L'exemple des télécommunications », dans Jobert (Bruno) (dir.), *Le tournant néo-libéral en Europe*, Paris, L'Harmattan, 1994.
5. Bulmer (Simon), « Four faces of European Union Governance : a New Institutional Research Agenda », *EPRU Working Paper*, University of Manchester, février 1995.

6. Burley (Anne-Marie), Mattli (Walter), « European Before the Court : a Political Theory of Legal Integration », *International Organization*, 49, hiver 1995, p. 171-181.

7. Caporaso (James), Keeler (John), « The European Union and Regional Integration Theory », dans Rhodes (Carolyn), Mazey (Sonia) [43].

8. Costa (Olivier), *Le Parlement européen, assemblée délibérante*, thèse pour le doctorat de science politique, Université Paris-VIII, 1998.

9. Cram (Laura), « The European Commission as a Multi-Organization : Social Policy and IT Policy in the EU », *Journal of European Public Policy*, 1, 1994, p. 195-218.

10. Croisat (Maurice), Quermonne (Jean-Louis), *L'Europe et le fédéralisme*, Paris, Montchrestien, 1996.

11. Devin (Guillaume), Courty (Guillaume), *L'Europe politique*, Paris, La Découverte, 1996.

12. Garrett (Geoffrey), « International Cooperation and Institutional Choice : the European Community's Internal Market », dans Ruggie (John) (ed.), *Multilateralism Matter. The Theory and Praxis of an International Reform*, New York, Columbia University Press, 1993.

13. Garrett (Geoffrey), « The Politics of Legal Integration in the European Union », *International Organization*, 49, hiver 1995.

14. Greenwood (Justin), *Representing Interests in the European Union*, Basingstoke, Macmillan, 1997.

15. Haas (Ernst), *The Uniting of Europe : Political, Social and Economic Forces 1950-1957*, Stanford, Stanford University Press, 1958.

16. Haas (Ernst), *The Obsolescence of Regional Integration Theory*, Berkeley, Center for International Studies, 1975.

17. Héritier (Adrienne) et al., *Ringing the Changes in Europe*, Berlin, De Gruyter, 1996.

18. Hoffmann (Stanley), « Reflection on the Nation-State in Western Europe Today », *Journal of Common Market Studies*, 21, 1982, p. 21-37.

19. Hoffmann (Stanley), *The European Sysiphus. Essays on Europe 1964-1994*, Boulder (Col.), Westview Press, 1995.

20. Hoffmann (Stanley), Keohane (Robert), « Community Politics and Institutional change », dans Wallace (William) (ed.), [53].
21. Hooghe (Liesbet) (ed.), *Cohesion Policy and European Integration*, Oxford, Oxford University Press, 1996.
22. Jachtenfuchs (Markus), Kohler Koch (Beate), « The Transformation of Governance in the European Union », *ECSA Conference Paper*, Charleston, 1995.
23. Leca (Jean), « La gouvernance de la France sous la Cinquième République. Une perspective de sociologie comparative », dans Arcy (François d'), Rouban (Luc) (dir.), *De la Cinquième République à l'Europe. Hommage à Jean-Louis Quermonne*, Paris, Presses de Sciences Po, 1996.
24. Lequesne (Christian), « La Commission européenne entre autonomie et dépendance », *Revue française de science politique*, 46 (3), juin 1996, p. 389-408.
25. Lequesne (Christian), « Les États membres de l'Union européenne. De la pertinence d'une approche institutionnelle », dans Rideau (Joël) (dir.), *Les États membres de l'Union européenne. Adaptations, mutations, résistances*, Paris, LGDJ, 1997.
26. Lequesne (Christian), Smith (Andy), « Union européenne et science politique : où en est le débat théorique ? », *Cultures et conflits*, 28, 1997, p. 7-31.
27. Leslie (Peter), *La Communauté européenne : un modèle politique pour le Canada ?*, Ottawa, ministère des Approvisionnements et services, 1991.
28. Levy (Marc), Young (Oran), Zürn (Michael), « The Study of International Regimes », *European Journal of International Relations*, 1, 1995, p. 267-330.
29. Lindberg (Leon), *The Political Dynamics of European Economic Integration*, Stanford, Stanford University Press, 1963.
30. Majone (Giandomenico), *La Communauté européenne : un État régulateur*, Paris, Montchrestien, 1996.
31. March (David), Rhodes (R.A.W.) (eds), *Policy Networks in British Government*, Oxford, Clarendon Press, 1992.

32. March (James), Olsen (James), *Rediscovering Institutions : the Organisational Basis of Politics*, New York, The Free Press, 1989.

33. Marks (Gary) et al., *Governance in the European Union*, Londres, Sage, 1996.

34. Mayntz (Renate), « Governing Failures and the Problem of Governability : Some Comments on a Theoretical Paradigm », dans Kooinman (Jan) (ed.), *Modern Governance*, Londres, Sage, 1993.

35. Mazey (Sonia), Richardson (Jeremy) (eds), *Lobbying in the European Community*, Oxford, Oxford University Press, 1993.

36. Milward (Alan), *The European Rescue of the Nation State*, Berkeley, University of California Press, 1995.

37. Moravcsik (Andrew), « Negotiating the Single European Act : National Interests and Conventional Statecraft in the European Community », *International Organization*, 45, 1991, p. 19-56.

38. Moravcsik (Andrew), « Preferences and Power in the European Community : a Liberal Intergovernmental Approach », *Journal of Common Market Studies*, 31, décembre 1993.

39. Moravcsik (Andrew), « Taking Preferences Seriously : a Liberal Theory of International Politics », *International Organization*, 51, 1997, p. 513-553.

40. Muller (Pierre), « Introduction. Un espace européen des politiques publiques », dans Mény (Yves), Muller (Pierre), Quermonne (Jean-Louis) (dir.), *Politiques publiques en Europe*, Paris, L'Harmattan, 1995.

41. Peters (Guy B.), « Agenda-Setting in the European Community », *Journal of European Public Policy*, 1 (1), 1994, p. 9-26.

42. Quermonne (Jean-Louis), *Le système politique de l'Union européenne*, Paris, Montchrestien, 1994.

43. Rhodes (Carolyn), Mazey (Sonia) (eds), *The State of the European Union. Building a European Polity ?*, Boulder (Col.), Lynne Rienner, 1995.

44. Richardson (Jeremy), « Actor Based Models of National

and EU Policy Making », dans Kassim (H.), Menon (A.) (eds), *The European Union and National Industrial Policy*, Londres, Routledge, 1996.

45. Rosenau (James), « Governance, Order and Change in World Politics », dans Rosenau (James), Czempiel (Ernst-Otto) (eds), *Governance Without Governement. Order and Change in World Politics*, Cambridge, Cambridge University Press, 1992.

46. Ross (George), *Jacques Delors and European Integration*, New York, Oxford University Press, 1995.

47. Sandholtz (Wayne), Zysman (John), « 1992 : Recasting the European Bargain », *World Politics,* 42, 1989, p. 95-128.

48. Sbragia (Alberta) (ed.), *Europolitics. Institutions and Policymaking in the « New » European Community*, Washington, The Brookings Institution, 1992.

49. Scharpf (Fritz), « The Joint-Decision Trap : Lessons From German Federalism and European Integration », *Public Administration*, 66, 1988, p. 239-278.

50. Smith (Andy), *L'Europe politique au miroir du local. Les fonds structurels dans les zones rurales en France, en Espagne et au Royaume-Uni*, Paris, L'Harmattan, 1996.

51. Stone (Alec), « Le néo-institutionnalisme. Défis conceptuels et méthodologiques », *Politix,* 20, 1992, p. 156-168.

52. Thelen (K.), Steinmo (S.), « Historical Institutionalism in Comparative Politics », dans Steinmo (S.), Thelen (K.), Longstreth (F.) (eds), *Structuring Politics : Historical Institutionalism in Comparative Analysis*, Cambridge, Cambridge University Press, 1992.

53. Wallace (William) (ed.), *The Dynamics of European Integration*, Londres, Pinter, 1990.

54. Waltz (Kenneth), *Theory of International Politics*, New York, McGraw-Hill, 1979.

55. Wessels (Wolfgang), « Administrative Interaction », dans Wallace (William) (ed.), *op. cit.*

56. Wincott (Daniel), « Institutional Interaction and European Integration : Towards an Everyday Critique of Liberal

Intergovernmentalism », *Journal of Common Market Studies*, 33, p. 597-609.

57. Pierson (Paul), « The Path to European Integration. A Historical Institutionalist Analysis », *Comparative Political Studies*, 29 (2), avril 1996, p. 123-163.

58. Bussy (Élisabeth de), Delorme (Hélène), La Serre (Françoise de), « Approches théoriques de l'intégration européenne », *Revue française de science politique*, 21 (3), juin 1971.

Chapitre 5

La coopération internationale
de la coexistence à la gouvernance mondiale

En moins d'un siècle, l'image de la société internationale est passée du modèle de la « communauté d'États civilisés [1] », tous orientés vers la compétition et poursuivant les mêmes buts égoïstes de puissance et d'intérêt national, à celui d'une « société civile mondiale » [30] hétérogène, multicentrée, en quête d'espace public et de régulation. Chaque étape de cette transformation a conduit à réviser la notion de coopération internationale, ses acteurs, ses moyens et ses fins : qui coopère, comment et pour faire quoi ? Après une longue période pendant laquelle la réponse fut cherchée dans la suprématie du droit, la diffusion de l'internationalisme libéral depuis la deuxième guerre mondiale [60] a transformé radicalement l'approche. La coopération internationale a

---

1. En 1928, on pouvait encore lire dans le traité de droit international de L. Oppenheim : « Le libre consentement des États civilisés est le fondement du droit des nations. Il ne suffit pas d'avoir le caractère d'État pour faire partie de la famille des Nations. » (*International Law*, Londres, Longman's Green, p. 143.) Cette vision très répandue au XIXᵉ siècle a laissé des traces dans la Charte des Nations unies et la notion de « nations civilisées » se retrouve dans le statut de la Cour internationale de justice, art. 38, c.

été confondue avec l'établissement de *régimes*, et les institutions internationales ont été entendues comme « des ensembles de rôles, de règles et de relations qui définissent les pratiques sociales et orientent la conduite des participants au niveau international » [58].

En dépit du succès des néo-institutionnalistes depuis des décennies, la question reste ouverte de savoir comment amener l'ensemble des acteurs opérant sur la scène internationale à régir de concert des problèmes mondiaux dont ils ont des définitions différentes et qui ne les intéressent pas au même degré. La notion de *gouvernance* actuellement en vogue ne doit pas faire illusion. Déjà incertaines lorsqu'elles devaient encadrer les interactions d'acteurs étatiques ayant, par hypothèse, les mêmes caractéristiques, les institutions du monde multicentré empruntent davantage aux montres molles de Salvador Dali qu'à la rigueur géométrique souhaitée par les théoriciens. Le seul noyau dur de la coopération internationale semble bien être celui qui a servi – et sert toujours – la mondialisation économique et la libération des échanges à l'échelle mondiale. D'où la recherche actuelle d'un « nouveau multilatéralisme » [12] et d'un modèle de « démocratie cosmopolite » [3] dont la finalité serait moins d'assurer la bonne marche d'un ordre des choses tenu pour acquis que de contrecarrer les phénomènes de polarisation sociale, de décomposition de la société civile et de pressions sur l'environnement que l'on constate à tous les niveaux, du local au planétaire [12].

Coexistence et coopération : les limites de l'ordre par la loi

Le discours sur la coopération internationale a d'abord été celui de la puissance et du droit. Le droit régional européen issu de la paix de Westphalie s'est progressivement étendu jusqu'à devenir « le » système universel de droit international [1] avec pour fonction première de « consacrer la nouvelle clef de répartition du pouvoir dans le milieu international, en d'autres termes légitimer et sanctionner la souveraineté des États, sans empiéter sur elle » [1]. Jusqu'à la première guerre mondiale, ce droit fut essentiellement un droit de coexistence. Fondé sur les deux piliers de la souveraineté et de l'égalité, il imposait aux États des obligations surtout négatives : ne pas intervenir dans les affaires intérieures des autres États, ne pas faire de guerre injuste, ne pas violer les traités, ne pas gêner les diplomates dans l'exercice de leurs fonctions. La garantie de l'ordre international devait se trouver dans le strict respect des compétences de chacun. Dans cette logique, point besoin d'institutionnalisation, d'organismes permanents, sinon, peut-être, quelque forme juridictionnelle inspirée de la vieille technique de l'arbitrage permettant de dire le droit en cas de différend, à condition toutefois de respecter une base consensuelle. Les États émettaient au fur et à mesure les règles destinées à assurer leur autopréservation dans la séparation.

Cette vision volontariste dans laquelle tout part de l'État et tout revient à lui est loin d'avoir disparu [2]. En science politique, elle trouve son expression dans la conception « réaliste [3] » des relations internationales, défendue au lendemain de la seconde guerre mondiale

1. L'Empire ottoman fut, par exemple, « admis » par la conférence de Paris « à participer aux avantages du droit public et du concert européen » (déclaration de 1856).
2. Voir le Cours général de Prosper Weil, professé à l'Académie de droit international de La Haye en 1992 [54].
3. Les auteurs réalistes majeurs sont Carr [6], Morgenthau [36], Aron [4] et, plus récemment, Waltz [53] et Gilpin [14].

par des auteurs bien décidés à ne pas voir se reproduire les utopies « idéalistes » du XIXᵉ siècle et de l'entre-deux-guerres. On la retrouve dans l'approche « néo-réaliste » d'un Kenneth Waltz pour qui la politique internationale résulte de l'interaction d'unités toutes semblables, les États, animées des mêmes ambitions et remplissant les mêmes fonctions ([53], p. 93-95). Pour la géostratégie, la conception classique d'un droit de coexistence chargé de gérer la séparation pacifique d'unités semblables et en compétition a servi utilement l'ordre international de la guerre froide fondé sur l'équilibre de la puissance. Dans la doctrine soviétique, droit international public et droit de la coexistence pacifique étaient d'ailleurs confondus [52].

Le célèbre « modèle en boules de billard » d'Arnold Wolfers a bien résumé cette représentation d'un monde composé d'États constituant chacun « une unité fermée, imperméable et souveraine, complètement séparée de tous les autres États » ([56], p. 19). Mais Wolfers soulignait aussi les « sérieuses exceptions » à ce modèle qui ne correspondait pas au monde réel de la politique internationale, et il mettait en garde : « Bien qu'il soit dangereux pour les théoriciens de détourner leur attention première de l'État-nation et du système interétatique qui continuent d'occuper l'essentiel de la scène internationale contemporaine, la théorie restera inadéquate si elle n'est pas capable de prendre en compte des phénomènes tels que les autorités enchevauchées, les loyautés éclatées, la souveraineté divisée qui étaient les caractéristiques majeures de l'ère médiévale et méritent aujourd'hui l'attention de l'analyste. » (*Ibid.*, p. 24.)

Parallèlement au réalisme volontariste, une autre vision du droit et de la société internationale, parfois qualifiée d'idéaliste, voire d'utopique, s'est développée depuis la fin du XIXᵉ siècle. Elle a connu une première reconnaissance politique avec l'« idéalisme wilsonien », la Société des Nations et l'effervescence diplomatico-juridique des années vingt visant à mettre définitivement la guerre hors la loi [1]. Elle a été consacrée par la création du système des Nations unies en 1945 et par une prolifération d'agences spécialisées et de programmes *ad hoc* couvrant progressivement tous les domaines de l'activité humaine [2].

Cette approche met l'accent sur l'exigence de coopération liée à l'essor des techniques, des communications, du commerce, et sur la nécessité d'institutionnaliser la vie internationale au moyen d'organisations internationales universelles. La finalité de ce droit de coopération [3] n'est plus seulement de réguler des rapports internationaux essentiellement horizontaux et bilatéraux mais de favoriser l'action collective pour la réalisation de buts communs. Ces buts ont varié dans l'histoire et continuent de changer selon les moments. Ont été ainsi proposés successivement comme buts collectifs : la prohibition du recours à la force, l'émancipation des peuples colonisés, le droit du développement, la protection du patrimoine commun de l'humanité, la défense des droits des générations futures (par le « développement durable »), l'ingérence démocratique [4]... Dans cette perspective, le droit international n'est plus exclusivement au service de l'ordre interétatique. Il est vu comme l'armature d'un ordre social international au service des

---

1. Critiqué mais superbement analysé par E.H. Carr [6].
2. L'idée selon laquelle l'ONU composerait un système est vigoureusement critiquée par Maurice Bertrand, *L'ONU*, Paris, La Découverte, 1994.
3. La distinction entre droit de coexistence et droit de coopération a été avancée par Wolfang Friedmann, reprise et développée par G. Abi-Saab [1].
4. Sur l'ingérence, voir Moreau Defarges [35], Lyons et Mastanduno [31].

besoins humains. Il a vocation à s'étendre à tous les domaines, y compris ceux relevant traditionnellement du droit interne (protection des étrangers, santé publique, etc.). La distinction entre droit international public et droit international privé tend à s'estomper. Les notions de communauté internationale et d'humanité se superposent à celle de société des États. La recherche de normes universelles pour le bien-être de l'humanité est mise au cœur de la construction normative.

Dans la pratique, cette vision semble triomphante. On assiste, depuis quelques décennies, à une énorme demande de droit, à une juridicisation toujours croissante de la vie internationale. Ce déferlement du droit dans tous les secteurs de l'activité humaine – Prosper Weil parle d'inflation, de gonflement excessif – est favorisé par l'essor considérable de l'activité multilatérale : sommets, conférences, assemblées générales, conseils exécutifs se succèdent sur l'agenda international à un rythme effréné et chaque réunion est censée se conclure sur une déclaration finale au statut incertain. Cette prolifération a pourtant son revers. Elle engendre une « esthétique du flou » [7] peu propice à la sûreté de la règle internationale. Une multiplication d'engagements de portée difficile à définir, plus politiques que juridiques, permettent de « moduler les obligations au gré de chacun » [54]. Le contenu normatif des textes adoptés est incertain. La frontière entre le droit et le non-droit se brouille. Assurément, le droit s'est dégagé d'une conception désuète étriquée mais il a aussi compromis sa fonction classificatoire et sécurisante : « Il n'énonce plus de certitudes, il s'installe sur des à-peu-près. Ce n'est pas l'absence de règles mais une catégorie particulière de règles. La rationalité qui les nourrit est plus accommodante que tranchante. Les valeurs s'en ressentent inévitablement. » ([7], p. 346.)

Sur les effets de cette diversification du droit international, dans ses domaines, ses formes et ses degrés de normativité, les juristes sont divisés. Leur querelle doctrinale se cristallise autour de la notion de *soft law*. Les uns y voient une expression de la relativité du droit international reflétant l'état de la société interétatique : il n'y a pas de vérité juridique unitaire dans une société multiculturelle [54] ; les autres l'accueillent comme un outil dynamique et cumulatif du développement du droit exprimant « une prise de conscience par la communauté internationale du besoin d'une certaine réglementation juridique » ([1], p. 210). Quelles que soient les positions doctrinales des uns et des autres, tous s'accordent, de toute façon, pour reconnaître les lacunes du droit international. Bien que le droit, public et privé, régisse à chaque seconde des milliers d'interactions à travers les frontières, des zones de non-droit subsistent et sont inévitables. On ne saurait demander au droit international de résoudre tous les problèmes surgis des échanges internationaux.

La théorie des régimes

Dès les années cinquante, la réflexion sur l'ordre international et sur la coopération entre États s'est émancipée du droit international, en Angleterre et aux États-Unis, pour prendre une direction plus nettement politique et sociologique. Ce qui ne fut pas le cas en France où la double emprise des juristes et des réalistes a contribué à enfermer la réflexion dans le paradigme unique de la compétition par la puissance et le droit [1] [8, 28, 50].

1. À l'exception de Marcel Merle qui fut le premier, en France, à parler de sociologie des relations internationales.

Dans la ligne de ce que l'on a appelé l'« internationalisme libéral [1] » sont intervenus successivement : le fonctionnalisme dans les années cinquante [34], le néo-fonctionnalisme dans les années soixante [17], la théorie de l'interdépendance dans les années soixante-dix [24], puis la théorie des régimes qui va dominer la réflexion sur la coopération internationale de façon quasi hégémonique jusqu'au milieu des années quatre-vingt-dix.

Le fonctionnalisme de Mitrany est profondément novateur dans la mesure où il rompt à la fois avec le paradigme dominant et avec les schémas intellectuels sur l'ordre mondial prévalant jusqu'alors, simples transpositions au niveau international de modèles constitutionnels internes, fédéralisme ou gouvernement mondial. Il rejette tout cadre institutionnel défini *a priori* et propose de commencer d'abord par identifier les besoins humains d'ordre social ou technique, puis de voir quelles sont les parties concernées, de les réunir pour leur permettre de coopérer. La forme que prendra l'institution découlera des fonctions assumées. Mitrany fait le pari que la coopération entamée dans un domaine technique précis n'engageant pas immédiatement la souveraineté s'étendra de proche en proche à des domaines adjacents (phénomène de *spill over*), nécessitera des instruments de coordination qui, tôt ou tard, en arriveront à assumer des fonctions de coordination politique. Ainsi, les nationalismes seront érodés et le risque de guerre en sera diminué d'autant. Un peu plus tard, les néo-fonctionnalistes (Ernst Haas, Leon Lindberg, Philippe Schmitter) mettront l'accent sur le rôle des élites et des bureaucraties transnationales dans l'apprentissage de la coopération internationale et dans les phénomènes de *spill-over*

---

1. Pour une étude approfondie de cette approche, voir Zacher et Matthew [60].

(débordement d'un secteur sur un autre). Selon eux, l'habitude de coopérer au niveau international conduira les élites à préférer le scénario de la coopération à celui de l'affrontement en cas de différends. Cela pourrait aller jusqu'à modifier les mécanismes de décision dans les domaines les plus sensibles. Ainsi, les acteurs politiques seront-ils incités à tourner leurs espérances vers des institutions ayant prééminence sur les États, définition même de l'« intégration ». Bien que leurs postulats n'aient été que très partiellement vérifiés, ces études ont marqué une avancée décisive dans l'analyse de la coopération internationale et de la construction régionale, l'Europe communautaire en particulier [1]. Dans le même temps, Cox et Jacobson [9] étaient engagés dans une grande enquête comparative sur la façon dont étaient prises les décisions dans les organisations internationales universelles. Ils soulignaient le rôle des groupes et des individus dans le processus de décision et montraient que les organisations internationales étaient bien autre chose que la somme de leurs États membres [2]. On sait maintenant que la bureaucratie internationale peut avoir une certaine autonomie et que les organisations intergouvernementales ne sont pas seulement des arènes diplomatiques où les États poursuivent leur politique de puissance par d'autres moyens [47].

Les travaux de Keohane et Nye furent les premiers à examiner de façon systématique des situations impliquant une grande variété d'acteurs, États et organisations internationales, fondations privées et mouvements révolutionnaires, Églises et sociétés multinationales [23]. Leur conclusion était nette : « Le paradigme stato-centré ne fournit pas une base adéquate pour étudier la politique

---

1. Voir *supra*, chap. 4 (Lequesne).
2. Sur ces théories, voir Georges Abi-Saab [2].

mondiale en transformation... Il ne décrit pas les configurations complexes de coalitions entre acteurs de type différent. » (*Ibid.*, p. 386.) Ces deux auteurs sont crédités, à juste titre, d'avoir détrôné le modèle dominant de la coopération stato-centrée et placé le phénomène du transnationalisme sur l'agenda de la recherche internationale. Quelques années plus tard, cependant, leur réflexion sur la répartition du conflit et de la coopération dans un système d'« interdépendance complexe » s'organisait principalement autour du concept de puissance, de façon enrichissante, certes, mais moins hétérodoxe [24].

La théorie des régimes a pris corps au début des années quatre-vingt. Elle s'inscrit dans le courant « néo-institutionnaliste libéral » alors en vogue aux États-Unis, parti de la théorie économique (Oliver Williamson, G. Akerlof, Ronald Coase, prix Nobel 1991), introduit dans la science politique américaine par March et Olsen [32]. Au cœur du néo-institutionnalisme économique, se trouve une réflexion sur le rôle du marché comme mode de régulation et sur ses différents types d'imperfections, avec une constatation : il n'y a jamais de concurrence parfaite et jamais de vérité des prix en raison de la répartition asymétrique de l'information entre agents économiques. D'où la nécessité d'organisations. Aucun agent individuel ne peut à lui seul mettre en œuvre toutes les procédures requises pour obtenir l'information nécessaire aux décisions économiques : les organisations sont un moyen de réduire les coûts des échanges liés aux imperfections du marché. Une fois créées, ces organisations ont des effets de structure. Elles modifient la manière dont les acteurs définissent leurs intérêts et le fonctionnement même du marché. Le raisonnement sera repris et transposé en science politique puis en relations internationales. Cette variante de l'internationalisme libéral a été la théorie la plus influente de ces dernières décennies. Elle est devenue la référence obligée pour quiconque s'intéresse à la coopération internationale et au multilatéralisme [1].

Au départ, un postulat : il existe une coopération interétatique fondée sur des institutions qui ne viennent ni du droit ni des organisations internationales – des *régimes* – et qu'il convient d'expliquer. Une première définition des régimes, devenue classique, a été donnée par Stephen Krasner ([25], p. 2) : « Un ensemble de principes, de normes, de règles et de procédures de décision, implicites ou explicites, autour desquels les attentes des acteurs convergent dans un domaine spécifique. » Comme il se doit, le premier débat entre les principaux tenants des régimes (R. Keohane, O. Young, J. Ruggie) a tourné autour de cette définition. Était-elle assez précise ? Ne devait-on pas trouver des règles « explicites » pour décider si un régime existait ou non ? Et quels étaient ces acteurs qui devaient s'y référer formellement ? La seconde préoccupation a été de trouver les critères d'existence d'un régime. Deux critères ont été proposés : l'effectivité (*effectiveness*) et la robustesse (*resiliency*) [29, 57]. L'effectivité se prouve en montrant que les participants obéissent à des principes, règles, procédures, etc., ou du moins qu'ils s'y réfèrent ; que les autres membres protestent quand un principe a été violé et que cela entraîne tout un cycle d'excuses et de justifications [26] ; qu'il n'est pas

---

1. Un ouvrage récent [18] publié par le « groupe de Tübingen » et un bon article de référence [29] permettent de rassembler la bibliographie et de faire la synthèse de cette énorme littérature. Par ailleurs, l'essentiel des résultats obtenus par la théorie des régimes, quinze ans après son avènement, se trouve contenu dans l'ouvrage publié par V. Rittberger [40] qui réunit quelques-unes des plumes les plus prestigieuses de ce courant.

nécessaire d'utiliser la force ou les sanctions pour amener les intervenants à entrer dans le régime et à s'y plier ; que le régime permet d'atteindre certains objectifs voulus par ses membres et que la plupart, sinon tous, y ont gagné sans qu'aucun n'y ait perdu nettement. La robustesse se mesure à la capacité du régime à résister aux changements pouvant survenir dans les objets de conflits et dans la distribution du pouvoir sur la scène internationale.

La théorie sous-jacente, on le voit, est celle du choix rationnel et de la satisfaction réciproque d'intérêts bien compris. Les participants sont des unités rationnelles, dotées d'attributs différents, devant agir dans un contexte d'incertitude à l'intérieur de contraintes qui façonnent leurs choix. Le régime rend ce choix plus facile. Il augmente l'information, diminue les incertitudes mutuelles, réduit les coûts de l'échange, offre un répertoire d'actions possibles, bref, rend la relation avec l'autre plus aisée. Et pour démontrer que, dans tous les cas, les participants ont intérêt à choisir la coopération plutôt que la défection, la théorie des jeux et notamment le dilemme du prisonnier sont amplement utilisés. L'ouvrage de Robert Axelrod, au titre évocateur *Donnant-Donnant. Théorie du comportement coopératif* [5], a obtenu un immense succès. Il est au cœur des démonstrations de R. Keohane [21, 39] [1]. Pour résumer brièvement, Axelrod montre que, dans des conditions appropriées, « la coopération peut effectivement émerger dans un monde d'égoïstes en l'absence de pouvoir central ». Condition essentielle pour l'apparition de la coopération : que les acteurs « aient

---

1. Dans un tout autre registre que celui des régimes, il convient de citer un des maîtres de la théorie formelle, Michael Nicholson [38].

suffisamment de chances de se rencontrer à nouveau pour que l'issue de leur prochaine interaction leur importe ». Les théoriciens des régimes et du multilatéralisme vont reprendre les deux notions de « jeu itératif » (Ruggie) et de « réciprocité diffuse » (Keohane) contenues dans les démonstrations d'Axelrod et les mettre au centre de leur théorie. Selon eux, lorsque les États sont inscrits dans un jeu d'échanges répété (la construction européenne, l'Organisation mondiale de commerce, le Conseil de sécurité...), que dans ce jeu ils sont tantôt gagnants, tantôt perdants et que, de toute façon, ils auront à rencontrer les autres, ils n'ont pas intérêt à se retirer du jeu et à faire cavalier seul. À long terme, le comportement coopératif est la meilleure stratégie possible. En conclusion, les régimes auraient le grand intérêt de renforcer cette réciprocité diffuse, de rendre plus lourd le coût de la défection et plus avantageux celui de la coopération [39].

De très nombreuses études de cas ont été entreprises sur ces bases [59]. Des dizaines de programmes de recherche et de thèses ont été lancés, au point d'encombrer pendant près de quinze ans la revue *International Organization*, mise au service quasi exclusif des hérauts de cette approche et de leurs étudiant(e)s. Pourtant, les critiques n'ont pas manqué [15, 33, 45]. Celle de Susan Strange [48] est demeurée célèbre qui soulignait, dès le début, le flou des définitions et le caractère conservateur d'une approche qui prend l'ordre existant comme une donnée. La tendance à voir des régimes partout, à ne pas s'interroger sur la nature de la régulation établie, sur son équité, sur son adéquation au problème posé est l'une des critiques les plus courantes, et des mieux fondées.

Pour ceux qui sont à l'extérieur du cercle d'admiration et de citations mutuelles construit autour des régimes, cette littérature peut sembler rébarbative. Faute d'avoir le courage de se plonger dans des écrits souvent pesants, répétitifs et vétilleux, la tentation est forte d'en minimiser l'apport. Ce serait un tort pourtant de l'ignorer car les théoriciens des régimes ont incontestablement enrichi l'analyse de la coopération internationale. Pour comprendre comment se nouent – ou ne se nouent pas – des rapports de solidarité autour d'un problème donné (par exemple, les télécommunications, le transport maritime, le statut de l'Antarctique...), ils fournissent des listes de questionnements et des réflexions sur la conceptualisation qui sont autant d'outils utiles pour conduire une recherche. Le concept de régime a une valeur heuristique. Il permet de désigner et d'étudier ces formes de régulations non inscrites dans des textes juridiques que l'on peut constater dans la vie internationale et pour lesquelles aucun concept satisfaisant n'existait jusque-là. Depuis quelques années, en outre, des variantes intéressantes tendent à en corriger le caractère souvent trop mécanique. D'une part, le concept d'institution se substitue de plus en plus souvent à celui de régime [58] et l'analyse de la construction de la règle prend une allure durkheimienne faisant plus de place à la sociologie [44]. D'autre part, un nouveau courant se dessine qui porte moins l'attention sur les stratégies et les jeux de pouvoir et davantage sur la dimension réactive de la coopération internationale ([18], chap. 5). Il s'interroge sur le rôle des scientifiques et des « communautés de savoir » (*epistemic communities*) dans l'institutionnalisation des rapports internationaux [17, 44]. Il montre comment des processus de communication, de circulation des idées, d'apprentissage amènent les États à modifier leurs préférences et leurs comportements au fur et à mesure que le dialogue se déroule. Les travaux de Thomas Risse-Kappen et de Janice Gross-Stein sur la façon dont l'entourage de Gorbatchev a été influencé par la pensée stratégique occidentale et sur le rôle que cela a pu jouer dans la fin de la guerre froide sont impressionnants à cet égard [40].

Gouvernance
et nouveau multilatéralisme

L'approche en termes de régimes laisse supposer que des règles existent autour d'une question donnée, qu'elles sont connues et que les États s'y réfèrent. Très statique, elle ne permet pas de rendre compte des situations floues, des temporalités croisées, de l'enchevêtrement des différents niveaux d'acteurs et d'échanges intervenant à chaque moment de la vie internationale. De plus, elle s'applique au cas par cas, domaine par domaine (*issue area*). Elle ne permet pas de penser la mondialisation dans sa complexité. Le concept de gouvernance, récemment apparu dans la discipline des relations internationales, est censé pallier ces manques et venir compléter celui de régime.

La notion mérite d'être précisée car trois discours se déroulent simultanément autour de la gouvernance et ne se rencontrent pas [46]. Celui de la Banque mondiale et des bailleurs de fonds s'adresse aux pays en développement. C'est un discours sur la « bonne gestion » : la « bonne gouvernance » implique un État de droit, une bonne administration, de la transparence et la responsabilité des dirigeants politiques devant leur population. Ce n'est pas celle qui nous intéresse ici. Le discours de la revue *Global Governance* et de la plupart des études de relations internationales utilise le mot dans la perspective tracée par le livre pionnier de

Rosenau et Czempiel, *Governance Without Government* [42]. La gouvernance désigne alors un ensemble de régulations fonctionnant même si elles n'émanent pas d'une autorité officielle, produites par la prolifération des réseaux dans un monde de plus en plus interdépendant (Rosenau). Elle est très proche de la notion de régime, seulement plus vaste, plus globale et découpant moins la coopération internationale par domaines (moins *issue area oriented*). Le troisième discours est celui qui s'inspire des études de politique publique et qui a été retenu par la *Commission on Global Governance* (réunie à l'initiative du chancelier Brandt au lendemain de la chute du mur de Berlin pour réfléchir à la façon dont serait organisée la vie internationale dans le monde de l'après-guerre froide). Il énonce la définition la plus intéressante mais aussi la plus difficile à rendre opérationnelle : « La somme des différentes façons dont les individus et les institutions, publics et privés, gèrent leurs affaires communes. C'est un processus continu de coopération et d'accommodement entre des intérêts divers et conflictuels. Elle inclut les institutions officielles et les régimes dotés de pouvoirs exécutoires tout aussi bien que les arrangements informels sur lesquels les peuples et les institutions sont tombés d'accord ou qu'ils perçoivent être de leur intérêt [51]. »

Ainsi définie, la gouvernance permet de penser la gestion des affaires internationales non comme un aboutissement, un résultat, mais comme un processus continu. Elle s'oppose à l'anarchie internationale mais, à la différence des régimes, elle n'est jamais fixée. La gouvernance est mise en œuvre par des acteurs de toute nature, publics et privés, obéissant à des rationalités multiples. La régulation n'est pas encadrée par un corps de règles préétabli, elle se fait de manière conjointe par un jeu permanent d'échanges, de conflits, de négociations, d'ajustements mutuels [1]. La façon dont a été traitée la crise financière du Mexique en 1994 en est, par exemple, une illustration.

Ces propriétés définissantes de la gouvernance en montrent à la fois les forces et les faiblesses. La gouvernance a l'avantage d'être souple et flexible. L'action publique internationale qui en résulte émane de l'intersubjectivité des acteurs en relation. Elle suppose l'existence d'un « espace public », au sens de Habermas, celui dans lequel les différentes composantes d'une société exercent leur pouvoir d'expression et de critique et se construisent par la communication les unes avec les autres. Elle donne une large place aux acteurs sociaux. Elle permet de décrire les modes de gestion des affaires d'intérêt mondial qui résultent du jeu de sous-systèmes reliant des acteurs hétérogènes n'ayant ni les mêmes capacités ni les mêmes légitimités. Dans le domaine de l'environnement, par exemple, qu'il s'agisse de la protection de la couche d'ozone ou du réchauffement climatique, la coopération internationale fait intervenir des acteurs aussi divers que les experts scientifiques, les ONG de défense de l'environnement, les entreprises industrielles, les compagnies d'assurances, les administrations techniques, les diplomates, les responsables politiques, les pays du Nord, les pays du Sud, les uns et les autres étant d'ailleurs traversés de courants multiples et ne constituant pas des entités homogènes. La gouvernance permet de décrire ce type de configurations molles en restructuration permanente. Elle oblige à réfléchir aux possibilités de dialogue et de participation commune

---

1. Pour un exposé et une critique plus élaborés du concept de gouvernance et de sa mise en œuvre, voir le numéro spécial de la *Revue internationale des sciences sociales*, mars 1998.

entre acteurs pluriels autour de problèmes d'intérêt collectif.

Comme les régimes, l'approche en termes de gouvernance repose sur un critère sous-jacent d'efficacité. Elle est *problem solving*. La nature de la régulation produite et son adéquation aux problèmes de fond ne sont pas mises en question. L'idéologie sous-jacente est, là encore, celle du libéralisme. La satisfaction du bien commun est censée provenir spontanément de l'échange librement consenti. De l'harmonisation des intérêts individuels naîtra l'harmonie générale.

Une vision aussi irénique fait bon marché des phénomènes de domination et d'exclusion que l'on constate dans la réalité. D'une part, l'échange ne se fait pas dans un *vacuum* et tout n'est pas toujours réinventé. Les grandes lignes de ce que sont les droits et devoirs à l'intérieur de la société internationale (les « standards d'obligation » [32]) sont définies principalement par les acteurs dominants (cf. le traitement de la crise financière mexicaine en 1994 ou les résultats de la conférence de Kyoto sur le réchauffement climatique en 1997). D'autre part, tous ceux qui font partie de la société mondiale ne sont pas conviés au jeu de la gouvernance. Dans le domaine de la protection de l'environnement, par exemple, qu'il s'agisse de la gestion durable des forêts, de la préservation de la diversité génétique ou des espèces sauvages menacées de disparition, les populations indigènes, les communautés locales, les organisations villageoises ont un rôle déterminant dans la mise en œuvre, sur le terrain, des solutions négociées à l'échelle mondiale. Or elles sont peu représentées et leurs intérêts ne sont que faiblement pris en compte.

Le robuste pragmatisme de Susan Strange suggère de ne pas se contenter de constater la complexité, les turbulences et la confusion du monde et de rêver de gouvernance. Pour cette illustre spécialiste de l'économie politique internationale, il est impérieux d'identifier, chaque fois, « qui intervient » et « avec quelles conséquences » sur le développement économique et social, à l'intérieur des pays et entre eux : les entreprises, les bureaucraties internationales, les ONG, les associations professionnelles et autres groupes d'intérêts transnationaux. Selon Susan Strange, le grand défi à relever pour la coopération multilatérale, aujourd'hui, est la construction d'un consensus sur des questions politico-économiques que le système interétatique est désormais incapable de gérer, dans un contexte d'asymétrie croissante entre les forces dominantes et les groupes dépendants [49].

Allant encore plus loin, le projet de « nouveau multilatéralisme » porté par Robert Cox et ses émules récuse la structure actuelle de l'ordre mondial et se veut délibérément critique [10, 11, 13]. Face à la mondialisation et à de nouveaux défis planétaires pour la gestion desquels manquent à la fois des institutions adéquates et des critères communs [20], ils prônent un changement ontologique de la coopération mondiale [12]. Il ne s'agit plus d'essayer de résoudre les problèmes en cherchant la meilleure ligne d'action possible (*problem solving*) dans un système dont les États resteraient les acteurs dominants mais de construire une théorie critique pour une ontologie « post-westphalienne, post-hégémonique et post-mondiale » ([12], p. 24). Jusqu'à présent, les organisations et les institutions internationales ont été remarquablement utiles aux forces sociales dominantes pour diffuser le capitalisme industriel en facilitant les transports, les communications, les échanges scientifiques, et en protégeant la propriété intellectuelle avec le système des brevets [37]. Le multilatéralisme a été construit « par le haut ». Il ne fait place qu'à un nombre restreint

d'acteurs non étatiques, essentiellement les ONG accré-
ditées. Désormais, le « nouveau multilatéralisme » doit
s'attacher à construire un ordre mondial reliant tous les
acteurs « par le bas » (*bottom up*) en repensant tout
ensemble la théorie politique, l'économie politique, le
droit et les relations internationales. La finalité est normative : justice, équité, connaissance et respect de
l'autre. Le moyen privilégié : la représentation et la prise
en considération de tous les acteurs, y compris les plus
faibles.

De façon significative, cette préoccupation rejoint
celle des philosophes des sciences s'intéressant aux nouveaux défis posés par les relations de l'homme avec la
nature (affaire de la vache folle, raréfaction de l'eau
potable, etc.). Une double question traverse désormais
toutes les disciplines des sciences sociales : « Qui et
combien sommes-nous ? Comment pouvons-nous vivre
ensemble [1] ? » Dans un monde devenu totalement interdépendant, la construction d'un véritable « espace
public » dans lequel pourraient se faire entendre tous les
« agissants » de la planète est devenue une nécessité
impérieuse. La notion de « parties prenantes » (*stake-
holders*) est d'ailleurs de plus en plus présente dans les
documents internationaux (en particulier les textes de la
Banque mondiale). Les grandes conférences spéciales
des Nations unies sont un début de réponse [16]. Qu'il
ne puisse pas y avoir de « gouvernance mondiale » sans
une solide articulation des divers niveaux d'action politique et sociale, locale, nationale, régionale et globale,
et sans la participation des populations à ces différents
niveaux, est une réalité de plus en plus reconnue.

L'organisation des hommes et la gestion de leur des-

---

1. Question posée par Bruno Latour dans un dialogue avec Isabelle
Stengers sur un projet de *Cosmopolitique*, à paraître.

tinée commune ne se pensent plus seulement à l'intérieur des frontières territoriales. La mondialisation conduit à repenser les modes de représentation et de participation politiques. Les voies d'une « démocratie cosmopolite » commencent à être sérieusement explorées, qui passerait par la création d'une seconde assemblée générale de l'ONU où siégeraient les acteurs sociaux, par l'organisation de référendums à l'échelle mondiale, et bien d'autres recettes originales [3, 19]. Le chemin sera long mais, là comme ailleurs, la coupure traditionnelle entre pensée politique, science politique et relations internationales est devenue totalement archaïque [1]...

Marie-Claude SMOUTS

BIBLIOGRAPHIE

1. Abi-Saab (Georges), *Cours général de droit international public*, Académie de droit international de La Haye, recueil des cours 1987, Amsterdam, Martinus Nijhoff, 1996.
2. Abi-Saab (Georges) (dir.), *Le concept d'organisation internationale*, Paris, Unesco, 1980.
3. Archibugi (Daniele), Held (David) (eds), *Cosmopolitan Democracy. An Agenda for a New World Order*, Cambridge, Polity Press, 1995.
4. Aron (Raymond), *Paix et guerre entre les nations*, Paris, Calmann-Lévy, 1962.
5. Axelrod (Robert), *Donnant-Donnant. Théorie du comportement coopératif*, Paris, Odile Jacob, 1992.
6. Carr (Edward Hallett), *The Twenty Years' Crisis, 1919-1939*, New York, Harper & Row (1939), 1946.

---

1. Ce que démontre fort bien Howard Williams [55].

7. Chemillier-Gendreau (Monique), *Humanité et souverainetés*, Paris, La Découverte, 1995.

8. Collard (Daniel), *Les relations internationales de 1945 à nos jours*, (1977), Paris, Armand Colin, 1996.

9. Cox (Robert W.), Jacobson (Harold K.), *The Anatomy of Influence : Decision-Making in International Organization*, New Haven, Yale University Press, 1973.

10. Cox (Robert W.), « Social Forces, States and World Order : Beyond International Relations Theory », *Millenium, Journal of International Studies*, 10 (2), été 1981, p. 126-155.

11. Cox (Robert W.) (avec Timothy Sinclair), *Approaches to World Order*, Cambridge, Cambridge University Press, 1996.

12. Cox (Robert W.) (ed.), *The New Realism. Perspectives on Multilateralism and World Order,* New York, United Nations University Press, 1997.

13. Gill (Stephen), Mittelman (James H.), *Innovation and Transformation in International Studies*, Cambridge, Cambridge University Press, 1997.

14. Gilpin (Robert), *War and Change in World Politics*, Cambridge, Cambridge University Press, 1981.

15. Grieco (Joseph M.), « Anarchy and the Limits of Cooperation : a Realist Critique of the Newest Liberal Institutionalism », dans Kegley (Charles W.) (ed.), *Controversies in International Relations Theory ; Realism and the Neoliberal Challenge*, New York, St. Martin's Press, 1995, p. 151-171.

16. Guichaoua (André) (dir.), « Coopération internationale : le temps des incertitudes », *Revue Tiers Monde*, juillet-septembre 1997, p. 659-693.

17. Haas (Peter) (ed.), « Knowledge, Power, and International Policy Coordination », *International Organization*, 46, hiver 1992.

18. Hasenclever (Andreas), Mayer (Peter), Rittberger (Volker), *Theories of International Regimes*, Cambridge, Cambridge University Press, 1997.

19. Held (David), *Democracy and the Global Order. From*

the Modern State to Cosmopolitan Governance, Cambridge, Polity Press, 1995.

20. Held (David), « Democracy and Globalization », *Global Governance*, 3 (3), septembre-décembre 1997, p. 251-267.

21. Keohane (Robert O.), *After Hegemony. Cooperation and Discord in the World Political Economy*, Princeton, Princeton University Press, 1984.

22. Keohane (Robert O.), « The Analysis of International Regimes : Towards a European-American Research Programme », dans Rittberger (V.), [41], p. 23-45.

23. Keohane (Robert O.), Nye (Joseph S.) (eds), *Transnational Relations and World Politics*, Cambridge (Mass.), Harvard University Press, 1971.

24. Keohane (Robert O.), Nye (Joseph S.), *Power and Interdependence ; World Politics in Transition*, Boston, Little Brown, 1977.

25. Krasner (Stephen D.) (ed.), *International Regimes*, Ithaca, Cornell University Press, 1983.

26. Kratochvil (Friedrich V.), Ruggie (John Gerard), « International Organization : A State of the Art on an Art of the State », *International Organization*, 40, 1986, p. 753-775.

27. Lebow (Richard Ned), Risse-Kappen (Thomas), *International Relations Theory and the End of the Cold War*, New York, Columbia University Press, 1994.

28. Lefebvre (Maxime), *Le jeu du droit et de la puissance. Précis de relations internationales*, Paris, PUF, 1997.

29. Levy (Marc), Young (Oran R.), Zürn (Michael), « The Study of International Regimes », *European Journal of International Relations*, septembre 1995, p. 267-330.

30. Lipschutz (R.), « Reconstructing World Politics : the Emergence of a Global Civil Society », *Millenium*, 21, 1992, p. 391-420.

31. Lyons (Gene M.), Mastanduno (Michael), *Beyond Wetphalia ? State Sovereignty and International Intervention*, Baltimore, Johns Hopkins University Press, 1995.

32. March (James G.), Olsen (Johan P.), « The New Institu-

157

tionalism : Organizational Factors in Political Life »,
American Political Science Review, 78, 1984, p. 734-749.

33. Mearsheimer (John), « The False Promise of International Institutions », *International Security*, 19, 1995, p. 5-49.

34. Mitrany (David), *A Working Peace System*, Londres, Royal Institute of International Affairs, 1943.

35. Moreau Defarges (Philippe), *Un monde d'ingérences*, Paris, Presses de Sciences Po, 1997.

36. Morgenthau (Hans), *Politics Among Nations : the Struggle for Power and Peace*, New York, Knopf, 1948.

37. Murphy (Craig N.), *International Organization and Industrial Change. Global Governance since 1850*, Cambridge, Polity Press, 1994.

38. Nicholson (Michael), *Rationality and the Analysis of International Conflict*, Cambridge, Cambridge University Press, 1992.

39. Oye (Kenneth A.) (ed.), *Cooperation Under Anarchy*, Princeton, Princeton University Press, 1986. Avec des contributions de Duncan Snidal, Robert Axelrod, Robert Keohane, Robert Jervis.

40. Risse-Kappen (Richard), « Ideas Do Not Float Freely », et Gross-Stein (Janice), « Political Learning By Doing : Gorbatchev as Uncomitted Thinker and Motivated Leader », *International Organization*, printemps 1994, p. 155-214.

41. Rittberger (Volker), *Regime Theory and International Relations*, Oxford, Clarendon Press (1993), 1995.

42. Rosenau (James N.), Czempiel (Ernst-Otto), *Governance Without Government : Order and Change in World Politics*, Cambridge, Cambridge University Press, 1992.

43. Rosenau (James N.), *Along the Domestic-Foreign Frontier : Exploring Governance in a Turbulent World*, Cambridge, Cambridge University Press, 1997.

44. Ruggie (John), *Multilateralism Matters : The Theory and Praxis of an Institutional Form*, New York, Columbia University Press, 1993.

45. Senarclens (Pierre de), « La théorie des régimes et l'étude

des organisations internationales », *Revue internationale des sciences sociales*, 138, novembre 1983, p. 527-537.

46. Smouts (Marie-Claude), « Du bon usage de la gouvernance en relations internationales », *Revue internationale des sciences sociales*, mars 1998, p. 85-94.

47. Smouts (Marie-Claude), *Les organisations internationales*, Paris, Armand Colin, 1995.

48. Strange (Susan), « *Cave ! Hic Dragones* : a Critique of Regime Analysis », dans Krasner (Stephen) (ed.), *International Regimes*, Ithaca, Cornell University Press, 1983, p. 337-354.

49. Strange (Susan), « Territory, State, Authority and Economy : A New Realist Ontology of Global Political Economy », dans Cox (Robert W.), [12], p. 3-19.

50. Sur (Serge), *Relations internationales*, Paris, Montchrestien, 1995.

51. The Commission on Global Governance, *Our Global Neighbourhood*, Oxford, Oxford University Press, 1995.

52. Tunkin (G.I.), *Droit international public. Problèmes théoriques*, Paris, Pédone, 1965.

53. Waltz (Kenneth N.), *Theory of International Politics*, New York, Addison Wesley, 1979.

54. Weil (Prosper), *Le droit international en quête de son identité*, La Haye, Martinus Nijhoff, 1996.

55. Williams (Howard), *International Relations and the Limits of Political Theory*, Londres, Macmillan, 1996.

56. Wolfers (Arnold), *Discord and Collaboration*, Baltimore, Johns Hopkins University Press, 1962.

57. Young (Oran R.), *International Cooperation : Building Regimes for Natural Resources and the Environment*, Ithaca, Cornell University Press, 1989.

58. Young (Oran R.), *International Governance : Protecting the Environment in a Stateless Society*, Ithaca, Cornell University Press, 1994. Une synthèse par l'auteur des principales idées de son ouvrage se trouve dans « Institutional Linkages in International Society : Polar Perspectives », *Global Governance*, 2, 1996, p. 1-24.

59. Zacher (Mark W.) (avec Brent Sutton), *Governing Global*

Networks : International Regimes for Transportation and Communication, Cambridge, Cambridge University Press, 1996.

60. Zacher (Mark W.), Matthew (Richard A.), « Liberal International Theory : Common Threads, Divergent Strands », dans Kegley (Charles W.) (ed.), *Controversies in International Relations Theory ; Realism and the Neoliberal Challenge*, New York, St. Martin's Press, 1995, p. 107-150.

DEUXIÈME PARTIE

LES NOUVELLES VISIONS DU MONDE

Chapitre 6

La transformation spatiale des relations internationales

Le modernisme, puis le post-modernisme, ont reflété l'un après l'autre une transformation radicale de la perception que les individus avaient du temps et de l'espace. Elle correspondait à chaque fois, souligne David Harvey [17], à une impression aiguë de « compression du temps et de l'espace », dont l'effet fortement perturbateur s'est traduit dans la réorganisation des sociétés. Mais l'attention portée respectivement au temps et à l'espace n'a pas toujours été la même et, là où le modernisme a privilégié l'analyse temporelle de l'activité humaine, le post-modernisme a mis l'accent sur une approche spatiale. Cette tendance s'est vérifiée dans les sciences sociales où l'on a assisté, selon la formule de Mike Featherstone et de Scott Lash [12], à une « spatialisation de la théorie sociale ». La décomposition de l'Union soviétique et l'amplification soudaine du mouvement d'ouverture des frontières ont par ailleurs souligné l'intérêt d'une nouvelle problématique de l'espace en politique, qu'illustre en particulier la réflexion sur la globalisation. La question de l'espace s'est donc également introduite dans l'analyse des relations internationales. En transformant d'autant plus les pratiques et les représentations collectives – à commencer par celles liées à la notion même de frontière –, les événements de la fin de la guerre froide ont, de fait, remis en cause le cadre de références spatial dans lequel s'est longtemps inscrite cette discipline.

L'analyse des relations internationales s'est fondée sur une vision territoriale de l'espace mondial : celle d'un monde découpé en unités distinctes, à l'image des cartes des atlas usuels, où la couleur spécifique de chaque unité symbolise la souveraineté exclusive de l'État qui l'occupe. Les courants les plus récents de la théorie des relations internationales, celui de l'école du transnationalisme en particulier, ont déjà implicitement remis en cause la pertinence d'une telle vision. Mais la critique explicite du paradigme territorial n'a réellement commencé à prendre forme qu'au début des années quatre-vingt-dix. Ce questionnement des politologues converge, par ailleurs, avec les problématiques énoncées par une géographie en pleine évolution. La nouvelle géographie, par sa volonté de repenser l'espace en le contextualisant, et en intégrant dans son analyse les critères de fluidité et de complexité, contribue également à une redéfinition du cadre spatial des relations internationales. Enfin, une partie de la réflexion politique et de l'expertise de terrain (*area studies*) se mobilise pour envisager d'autres formes de l'organisation spatiale de la scène internationale, en renouant plus particulièrement avec l'idée régionale : sans nécessairement proposer une critique argumentée du principe territorial, cette approche n'en offre pas moins une analyse qui, inévitablement, enlève à celui-ci une partie de son efficacité.

Au-delà de la territorialité

John Ruggie [29], faisant référence à la géométrie variable de la construction européenne, a posé l'hypothèse d'une « émergence de la première forme politique internationale réellement post-moderne ». L'intérêt de cette hypothèse n'est pas tant, selon Ruggie, d'appliquer à l'analyse des relations internationales le projet du post-modernisme (Pauline Rosenau [28], entre autres, a souligné les difficultés d'une telle entreprise), mais d'envisager l'« après » ou l'« au-delà » d'un ordre que l'on pourrait qualifier à la fois de moderne et de territorial. Le territoire, à la fois instrument et expression de l'autorité de l'État-nation, apparaît comme un attribut central de la modernité en politique internationale. Aussi, suggère John Ruggie, faut-il d'abord revenir à l'héritage moderne afin d'apprécier la réorganisation spatiale qu'accompagne l'apparition du nouvel ordre – qu'il soit post-moderne, ou, selon James Rosenau [27], « post-international ». Dans leur réflexion respective sur la référence territoriale dans les relations internationales, Bob Walker [33], Bertrand Badie [4] et Alexander Murphy [23] entreprennent également ce retour à l'histoire. Il met en évidence le caractère relatif de divisions familières – tant du point de vue de la théorie politique que des pratiques collectives – entre le public et le privé, l'interne et l'externe. Ces dichotomies n'ont de sens que parce qu'elles s'appuient sur un principe territorial, lui-même historiquement situé et, comme l'a montré aussi Robert Sack [30], sociologiquement construit.

Cette réintroduction de l'histoire débouche bel et bien sur une relativisation, voire un réexamen du principe territorial et non sur sa mise au rebut. Alex Murphy, en particulier, estime que l'évolution du principe de souveraineté étatique tend plutôt à renforcer le principe territorial (l'auteur préfère l'appeler « idéal politico-territorial »). Quant à John Ruggie, il montre que le processus même de construction d'un espace international territorial nécessitait la relativisation d'un principe pourtant annoncé comme absolu. La notion d'« extraterritorialité » a en effet été proposée très tôt afin de pouvoir organiser, précisément, les relations sociales entre les nations. Elle a été le point de départ d'un « démantèlement » de la territorialité (*unbundling of territoriality*), permettant l'élaboration de régimes fonctionnels, de marchés communs, de diverses formes de communautés politiques. Ainsi, « la négation institutionnelle de la territorialité exclusive aura servi à situer et à gérer ces dimensions de l'existence collective dont les dirigeants territoriaux reconnaissent le caractère irréductiblement transterritorial » ([29], p. 165). Cependant, l'analyse de Bertrand Badie montre que cette négation utilitaire de la territorialité n'est ni toujours, ni nécessairement institutionnalisée. L'observation sociologique des relations internationales met en évidence différents modes de transgression de la règle territoriale : elle peut relever en effet de la construction délibérée, par des gouvernements nationaux, d'espaces fonctionnels non territoriaux, mais elle peut aussi correspondre à la formation d'espaces a-territoriaux, engendrés par des stratégies d'acteurs plus ou moins coordonnées. Le principe territorial s'est imposé à la fois comme l'instrument de l'autorité des gouvernements et comme mode d'organisation, politique, économique, culturelle, des sociétés. Il a donc entretenu auprès de ces dernières des attentes qui ont inévitablement évolué (à l'instar de l'idéal territorial décrit par Murphy), mais dont la capacité d'adaptation est néanmoins limitée. Remises en cause par les nouvelles données du global et du local, certaines de ces attentes, qu'elles renvoient à la solidarité économique ou à la satisfaction identitaire, ont alors été réinvesties dans d'autres formes d'espace politique. C'est ce qu'illustrent, entre autres, l'expansion de la participation politique par le biais de réseaux transnationaux, ou la multiplication des stratégies de développement économique transfrontalier. Ces mouvements signalent l'émergence d'une organisation spatiale qui n'est ni unidimensionnelle, ni bidimensionnelle (territoriale et extra-territoriale) mais bien pluri-dimensionnelle. La nouvelle scène mondiale est « tantôt a-territoriale, tantôt soumise à la concurrence de plusieurs logiques territoriales contradictoires et, de plus en plus rarement, banalement stato-nationale » ([4], p. 14).

En démontrant la relativité, historique et sociologique, du principe territorial, on explique aussi un paradoxe apparent : celui de l'inflation des revendications territoriales au lendemain de la guerre froide, alors que la force de l'organisation territoriale, ainsi que la division interne/externe, perdent de leur évidence. Le processus de construction d'un territoire est lié à l'établissement d'une souveraineté ; il n'est pas déterminé par l'existence abstraite d'une identité donnée (autrement dit, l'identité ne fonde pas le territoire). Les nouvelles revendications territoriales ne peuvent donc, *a fortiori*, dépendre d'un improbable « réveil des nationalités ». Mais, en demeurant un des référents spatiaux les plus lisibles de la scène internationale, à défaut d'être également opérationnel, le territoire continue d'être utile, ou d'être perçu comme tel, ne serait-ce que de manière discursive. Ainsi, comme le soulignent Bertrand Badie et Marie-Claude Smouts [5], le territoire devient un « instrument des identités » et, de ce fait, tend plutôt à se vider de son contenu politique, c'est-à-dire de cette ambition d'universalité inscrite dans la modernité. Ce transfert de sens dans l'usage de la référence territoriale renvoie alors au problème plus général du déplacement de la vie politique. Nombre d'auteurs, comme Bob Walker [33], ou encore Yale Ferguson et Richard Mansbach [14], ont souligné la nécessité de concevoir un espace politique construit « au-delà de l'interne et de l'externe », qui ne soit ni le territoire d'un État-nation, ni l'ensemble des territoires stato-nationaux. Mais, pour ce faire, c'est l'analyse des relations internationales elle-même qui doit être repensée. Même si elle continue de s'intéresser prioritairement à la scène internationale et, en l'occurrence, aux référents spatiaux de cette scène, il serait contradictoire qu'elle ignore une réflexion sur l'espace issue de la sociologie politique, comme celle, par exemple, de Warren Magnusson [21] sur l'espace municipal. Cette acrobatie apparemment inévitable, consistant à se projeter au-delà de la territorialité, et au-delà de l'interne/externe, implique donc la recomposition d'un cadre de références spatial – recomposition à laquelle participe la nouvelle géographie – mais aussi le décloisonnement de différentes formes d'analyse politique.

Nouvelles géographies

La géographie connaît, selon la formule de Jacques Lévy [20], une « révolution épistémologique » dont le thème récurrent pourrait être qualifié d'éloge de la complexité. Cet éloge, qui est au départ une confrontation avec la complexité, apparaît, d'une part, comme une transformation de l'intérieur. L'objet géographique se démultiplie ; la géographie se met elle-même au pluriel, à l'instar des « nouvelles géographies » françaises ou des « géographies post-modernes » californiennes d'Edward Soja [32]. D'autre part, l'évolution (ou la révolution) de

168

la géographie correspond à un repositionnement au sein des sciences sociales, débouchant sur un nouveau dialogue avec les autres disciplines. Cette double transformation a des conséquences directes et indirectes pour l'analyse des relations internationales et, plus spécifiquement, pour l'observation des recompositions spatiales en cours. Elle confirme, par d'autres voies, la nécessité d'envisager un au-delà de la territorialité.

La complexité à laquelle est confrontée la nouvelle géographie n'est pas sans rappeler ce que d'autres appellent « interdépendance » ou encore « relativité ». Ce n'est pas simplement l'approche géographique, mais bien l'objet de la discipline qui est renouvelé. Or l'intérêt pour la complexité est simultanément une critique de ce que Denis Retaillé [26] appelle l'« Être géographique », fondé sur l'idée à la fois d'unité et de permanence du cadre de l'activité humaine. Rompre avec cette vision monolithique de la géographie permet de réintroduire, en la réactualisant, comme l'a proposé Derek Gregory [16], la notion d'aire (et, par suite, de pluralité d'aires), en évitant de lui donner tout caractère de fixité : l'intégration du critère de complexité implique ici, également, celle du critère de fluidité. Le repérage des différentes aires de l'espace mondial suppose que l'on parte de l'observation des interactions et non de l'idée d'une permanence des lieux qui composent ces aires. « Faire de la géographie, c'est chercher le lieu de la société et non pas définir la société par le lieu donné ; faire de la géographie, c'est comprendre la société par la manière dont elle règle ses distances. » ([26], p. 95.) Cette vision dynamique, qui réfute la définition du lieu comme donnée fixe, met en évidence de plusieurs façons une relation, jusqu'alors potentielle, entre géographie et sociologie. Si la première a pu privilégier le cadre de la société jusqu'à l'oubli de la société elle-même, la seconde, comme le souligne John Agnew [1], a pu, tout aussi radicalement, « dé-localiser » la société. Ce divorce se justifie d'autant moins que des sujets en apparence géographiques – la caractérisation des lieux et des rapports entre les lieux – peuvent être, précisément, des enjeux de l'organisation des sociétés et des relations entre sociétés. La réintroduction de la localité non pas, encore une fois, comme donnée fixe mais comme donnée stratégique, dans l'interprétation des faits sociaux, constitue alors une première étape vers une relecture des référents spatiaux de la scène internationale.

Dans l'analyse des relations internationales, la géopolitique est probablement une des disciplines qui a le plus contribué à entretenir l'idée d'immuabilité de la géographie. Depuis que le géographe britannique Halford Mackinder contribua, au début de ce siècle, à en faire un savoir officiel, la géopolitique, au gré de ses disparitions et de ses renaissances, n'a jamais vraiment rompu avec son questionnement d'origine. « Après quelques hésitations, la géopolitique rénovée est revenue à un objet central, l'État, observé sur ses deux faces, interne et externe. » ([26], p. 91.) Or, constate John Agnew [2], la réification de l'État, qui caractérise la conception des relations internationales propre à la géopolitique, entraîne une même réification de l'espace dans lequel s'inscrit l'État. La géographie se met là au service d'une pratique qui, à l'avance, définit pour elle son objet d'étude, à savoir un espace mondial découpé en territoires stato-nationaux. D'où le « piège territorial » que dénonce John Agnew [2], où les identités géographiques produites par le système interétatique sont acceptées comme données. Pour éviter cet écueil, il faut, propose Gearòid O'Tuathail [25], se remémorer « les luttes historiques qui ont participé à la création et au maintien des États, en tant qu'identités et territoires cohérents, à la recherche d'une légitimité internationale » ([25], p. 12). En sens inverse, se défaire d'une géographie globalisante et repérer « les géographies » comme autant de construits sociaux inscrits dans différentes époques historiques, ouvre la voie à ce que John Agnew et Stuart Corbridge [3] appellent la « nouvelle géopolitique ». La relativisation historique va alors de pair, dans l'analyse proposée par cette nouvelle géopolitique, avec la remise en cause de la notion de ressources naturelles comme facteur déterminant de l'organisation de l'économie politique internationale. Là encore, la géographie est perçue comme une composante dynamique de la scène internationale et non comme le cadre fixe des rapports de puissance.

Par une démarche parallèle à celle d'Agnew et de Corbridge, Gearòid O'Tuathail propose pour sa part l'élaboration d'une « géopolitique critique ». Celle-ci, précise O'Tuathail [24], constitue une approche plutôt qu'une théorie, permettant de soumettre à un examen rigoureux la « problématique confuse qui lie géographie et politique globale ». Il ne s'agit pas de mettre sur pied une nouvelle géopolitique (redéfinie par rapport à l'ancienne) mais de s'interroger sur la nature de la relation entre géographie et géopolitique. Là où John Agnew voit l'effet de l'instrumentalisation d'une géographie victime de sa propre rigidité, O'Tuathail souligne au contraire la force de ce qu'il appelle le « géo-pouvoir », c'est-à-dire la fonction politique de la pratique géographique. Cette pratique, le fait de « géographier », a été celle de systèmes impériaux qui, tout au long de l'histoire, de la Grèce antique à la Chine, « ont exercé leur pouvoir à travers leur capacité à imposer un ordre et un sens à l'espace » ([25], p. 1). Aussi, la géopolitique, telle qu'elle a émergé au tournant de ce siècle, ne serait-elle qu'une forme parmi d'autres de « géo-pouvoir », répondant à l'ambition d'États défendant à la fois le principe de territorialité et l'expansion coloniale. Le rôle des représentations spatiales et des imaginaires géographiques, qui est souligné ici, n'est pas absent de l'analyse d'Agnew et de Corbridge : le lien entre la construction du discours géopolitique et l'établissement d'un ordre mondial donné, y est en particulier examiné. Mais l'approche d'O'Tuathail, comme il le suggère lui-même, relève avant tout de la déconstruction. La composition du discours géopolitique est au cœur de son questionnement : le pouvoir d'imposer sa propre interprétation de l'organisation spatiale du politique et, au-delà, sa propre vision du monde, doit être ainsi mis en évidence.

Du point de vue de l'analyse des relations internationales, ces travaux de la nouvelle géographie permettent tous, dans leur diversité, de s'interroger sur la validité du cadre de références spatial que l'on avait accepté *de facto* jusqu'alors et invitent, pour paraphraser John Ruggie [29], à regarder enfin « le sol sur lequel on est en train de marcher ». Cependant, le dialogue entre nouvelle géographie et théorie des relations internationales est à peine ébauché, et l'hypothèse d'une synergie reste encore à vérifier. Le renouveau de l'équipement conceptuel entrepris par les nouveaux géographes français comme Marie-Françoise Durand, Jacques Lévy et Denis Retaillé [9] ou Olivier Dollfus [10], dans leur réflexion respective sur l'espace mondial, pourrait, par exemple, intéresser une analyse des relations internationales qui, de son côté, s'efforce de recomposer son répertoire de représentations. Le fait que la notion de « région » en relations internationales redevienne populaire, en dépit (ou à cause ?) de son imprécision, est à cet égard significatif et suggère, en tout cas, des questionnements similaires.

L'hypothèse régionale

L'intérêt pour le régionalisme s'est progressivement renforcé à partir des années cinquante pour pratiquement disparaître, quelque vingt ans plus tard, avec la montée de l'europessimisme. Depuis le milieu des années quatre-vingt-dix, le régionalisme semble à nouveau s'installer dans le champ de l'analyse des relations internationales. Les nouveaux épisodes de la construction communautaire européenne, en particulier la signature du traité de Maastricht, ainsi que la constitution de l'ALENA et du MERCOSUR, ou la réorganisation de l'ASEAN, ont bien entendu contribué à ce regain d'intérêt. Mais la réflexion sur le régionalisme renvoie aussi, de manière plus générale, à ce que Marie-Claude Smouts [31] appelle la « quête de l'espace pertinent pour l'action ». L'éparpillement des sites des relations internationales semble offrir autant de possibilités de dénominations des nouveaux espaces ainsi mis en évidence. Face à un éventuel sentiment de crise des représentations que ce phénomène peut provoquer, la notion de région possède l'avantage réconfortant d'apparaître comme un juste milieu, situé *a priori* entre le national et l'international, le local et le global. Cette fonction compensatrice de l'hypothèse régionale s'exerce manifestement au détriment d'une certaine rigueur conceptuelle, et la relative confusion qui en découle explique sans doute la diversité des analyses. Mais c'est aussi cette diversité qui révèle la réelle complexité de la problématique et de ses liens potentiels avec des questions posées par d'autres disciplines.

Les analyses de ce qu'on nomme désormais le « nouveau régionalisme » partagent, malgré leur variété, quelques positions semblables. Leur point commun minimal est sans doute la reconnaissance d'une dimension effectivement « méso » du régionalisme, qui le distingue à la fois de la conception réaliste et de la vision idéaliste des relations internationales. La plupart des auteurs s'accordent également pour reconnaître la dimension globale du phénomène, observable dans différents points de la planète, ainsi que la multiplicité des dynamiques à l'œuvre, impliquant tant les États que de nombreux acteurs non étatiques. L'importance accordée à ce dernier point est toutefois variable. Les travaux dirigés par Andrew Gamble et Anthony Payne [15] sont consacrés à l'étude du régionalisme en tant que projet étatique, s'opposant de fait à une globalisation définie comme processus social. Même si les auteurs précisent que « la globalisation définie comme projet politique étatique » et « la régionalisation comme processus social » doivent être aussi prises en compte ([15], p. 3), leur démonstration vise avant tout la définition d'ordres mondiaux issus de la coopération interétatique. On retrouve un souci similaire, mais sur un mode singulier – la définition d'« un » ordre mondial – dans l'analyse de Björn Hettne [18]. Le nouveau régionalisme, écrit ce dernier, « peut être défini comme un concept d'ordre mondial, puisque tout processus particulier de régionalisation a des répercussions systémiques à travers le monde » ([18], p. 136). Hettne indique ensuite qu'il existe différents degrés de « régionalité » (*regionness*) qu'il propose de classer selon une échelle croissante. Le plus faible degré de la régionalité se trouverait dans la région définie comme unité géographique, puis viendrait la région comme système social, puis la région comme mécanisme élémentaire de sécurité, ensuite l'organisation régionale, et enfin la société civile régionale produite par ladite organisation régionale. Pour Hettne, et selon une logique similaire à celle du développementalisme politique, ce dernier degré constituerait véritablement le nouveau régionalisme.

Andrew Hurrell [19] reprend implicitement l'idée d'une échelle de la régionalité. La régionalisation, qu'il définit comme l'intégration accrue des sociétés, apparaît, dans son analyse, comme une forme minimale de régionalisme. L'étape suivante serait celle de la conscience et de l'identité régionales, suivies par la coopération régionale interétatique, puis par la coopération économique régionale initiée par les États, et finalement par la cohésion régionale qui serait en réalité une combinaison de ce qui précède. La progression décrite par Hurrell a toutefois un caractère moins systématique que celle établie par Hettne. En particulier, alors que, pour ce dernier, l'organisation régionale peut effectivement assurer la promotion de valeurs communes à la région, Hurrell invite à tenir compte, dans la définition identitaire de la région, de la part de « redécouverte historique, de construction mythologique et de tradition inventée » ([19], p. 336). Mais, si les différences et les nuances existent, ces premiers travaux sur le nouveau régionalisme, y compris ceux dirigés par Andrew Hurrell et Louise Fawcett [11], restent pareillement tributaires d'un objet central de l'« ancien » régionalisme, à savoir l'organisation régionale. Celle-ci demeure en effet un point de référence obligé de la plupart des analyses, même si elle recouvre des réalités aussi fondamentalement différentes que l'Union européenne (UE) ou le Forum de coopération économique de l'Asie-Pacifique (APEC).

Cette attention portée à l'organisation, qui devient ainsi un élément déterminant de la définition du régionalisme, tend alors à faire perdre de vue un intérêt initial de l'hypothèse régionale : la caractérisation de l'espace pertinent pour l'action. En d'autres termes, c'est la notion même de région qui échappe ici à l'analyse. La définition régionale s'en trouve doublement discréditée. Elle paraît trop générale en qualifiant à la fois des entités très diverses comme l'UE, l'APEC ou la CEI, et trop limitative, en ne prenant pas en compte d'autres phénomènes qui relèvent pourtant d'une réalité régionale. L'exemple de l'APEC le montre bien : l'existence d'une entité régionale « Asie-Pacifique », définie selon des critères similaires à l'entité européenne de l'UE, paraît bien improbable, comme l'ont montré entre autres Arif Dirlik et Rob Wilson [8]. Par ailleurs, l'Asie orientale est le lieu de formation de nouveaux espaces d'échanges transfrontaliers qui sont bel et bien de dimension régionale. Ces zones de développement transfrontalier, englobant des localités de plusieurs pays, sont d'ailleurs régionales de deux façons. Elles se fondent, ou du moins se justifient par rapport à une idée de région transnationale, et elles impliquent des acteurs qui se qualifient eux-mêmes de régionaux (ou provinciaux dans le cas de la Chine). L'analyse de James Mittelman [22] cherche à prendre en compte ces différents aspects du phénomène régional en mettant en évidence plusieurs niveaux de régionalisme : le macrorégionalisme, comprenant les grandes formations comme l'UE ou l'APEC ; le subrégionalisme, désignant à la fois des moins grandes organisations comme l'ASEAN et des espaces d'échanges translocaux ; et enfin le microrégionalisme, qui concerne les régions définies nationalement (l'Alsace française ou le Kyûshû japonais) ayant une activité internationale.

Le fait que le terme « région » soit employé à la fois dans son sens national et international dans le contexte de la globalisation constitue probablement une des caractéristiques les plus novatrices du nouveau régionalisme. Le glissement d'une « région » à l'autre est en effet plus révélateur que la seule ambivalence suggérée par la langue française. Si l'anglais distingue le « localisme » (subnational) du « régionalisme » (international), certains auteurs anglophones, comme Susan Clarke et Edward Goetz [7], n'en montrent pas moins la réalité d'un localisme international ou transnational. La globalisation, ou plus simplement la transformation de la scène internationale, crée de fait un lien entre un régionalisme, qui ne se définissait jusqu'alors que par rapport à des enjeux nationaux, et un régionalisme défini par rapport à un ordre mondial. En partant de l'étude des coopérations inter-régionales de dimension transnationale, essentiellement au sein de l'Europe, les travaux dirigés par Richard Balme [6] révèlent un espace mésopolitique, une sorte de point de rencontre entre les observateurs du territoire et ceux de la scène internationale. Dans un contexte est-asiatique, en analysant les nouvelles subrégions transfrontalières, certains auteurs [1] ont mis en évidence un lien logique entre le régionalisme national classique et le régionalisme international fondé sur l'activité translocale, le second apparaissant comme la prolongation du premier. Le fil conducteur serait la revendication d'une entité spatiale caractérisée par une certaine cohérence sociologique et géographique (qui lui donnerait sa qualité régionale), et qui représenterait, précisément, un espace pertinent pour l'action. Au-delà de l'articulation infranational/transnational, il y aurait donc un site proprement régional des relations internationales,

---

1. Pour les lecteurs japonophones, voir en particulier Hidetoshi Taga (dir.), *Kokkyô-o koeru jikken*, Tokyo, Yûshindô, 1992 ; Jun Nishikawa, « Kan-nihonkai kyôryoku kôsô-no genjô to hatten », *Seiji-keizaigaku zasshi*, 318, avril 1994. Pour un avant-goût en anglais, voir les contributions de Taga et de Nishikawa dans François Gipouloux (ed.), *Regional Economic Strategies in East Asia*, Tokyo, Maison franco-japonaise, 1994, et Karoline Postel-Vinay, « Local Actors and International Regionalism : The Case of the Sea of Japan Zone », *The Pacific Review*, 9 (4), 1996.

proposant avant tout un cadre, fondé sur la référence locale, plutôt qu'un mode d'interaction.

Il n'est sans doute pas fortuit que l'articulation, ou la ré-articulation, de l'interne/externe dans le régionalisme soit d'abord apparue dans les travaux dits d'études de terrain (*area studies*). L'ébranlement de la division interne/externe, en général, correspond autant à des transformations de la scène internationale qu'à des mutations de l'interne, telle l'internationalisation des régions. Ces mutations se reflètent dans les *area studies*, où, bien souvent, la conception même du « terrain » est modifiée. La vogue du comparatisme, suggérant que le terrain ne suffit plus à lui seul pour définir une problématique, en témoigne. Cette mouvance comparatiste, en particulier, se distancie d'une vision de l'espace mondial issue de la tradition réaliste des relations internationales, productrice de critères spatiaux que le « terrain » a toujours fini par intégrer, en dépit de sa spécificité supposée. Là encore, mais de façon sans doute moins délibérée que par la nouvelle géographie, est suggérée la notion d'un espace situé au-delà de la territorialité. L'hypothèse régionale, ou néo-régionale, en est la manifestation la plus tangible (même si le travail de démonstration n'est qu'à peine entamé).

Pour bien des aspects des relations internationales, et en l'occurrence celui de l'organisation spatiale, il semble plus aisé d'analyser les dysfonctionnements que de décrire les recompositions. Si les limites du principe de territorialité peuvent être bien mises en lumière, grâce à la théorie des relations internationales, et la nouvelle géographie, voire les *area studies*, le paysage de l'au-delà territorial reste plus confus. Cela tient sans doute à la difficulté d'imaginer une efficacité politique qui ne renvoie pas à une organisation finalement très similaire à celle des États-nations. Cette difficulté est visible dans bon nombre de travaux sur le nouveau régionalisme. Pourtant, l'hypothèse néo-régionale pourrait bien déboucher sur la projection d'un espace qui échappe à la déclinaison territoriale. Échapper à cette déclinaison, c'est sortir du « tout territorial », mais c'est également dépasser l'opposition quelque peu restrictive entre territoire et réseaux : c'est donc introduire une troisième dimension que l'on appelle « région » mais qui s'inscrit dans une problématique plus générale du lieu et de l'espace.

Karolinc POSTEL VINAY

BIBLIOGRAPHIE

1. Agnew (John), « The Devaluation of Place in Social Science », dans Agnew (John), Duncan (James) (eds), *The Power of Place*, Boston, Hyman & Unwin, 1989.
2. Agnew (John), « The Territorial Trap. The Geographical Assumptions of International Relations Theory », *Review of International Political Economy*, 1 (1), 1994.
3. Agnew (John), Corbridge (Stuart), *Mastering Space*, Londres, Routledge, 1995.
4. Badie (Bertrand), *La fin des territoires,* Paris, Fayard, 1995.
5. Badie (Bertrand), Smouts (Marie-Claude), introduction de « L'international sans territoire », *Cultures et conflits*, numéro spécial, printemps-été 1996.
6. Balme (Richard) (dir.), *Les politiques du néo-régionalisme*, Paris, Economica, 1996.
7. Clarke (Susan), Goetz (Edward) (eds), *The New Localism*, Londres, Sage, 1993.
8. Dirlik (Arif), Wilson (Rob) (eds), *Asia/Pacific as Space of Cultural Production*, Durham, Duke University Press, 1995.
9. Durand (Marie-Françoise), Lévy (Jacques), Retaillé

(Denis), *Le monde, espace et systèmes*, Paris, Presses de Sciences Po-Dalloz, 1992.

10. Dollfus (Olivier), *La mondialisation*, Paris, Presses de Sciences Po, 1997.

11. Fawcett (Louise), Hurrell (Andrew) (dir.), *Regionalism in World Politics*, Oxford, Oxford University Press, 1995.

12. Featherstone (Mike), Lash (Scott), « Globalization, Modernity and the Spatialization of Social Theory », dans Robertson (Roland) (ed.), *Global Modernities*, Londres, Sage, 1995.

14. Ferguson (Yale), Mansbach (Richard), « Political Space and Westphalian States in a World of "Polities" : Beyond Inside/Outside », *Global Governance*, 2 (2), mai-août 1996.

15. Gamble (Andrew), Payne (Anthony) (eds), *Regionalism & World Order*, Londres, Macmillan, 1996.

16. Gregory (Derek), « Areal Differentiation and Post-Modern Human Geography », dans Derek Gregory, Rex Walford (eds), *Horizons in Human Geography*, Londres, Macmillan, 1989.

17. Harvey (David), *The Condition of Post-Modernity*, Cambridge (Mass.), Blackwell, 1990.

18. Hettne (Björn), « The Regional Factor in the Formation of a New World Order », dans Sakamoto (Yoshikazu) (dir.), *Global Transformation*, Tokyo, United Nations University Press, 1994.

19. Hurrell (Andrew), « Explaining the Resurgence of Regionalism in World Politics », *Review of International Studies*, 21 (4), octobre 1995.

20. Lévy (Jacques), « Une géographie vient au monde », dans le dossier « Nouvelles géographies », *Le Débat*, novembre-décembre 1996.

21. Magnusson (Warren), *The Search for Political Space*, Toronto, University of Toronto Press, 1996.

22. Mittelman (James), « Rethinking the "New Regionalism" in the Context of Globalization », *Global Governance*, 2 (2), mai-août 1996.

23. Murphy (Alexander), « The Sovereign State System as

Political-Territorial Ideal : Historical and Contemporary Considerations », dans Biersteker (Thomas), Weber (Cynthia) (eds), *State Sovereignty as Social Construct*, Cambridge, Cambridge University Press, 1996.

24. O'Tuathail (Gearòid), « (Dis)placing Geopolitics : Writing on the Maps of Global Politics », *Environment and Planning-D : Society and Space*, 12, 1994.

25. O'Tuathail (Gearòid), *Critical Geopolitics*, Minneapolis, University of Minnesota Press, 1996.

26. Retaillé (Denis), « La vérité des cartes », dans le dossier « Nouvelles géographies », *Le Débat*, novembre-décembre 1996.

27. Rosenau (James N.), *Turbulence in World Politics*, Princeton, Princeton University Press, 1990.

28. Rosenau (Pauline), « Once Again Into the Fray : International Relations Confronts the Humanities », *Millenium*, 19, printemps 1990.

29. Ruggie (John), « Territoriality and Beyond : Problematizing Modernity in International Relations », *International Organization* 47 (1), hiver 1993.

30. Sack (Robert), *Human Territoriality*, Cambridge, Cambridge University Press, 1986.

31. Smouts (Marie-Claude) « La région comme nouvelle communauté imaginaire ? » dans Le Galès (Patrick), Lequesne (Christian) (dir.), *Les paradoxes des régions en Europe*, Paris, La Découverte, 1997.

32. Soja (Edward), *Post-Modern Geographies*, Londres, Verso, 1989.

33. Walker (R.B.J.), *Inside/Outside : International Relations as Political Theory*, Cambridge, Cambridge University Press, 1993.

Chapitre 7

Le temps mondial

On ne trouvera pas dans les pages qui suivent une recension détaillée de tous les travaux sur le temps ou sur la mondialisation. Un ouvrage n'y suffirait pas, comme le montre la première bibliographie française sur le temps mondial [10]. Notre propos sera à la fois plus modeste et plus ambitieux. Plus modeste car il ne prétend à aucune exhaustivité bibliographique. Plus ambitieux car il s'efforcera de montrer comment une réflexion politologique sur le temps mondial s'inscrit pleinement dans les débats centraux de l'analyse historique, philosophique et sociologique sur le temps.

Autrement dit, nous essaierons de montrer comment ces débats légitiment la problématisation du temps mondial dans le champ de l'analyse politique. Ce faisant, nous tenterons de montrer en quoi la problématique temporelle enrichit aujourd'hui l'analyse politique. L'analyse politique en général et pas seulement les relations internationales, car il est clair que le clivage intradisciplinaire ne fait guère sens dès lors que l'on aborde des processus macro-sociaux ([14], p. 282).

On déploiera notre analyse sur trois plans :
– la mise en perspective historique du temps mondial

à travers les débats et controverses portant sur l'articulation entre longue durée et événement ;

– l'inscription de cette même problématique dans le champ de la phénoménologie, dont l'apport est décisif pour comprendre la résonance temporelle des événements ;

– la mise en évidence des problématiques faisant du temps une variable décisive de l'interprétation sociologique de la mondialisation.

Nous conclurons brièvement sur les orientations de la recherche interdisciplinaire sur le temps mondial et notamment sur les théories de la réception du temps mondial.

Le temps mondial entre histoire et événement

Les historiens sont les premiers à avoir parlé de *temps mondial*. Le père de l'idée est l'historien allemand Wolfram Eberhard qui l'évoque incidemment dans un livre consacré à la Chine ancienne ([8], p. 210). Eberhard note que si le Japon est parvenu à réussir son décollage économique à la fin du XIXᵉ siècle, c'est parce qu'à l'époque il était possible d'imposer des changements brutaux à la population. Or, dit-il, la répétition de ce schéma n'est guère envisageable en raison précisément de l'existence d'un temps mondial qui développerait à l'échelle internationale un certain nombre d'idées ou de valeurs rendant certaines pratiques ou attitudes possibles – ou légitimes – et d'autres impraticables et illégitimes. Eberhard voit donc dans le temps mondial moins un moment ou un *kairos* d'où surgiraient de nouvelles valeurs qu'une temporalité ambiante qui délimiterait le champ du possible politique. Son élaboration conceptuelle du temps mondial ne va malheureusement guère plus loin. On retrouve d'ailleurs dans les écrits de l'anthropologue Louis Dumont cette notion d'« idées-valeurs » circulant à l'échelle mondiale et dégageant de manière plus ou moins durable un ensemble de normes dominantes ou légitimes ([7], p. 44-45). On pourrait, par exemple, dire que la « démocratie de marché » constitue aujourd'hui une idée-valeur dominante du temps mondial.

C'est cependant avec Braudel que le terme « temps mondial » – ou temps du monde – prend une certaine épaisseur. Pourtant, si Braudel se réfère explicitement à Eberhard, dans l'emprunt du terme « temps mondial », on n'est pas sûr qu'il lui confère un sens identique. Au demeurant, Braudel n'a jamais véritablement défini le temps mondial. Dans son avant-propos à *Civilisation matérielle. Économie et capitalisme.* XVe-XVIIe siècle, il en donne une définition fort imprécise. Il parle du temps mondial comme d'« une sorte de superstructure de l'Histoire globale » ([4], p. 8). Quelques lignes plus haut, il parle de ce même temps mondial comme d'« un temps vécu aux dimensions du monde » ([4], p. 8). Le temps mondial serait, au fond, le temps qui consacrerait la spatialisation de l'économie de marché à l'échelle du monde, tout en précisant que le temps mondial n'est pas l'histoire des hommes ([4], p. 8). En fait, la relative imprécision de la définition braudélienne du temps mondial n'est guère surprenante. Car si, par certains côtés, il est conduit à voir dans le temps mondial un *moment* exceptionnel (il parle d'aboutissement), il insiste toujours pour rappeler que toutes les transformations s'inscrivent dans la longue durée. Toute la démarche de Braudel a d'ailleurs consisté à réhabiliter l'Histoire problème contre l'Histoire événementielle, le long terme contre le court terme, quand bien même avait-il par ailleurs toujours pris soin de reconnaître l'existence de plusieurs

185

temporalités. En fait, en voulant combattre l'événementiel, Braudel a voulu condamner l'événement. Malheureusement, la « canonisation » intellectuelle de Braudel n'a nullement permis de contester cette démarche hâtive. Elle a plutôt contribué à occulter la réflexion de ceux qui ont critiqué l'assimilation abusive par Braudel de l'événement à l'événementiel. Le refus d'assimiler l'événement à l'événementiel est venu – en tout cas en France – de Pierre Nora, qui tenta de réhabiliter l'événement ou ce qu'il appela l'« événement-monstre », celui à partir duquel se reproblématise le monde ([20], p. 307). Michel Vovelle lui emboîta le pas en estimant que le modèle de Braudel était peu adapté au retour de l'événement « porté par la valeur récente des idées de trauma, de rupture et de révolution » ([31], p. 341).

Mais c'est dans *Temps et récit* de Ricœur qu'il faut aller chercher la critique la plus forte et la plus convaincante de Braudel. Ricœur, qui est un théoricien de l'événement, s'emploie en effet à démontrer que Braudel a du mal à échapper à l'événement qu'il prétend vouloir chasser. De manière légèrement ironique, il écrit ceci :

« Peut-être peut-on dire qu'avec l'événement bref, l'épisodique continue de prévaloir dans des intrigues pourtant hautement complexes et que la longue durée marque la préséance de la configuration. Mais le surgissement d'une nouvelle qualité événementielle, au terme du travail de structuration de l'histoire, sonne comme un rappel. À savoir qu'il arrive quelque chose même aux structures les plus stables. Il leur arrive en particulier de mourir. C'est pourquoi, malgré ses réticences, Braudel n'a pu éluder d'achever son magnifique ouvrage par le tableau d'une mort, non certes celle de la Méditerranée, mais bien celle de Philippe II. » ([24], p. 396.)

En fait, Ricœur reproche à Braudel de finir paradoxalement par nier le temps historique fondé sur la dialectique passé-présent et avenir en identifiant la longue durée au temps de la nature : « Si l'événement au souffle court fait écran à la prise de conscience du temps que nous ne faisons pas, la longue durée peut faire écran au temps que nous sommes. » ([24], p. 395.)

Cette critique d'un temps long qui négligerait les ruptures, Ricœur la poursuit d'ailleurs au-delà de Braudel en restituant son analyse dans le cadre de la Révolution française. Il part des analyses bien connues de Tocqueville sur la Révolution comme parachèvement de l'œuvre de l'Ancien Régime et des travaux de Furet sur l'écart extrême entre l'historiographie « continuiste » et la tyrannie du vécu historique des acteurs, fondée au contraire sur l'idée de rupture. Ricœur choisit ici très clairement Furet contre Tocqueville car, écrit-il : « Nulle reconstruction conceptuelle ne pourra faire que la continuité avec l'Ancien Régime passe par la prise du pouvoir d'un imaginaire vécu comme rupture et origine. » ([24], p. 394.)

Imaginaire vécu comme une rupture : voici l'idée clé à laquelle il faut se référer pour penser aujourd'hui le temps mondial.

L'enjeu de cette controverse n'est bien évidemment pas mince. Il porte sur la place de l'événement et la valeur qu'on peut lui conférer quand on entre dans des périodes perçues ou vécues comme des périodes de rupture ou de remise en cause. Plus fondamentalement encore, il renvoie à une traditionnelle controverse philosophique que Bergson et Bachelard ont pu symboliser. Le premier voyant dans l'instant une coupure artificielle, tandis que le second ne voit dans la durée qu'une substance vide. Tout l'argumentaire de Ricœur est précisément de dire que le primat du temps long ne saurait abolir l'événement ou autoriser sa dévalorisation temporelle, à condition bien sûr de penser l'événement non pas comme « singularité, contingence ou écart » mais comme *mise en intrigue*. Dès lors, il n'y a pas subordination de l'événement à la longue durée, mais dérivation de la longue durée par rapport à l'événement mis en intrigue ([24], p. 365).

On pourrait naturellement s'étendre encore plus longuement sur la réhabilitation de l'« événement-problème » et la manière dont d'autres auteurs, et singulièrement les philosophes – notamment Arendt – ont problématisé l'événement. On pourrait également insister sur la notion décisive de mise en intrigue qui fait de l'événement un problème et un enjeu et non une péripétie. « L'événement pour nous n'est pas nécessairement bref et nerveux à la façon d'une explosion. Il est une variable de l'intrigue », dit Ricœur ([24], p. 363). Mais cela nous conduirait trop loin. Notons simplement ici que, pour problématiser aujourd'hui le temps mondial, le renfort de Ricœur est naturellement considérable. Car qu'est-ce que le temps mondial sinon une formalisation de l'événement planétaire ? Un événement, c'est-à-dire une matrice de problèmes, d'interrogations et de situations situés dans le temps et à partir desquels se définissent et se mettent en place des reproblématisations nouvelles du monde.

Le temps mondial s'emploie ainsi à comprendre comment des processus lourds vont converger dans le temps pour produire à la faveur de certains événements (la fin de la guerre froide ou l'accélération de la mondialisation) de nouvelles manières de voir le monde, de le penser, accréditant l'entrée dans une ère nouvelle. Le temps mondial est un tournant planétaire, un âge axial pour reprendre les termes de Jaspers, ou une « percée mondiale », pour utiliser ceux d'Éric Weil ([26], p. 1).

Dans les travaux d'historiens consacrés précisément à l'étude des représentations nées d'un nouveau rapport au temps et à l'espace, ceux de Stephen Kern sont sans doute les plus marquants [15]. Kern montre comment, entre 1880 et 1914, toute une série de changements technologiques et culturels engendre de nouvelles représentations. Ce qu'il met en évidence, c'est la convergence des événements « mis en gerbe » (Nora) par l'invention du téléphone, du télégraphe sans fil, des rayons X, du cinéma, de l'automobile, de la psychanalyse, du cubisme et de la théorie de la relativité ([15], p. 23). Cette idée de période charnière, de tournant planétaire dans les années 1880-1914, est pleinement confirmée par les travaux de Georges Poulet sur la littérature et le temps chez Gide, Claudel et Valéry ([22], p. 23). Elle est aussi clairement reconnue comme telle par David Harvey à partir des innovations littéraires (Proust, Joyce, Pound), plastiques (Braque, Klee, Kandinsky), musicales (Stravinsky, Schoenberg, Bartók) ([13], p. 294). Elle apparaît enfin dans les travaux de Marcel Gauchet sur la psychanalyse ([11], p. 14). Cette manière de problématiser les temps nouveaux se retrouve également dans les travaux d'Helga Novotny ([21], p. 22).

Le temps mondial comme phénoménologie

En vérité, la « controverse » sur le temps entre Braudel et Ricœur est au cœur d'une incommensurabilité, pourrait-on dire, des points de vue entre historiens et philosophes sur la question de l'événement, même si, à l'évidence, les termes de « philosophes » ou d'« historiens » n'excluent nullement la diversité des points de vue au sein de chacune de ces catégories de penseurs. Nous avons évoqué la critique de Braudel par Vovelle par exemple. Mais nous pourrions également citer Paul Veyne, pour qui le rattachement de l'événement à l'intrigue permet de dépasser la querelle des *Annales* ([29], p. 31).

Pour des philosophes aussi différents qu'Arendt [21], Ricœur [25] ou Deleuze [32] ou, plus récemment Badiou [3], la problématique de l'événement est absolument centrale. Mais le sens conféré au concept même d'événement rend le dialogue entre « Annalistes » et « philosophes » très difficile. Il est probable que, sur ce point, les politistes n'ont pas de raison d'être tous d'accord entre eux. Il est également probable que les politologues « internistes » sont plus proches des interprétations historiennes de la longue durée que les internationalistes, plus sensibles aux ruptures et inflexions de l'ordre mondial ([18], p. 55). Un internationaliste ne pourra, par exemple, pas considérer la fin de la guerre froide comme un événement sans conséquence sur la longue durée, alors qu'un interniste est susceptible de souscrire à une telle hypothèse ([16], p. 1090). Entre les internationalistes et les internistes, les comparatistes occupent probablement une place intermédiaire. Ils sont naturellement enclins à analyser et à interpréter les transitions politiques à l'Est et au Sud à l'aune de l'histoire longue de ces sociétés. Mais ils se rendent simultanément compte que l'accélération des changements internationaux et le développement de processus de mondialisation bouleversent les temporalités politiques de ces sociétés. En d'autres termes, s'il n'est guère possible de comparer la transition tchèque à la transition espagnole, ce n'est pas seulement parce que les sociétés tchèque et espagnole sont des sociétés différentes, mais également parce que les coordonnées du temps mondial étaient fort différentes au milieu des années soixante-dix et à la fin des années quatre-vingt. On dira donc que l'ampleur des remises en cause politiques, sociales et économiques induites par les changements de ces dix dernières années, ainsi que l'imprévisibilité croissante des trajectoires du changement, imposent une reformulation de la question du temps, d'un temps qui non seulement s'accélère, mais s'écarte des balises à partir desquelles on l'évaluait.

Dans la formalisation du temps mondial, l'enjeu était de penser la rupture dans l'ordre du temps planétaire en évitant trois écueils :

– l'écueil descriptif, qui réduirait l'idée de « rupture », de « temps nouveaux », de « césure temporelle » à son sens commun. On parlerait de l'« ère de la mondialisation » ou de l'« après-guerre froide » sans s'interroger sur le sens de cette rupture. Sans également chercher à lier les problématisations géopolitiques de l'après-guerre froide aux problématiques de la mondialisation ;

– l'écueil de la causalité, qui conduirait à privilégier tel phénomène plutôt que tel autre dans l'ordre de la causalité des événements ;

– l'écueil de la généralisation. Peut-on parler véritablement de temps mondial, c'est-à-dire de temporalité mondiale, alors que précisément la mondialisation renforce la dispersion du sens à l'échelle mondiale ?

Pour répondre à ces défis, il faut de nouveau interroger la phénoménologie dont un des intérêts pour l'analyse politique est de formaliser l'idée centrale de résonance, c'est-à-dire la capacité d'événements à se faire écho à un moment donné pour dégager des significations nouvelles et inédites. Cette résonance intervient à un moment plutôt qu'à un autre, et c'est ce moment qui devient un *kairos*, un « surgissement » (Ricœur), ou une nouvelle synthèse d'événements (Elias). Nul événement ou connexion d'événements, écrit à ce propos Jean-Toussaint Desanti, « ne peut faire signal si, par quelque côté de son mode de paraître, il n'entre en résonance, s'il n'est pas source de renvoi vers d'autres formations symboliques qu'il réveille » ([6], p. 24).

Nous ne développerons naturellement pas ici la manière dont nous avons, dans *Le Temps mondial*, cherché à construire cette problématique de la résonance entre facteurs géopolitiques et économiques dans le contexte mondial actuel. Nous ne reviendrons pas non plus sur le fait que la résonance entre événements intervient à un moment plutôt qu'à un autre. Nous rappellerons seulement comment une problématisation contemporaine du *Temps mondial* [17] se retrouve et se reconnaît dans la problématique du calendrier développée par Ricœur. Celui-ci montre en effet que, pour que naisse un nouveau calendrier, il faut réunir trois conditions :

– l'existence d'un événement qui accrédite l'idée d'une ère nouvelle ;

– un point de discrimination net entre l'« avant » et l'« après » ([25], p. 194) ;

– un nouveau répertoire d'unité de mesure du temps.

Le calendrier engendrerait ainsi un nouveau rapport au temps à partir d'une césure suffisamment forte pour être reconnue et admise par tous ceux qui se réfèrent à ce calendrier. Le temps mondial tel que nous l'avons défini répond pleinement à ces trois requis.

La valeur heuristique de cette problématique du nouveau calendrier – le temps mondial étant pris ici pour un nouveau calendrier mondial – nous semble renforcée par le fait que des disciplines extérieures aux sciences sociales ont problématisé le concept de nouveau paradigme dans des termes extrêmement comparables. Prigogine et Stengers, par exemple, ont estimé que toute grande évolution devait répondre à trois conditions : l'événement, l'irréversibilité et la mise en cohérence ([23], p. 47). La coïncidence avec la problématique calendaire saute aux yeux.

La dimension sociologique du temps mondial

Dans le champ de la sociologie, on peut identifier quatre auteurs qui, sur le plan méthodologique (Elias) ou conceptuel (Giddens, Harvey, Robertson), permettent soit d'éclairer la problématique du temps mondial, soit de la nourrir, même si ces auteurs n'emploient pas explicitement le terme de temps mondial.

Sur le plan méthodologique, la réflexion qui s'impose est celle d'Elias. Son ouvrage, *Du Temps*, vient d'être traduit en français ([9], p. 81). Bien que peu préoccupé par les problèmes mondiaux ou internationaux, Elias nous propose un cadre méthodologique stimulant pour un internationaliste. Son point de départ est le suivant : comment penser l'enchaînement temporel d'événements bornés par des « commencements et des achèvements relatifs » ? Pour répondre à cette question, Elias définit le temps comme une capacité de synthèse, c'est-à-dire de mise en relation d'événements qui s'enchaînent. Cette capacité de synthèse, il l'intitule la « détermination du temps », la matrice à partir de laquelle on déciderait si « telle ou telle transformation récurrente ou non se produit, avant, après ou simultanément à telle autre » ([9], p. 55). La détermination du temps, ajoute-t-il, c'est « la capacité propre à l'espèce humaine de saisir d'un seul regard, et par là même de relier ce qui, dans une même séquence continue d'événements, a lieu "plus tôt" et "plus tard", avant ou après ».

Tout au long de son propos, Elias a pour souci explicite de se démarquer d'une interprétation philosophique du temps, qui considérerait celui-ci comme une « catégorie *a priori* » et totalement détachée de la succession observable des événements ([9], p. 84).

Elias insiste sur l'idée de détermination pour parler du temps, précisément parce qu'il prend celui-ci pour un construit social collectif, une représentation et non comme une donnée objective. D'où son soutien à Einstein contre Newton ([9], p. 50).

Si on tente de situer maintenant cette analyse d'Elias par rapport au temps mondial, on n'aura aucune peine à se reconnaître dans sa notion de détermination du temps. Le temps mondial est en effet une représentation clairement située dans le temps, qui repose sur deux idées essentielles : la première est celle de « moment » doté d'un pouvoir de discrimination entre l'avant et l'après (après la guerre froide, par exemple) ; la seconde repose sur la notion décisive d'enchaînements entre événements qui se « répondent » et se complètent pour produire de nouvelles significations.

On peut ainsi penser le temps mondial comme un enchaînement décisif entre la fin de la guerre froide et l'accélération de la mondialisation économique et financière. Cette idée d'enchaînement, de « saisie sous un seul regard » de plusieurs événements, pour reprendre l'expression d'Elias, est méthodologiquement décisive pour l'analyse du changement mondial, car elle permet de comprendre et d'intégrer les ruptures sans pour autant tomber dans le piège réducteur de la causalité.

Autrement dit, si aucune analyse ne peut nier que l'ordre mondial connaît, depuis une dizaine d'années, une rupture profonde, il est plus difficile de rapporter cette rupture à une causalité unique.

Les analyses géostratégiques privilégieront naturellement la fin de la guerre froide comme point de rupture ou comme nouvelle détermination du temps. Les géoéconomistes mettront en revanche l'accent sur les développements de la mondialisation économique et financière. Mais, quel que soit le choix opéré, il est vain de vouloir expliquer la fin de la guerre froide par l'accélération de la mondialisation, ou de penser l'accélération

194

de la mondialisation comme une conséquence de la fin de la guerre froide. Ce qui, en revanche, est décisif, est de savoir et de comprendre comment ces deux processus s'enchaînent et se répondent pour dégager une « nouvelle synthèse », une nouvelle problématique. L'enchaînement permet de comprendre la simultanéité des événements, d'en élargir les interprétations ([18], p. 51). L'enchaînement enrichit ce que la causalité tend à appauvrir et à simplifier. L'exemple le plus frappant qui permet de comprendre la différence entre causalité et enchaînement est celui des mouvements islamistes. Si l'on dit, par exemple, que la montée des mouvements islamistes est consécutive à la fin de la guerre froide, on s'expose à interpréter des phénomènes macrosociaux de manière mécaniste, même si, à l'évidence, il existe entre ces deux « événements » des fragments indiscutables de causalité. En revanche, si l'on pose l'articulation entre montée de l'islamisme et fin de la guerre froide en termes d'enchaînements, la problématique du temps mondial prend tout son sens : pourquoi ? Parce que le temps mondial en tant qu'enchaînement entre fin de la guerre froide et mondialisation déleste l'islamisme des conflits qu'il juge secondaires (marché *versus* étatisme) tout en le dotant de trois ressources symboliques essentielles à sa légitimation : la fin du conflit Est-Ouest, qui unifie l'Occident, la délégitimation de l'État par le biais de la légitimation symétrique du marché, la mondialisation des communications comme support décisif à la transmission de messages ([17], p. 33). Il y a bel et bien synthèse d'événements par des acteurs au sens d'Elias.

Pourtant, si l'apport méthodologique d'Elias est indiscutable, son souci permanent de « démarquer » son interprétation sociologique du temps de l'interprétation philosophique paraît moins convaincant. Car si Elias est fondé à critiquer une tradition philosophique allant de

Descartes à Kant et pensant le temps comme une capacité *a priori* de synthèse d'événements (le temps comme valeur transcendante), il est difficile de réduire la littérature philosophique sur le temps à cette représentation. En réalité, Elias n'est pas fondamentalement très éloigné de la phénoménologie.

Parmi les sociologues actuels de la mondialisation, deux se détachent du lot, à la fois parce qu'ils occupent une place prééminente dans la sociologie contemporaine, mais aussi parce qu'ils intègrent de manière évidente l'équation temporelle dans leurs analyses.

La disjonction de l'espace et du temps

Le premier est naturellement Anthony Giddens, à travers son travail sur les conséquences de la modernité [12].

Giddens intègre le temps d'une double façon. Pour lui, la mondialisation n'est pas le début de quelque chose, l'ère de la post-modernité, mais bien au contraire un processus de radicalisation de la modernité. Naturellement, cela le conduit par la force des choses à introduire une césure – parfois caricaturale – entre « modernité » et « modernité radicalisée ». Mais, malgré tout, il voit dans la mondialisation une accentuation de la modernité plutôt que son dépassement : « Nous ne sommes pas allés au-delà de la modernité, mais nous vivons une période de radicalisation de cette modernité. » ([12], p. 57.) En quoi consiste cette radicalisation de la modernité ? C'est là la deuxième dimension temporelle de l'analyse de Giddens. À travers ce qu'il appelle une distanciation entre l'espace et le temps. La mondialisation serait donc une étape de la modernité où la simultanéité temporelle des événements serait plus que jamais découplée de sa proximité spatiale : « La mondialisation peut aussi être définie comme l'intensification de relations sociales planétaires rapprochant des endroits éloignés au point où des événements locaux seront influencés par des faits survenant à des milliers de kilomètres et vice versa. Il s'agit, ajoute Giddens, d'un processus dialectique puisque de tels événements locaux peuvent aller à l'opposé des relations distanciées qui les façonnent. » ([12], p. 70.)

Cette interconnexion temporelle croissante entre faits spatialement disjoints trouve son illustration éloquente dans la dynamique quotidienne des marchés financiers. Un retraité californien a potentiellement aujourd'hui une influence sur l'emploi d'un fraiseur de Compiègne à travers l'action d'un fonds de pension américain actionnaire dans une entreprise mécanique française. On peut même penser que cette disjonction entre l'espace et le temps est au cœur du malaise social et politique induit par la mondialisation [19]. Giddens ne déduit nullement de cette disjonction entre l'espace et le temps une logique d'uniformisation. Il considère simplement que l'inscription des individus et des sociétés dans une temporalité globale entraîne une délocalisation des systèmes de confiance sociale du local concret vers le global abstrait. Ce ne sont plus les relations de parenté, le milieu familial, la tradition ou les cérémonies religieuses qui « comptent », mais les relations personnelles et les systèmes abstraits. « La confiance dans les systèmes abstraits, écrit-il, est la condition de la distanciation spatio-temporelle. » ([12] p. 120.) On pourrait voir là aussi dans les marchés financiers un bon exemple de ces systèmes abstraits.

En insistant sur la disjonction entre l'espace et le temps, Giddens reconnaît implicitement le primat du temps sur l'espace. Il interprète la mondialisation comme une temporalisation de l'espace mondial.

La temporalisation de l'espace

Pourtant, ce primat n'est exprimé que de façon implicite. Pour en trouver une interprétation plus explicite, il faut se tourner vers David Harvey qui est très probablement l'auteur le plus inventif de la mondialisation et celui qui a, de la manière la plus imaginative, pensé le temps dans le contexte actuel de la mondialisation. Là où Giddens se montre formel et académique, Harvey se montre foisonnant et déroutant, même si leurs démarches se rejoignent sur la question du temps.

Dans *The Condition of Post-Modernity*, qui est très probablement un des ouvrages les plus importants de cette dernière décennie pour qui veut comprendre les changements culturels induits par la mondialisation, Harvey développe une hypothèse centrale, celle d'une assimilation de l'espace par le temps ([13], p. 241). Cette compression spatio-temporelle tiendrait au fait que les contraintes de l'espace auraient été graduellement vaincues et que, de ce fait, la seule variable discriminante serait le temps. Autrement dit, la compression de l'espace grâce aux nouvelles technologies de la communication et de l'information induirait une sorte d'égalisation des conditions d'accès à l'espace qui déplacerait la compétition de l'espace vers le temps. Dans ce basculement, la réduction considérable du coût unitaire de transmission de l'information joue un rôle considérable au point que l'enjeu n'est naturellement plus de savoir si l'on peut accéder à un lieu, mais d'y être le premier.

Pour Harvey, dont l'analyse est teintée de marxisme, cette temporalisation de l'espace mondial ne serait qu'une nouvelle étape de la dynamique du capitalisme qui aurait toujours cherché à vaincre l'espace par le temps ([13], p. 293). Sans s'inscrire dans un schéma historique aussi net, force est de constater que l'analyse d'Harvey est pleinement corroborée par la pléthorique littérature managériale sur la compétition mondiale. En effet, celle-ci insiste sur la temporalisation de la compétition [28]. Le temps serait ainsi l'arme décisive de la compétition internationale. Il entraînerait de manière plus générale une ségrégation sociale par la vitesse ([30], p. 288).

Elias, Giddens et Harvey ne sont naturellement pas les seuls sociologues dont la réflexion associe sur le plan méthodologique ou analytique le temps à la mondialisation. Un auteur essentiel comme Robertson – que tout le monde s'accorde à considérer comme un des pères du concept de globalisation – intègre dans ses derniers écrits la question du temps macro-social à ses représentations à travers l'histoire.

Pour Robertson, la mondialisation est un ensemble spatial de connexions entre sociétés, individus, système international et condition humaine. Cette connexion, note Robertson, ne date naturellement pas d'aujourd'hui mais remonte à plusieurs centaines d'années. Mais, ajoute-t-il, il y a des moments où la conscience d'appartenance à un même monde est plus ou moins forte. Et, en cela, il inscrit bien sa réflexion dans une phénoménologie de la contraction de l'espace ([27], p. 35). Par phénoménologie de la contraction de l'espace, il faut entendre le nouveau rapport au temps induit par la conscience d'appartenir à un monde spatialement plus contracté.

Le caractère extrêmement succinct de cette étude ne nous permet malheureusement pas d'aller plus loin dans l'exploration des nouvelles dimensions d'analyse du temps mondial. Il ne fait cependant aucun doute que celles-ci seront de plus en plus dominées par ce que l'on pourrait appeler les problématiques de la « réception ». Par là, il faut entendre, soit la capacité des acteurs locaux à disjoindre le contenu des messages venus de l'extérieur, soit à les réinsérer activement dans un contexte local. Toutes ces problématiques insistent sur les réécritures locales du temps mondial, en évitant d'opposer en permanence un global supposé homogène à un local rebelle ([1], p. 75-104).

Zaki LAÏDI

BIBLIOGRAPHIE

1. Adelkhah (Fariba), « Le Temps mondial à l'heure de la République islamique d'Iran », dans Laïdi (Zaki), *Le Temps mondial*, Bruxelles, Complexe, 1997, p. 75-104.
2. Arendt (Hannah), *Condition de l'homme moderne*, Paris, Press Pocket, 1983.
3. Badiou (Alain), *Saint-Paul : la fondation de l'universalisme*, Paris, PUF, 1997.
4. Braudel (Fernand), *Civilisation matérielle, économie et capitalisme,* XVe-XVIIe siècle, t. 3, *Le Temps du monde*, Paris, Armand Colin, 1979.
5. Deleuze (Gilles), *Logiques du sens*, Paris, Minuit, 1969.
6. Desanti (Jean-Toussaint), *Introduction à la phénoménologie*, Paris, Gallimard (Folio-Essais), 1994 (réédition).
7. Dumont (Louis), *L'idéologie allemande. France-Allemagne et retour*, Paris, Gallimard, 1992.
8. Eberhard (Wolfram), *Conquerors and Rulers. Social Forces in Medieval China*, Leiden, Brill, 1970.
9. Elias (Norbert), *Du Temps*, Paris, Fayard, 1997.
10. Fondation nationale des sciences politiques, *Espace-monde et Temps mondial. Evolution de la représentation et des pratiques de l'espace et du temps*, Paris, Centre de documentation, 1998.
11. Gauchet (Marcel), *L'inconscient cérébral*, Paris, Seuil, 1992.

12. Giddens (Anthony), *Les conséquences de la modernité*, Paris, L'Harmattan, 1996.
13. Harvey (David), *The Condition of Post-Modernity. An Enquiry Into the Origins of Cultural Change*, Londres, Basic Blackwell, 1989.
14. Hermet (Guy), « Positions », dans Laïdi (Zaki), *Le Temps mondial*, Bruxelles, Complexe, 1997.
15. Kern (Stephen), *The Culture of Time and Space. 1880-1918*, Cambridge (Mass.), Harvard University Press, 1983.
16. Laïdi (Zaki), « Compte rendu de *La réinvention du capitalisme* », *Revue française de science politique*, 44 (6), décembre 1996, p. 1090.
17. Laïdi (Zaki) (dir.), *Le Temps mondial*, Bruxelles, Complexe, 1997.
18. Laïdi (Zaki), « Was ist Weltzeit », dans Eberwein (Wolf-Dieter) (dir.), *Europa im Umbruch*, ÖSFK, Agenda, 1995, p. 48-65.
19. Laïdi (Zaki), *Malaise dans la mondialisation*, Paris, Textuel, 1997.
20. Nora (Pierre), « Le retour de l'événement », dans Le Goff (Jacques), Nora (Pierre) (dir.), *Faire l'Histoire*, t. I, *Nouveau problème*, Paris, Gallimard, 1994.
21. Novotny (Helga), *Le temps à soi*, Paris, Maison des sciences de l'homme, 1992.
22. Poulet (Georges), *Études sur le temps humain*, t. 3, Paris, Plon, 1964.
23. Prigogine (Ilya), Stengers (Isabelle), *Entre le temps et l'éternité*, Paris, Flammarion, 1992.
24. Ricœur (Paul), *Temps et récit*, t. I, *L'intrigue et le récit historique*, Paris, Le Seuil, 1983.
25. Ricœur (Paul), *Temps et récit,* t. III, *Le temps raconté*, Paris, Le Seuil, 1983.
26. Schwarz (Benjamin), « The Age of Transcendance », *Daedalus*, printemps 1975.
27. Robertson (Roland), « Glocalization : Time-Space and Homogeneity-Heterogeneity », dans Featherstone (Mike),

Lash (Scott), Robertson (Roland) (eds), *Global Moderni-ties*, Londres, Sage, 1995.

28. Stalk (George), Hout (Thomas), *Vaincre le temps*, Paris, Dunod, 1992.

29. Veyne (Paul), *Comment on écrit l'histoire*, Paris, Le Seuil, 1971.

30. Virilio (Paul), « Positions », dans Laïdi (Z.), *Le Temps mondial*, [17].

31. Vovelle (Michel), dans Le Goff (Jacques), Chartier (Roger), Revel (Jean), *La nouvelle histoire*, Paris, Retz, 1978.

32. Zourabichvili (François), *Deleuze. Une problématique de l'événement*, Paris, PUF, 1994.

Chapitre 8

L'acteur en réseau
à l'épreuve de l'international

La problématique des réseaux est ancienne dans l'histoire de la discipline et apparaît chez bon nombre d'auteurs classiques. Aujourd'hui, au-delà des éventuels effets de mode, l'usage récurrent d'une telle notion mérite de faire l'objet d'une analyse attentive. Cette catégorie, en effet, est non seulement l'héritage de conceptualisations diverses mais elle vise aussi à désigner des phénomènes marqués par une forte hétérogénéité. Stimulant pour la connaissance des relations internationales, ce double constat nous incite à dégager les différentes significations, implicites ou explicites, à l'œuvre dans ces travaux. Le problème n'est pas simplement sémantique. Il réside au cœur de certaines interrogations contemporaines : parmi elles, le rapport entre un système et ses acteurs et bien entendu la question transnationale.

En ce qui concerne les questions transnationales, il est bon de mesurer d'emblée la démarche et les objectifs liés à l'usage des réseaux. En premier lieu, pourquoi parler de réseaux transnationaux plutôt que de transnationalité ? Les premières études de Joseph Nye et Robert Keohane [16] ont eu tendance par le passé à considérer les incidences des flux sur les sociétés et les États. Par ailleurs, dans le concert de la science politique américaine, on se souvient, à la même période, des premières réflexions de James Rosenau [21]. À partir de ces réflexions sur les flux transnationaux et au-delà de la diversité des terrains et des approches, l'étude des réseaux fait progresser les relations internationales. L'analyse des flux privilégiait l'évaluation des conséquences de la transnationalité. La sociologie des réseaux implique une investigation depuis l'intérieur au sein de l'acteur transnational. La correspondance entre une organisation interne dont les termes ne sauraient être invariants et l'environnement international (les différentes sociétés et les États, le système dans son ensemble) alimente la dynamique du réseau. Constat propice à l'expérimentation de la notion, cette première caractéristique ne constitue pas une « clé » des réseaux : bien au contraire, elle nous indique une somme de questions à la fois épistémologiques et méthodologiques longtemps demeurées en suspens.

Les usages internationalistes

Au premier abord, l'usage implicite de la notion a de quoi surprendre de la part de certains internationalistes. Figure emblématique de l'école réaliste, Hans Morgenthau [15] use de la métaphore de la cinquième colonne afin de mieux comprendre la genèse et la consolidation de l'impérialisme. Les liens de sympathie créés par une nation en faveur de son idéologie – Morgenthau prend l'exemple du nazisme et de la France de Vichy – sont autant de moyens destinés à pérenniser le pouvoir de contrôle de l'État impérialiste dans ses relations internationales [1]. Malgré son attachement au primat de l'État dans l'analyse des relations internationales, cet exemple en témoigne, le réalisme de Morgenthau s'accommode fort bien d'une intégration des dynamiques transnationales en réseaux, mises au service des objectifs étatiques.

Les auteurs néo-marxistes de l'école de la dépendance sont finalement assez proches des considérations réalistes, sur ce point tout au moins. À l'instar de Cardoso et Faletto [3], ils soulignent les mécanismes structurels à travers lesquels les États du Nord imposent leur influence aux dominés du Sud [2]. Dans cette même perspective de la compréhension de la domination par la dépendance, une somme considérable de travaux voit le jour au cours des années soixante-dix avec deux principaux objectifs : identifier le travail des multinationales dans le Sud et désigner, à partir des classiques thèses du complot, les réseaux de pouvoir, par essence transnationaux, dont l'action questionne radicalement la souveraineté des pays du Sud [3].

Dans la génération suivante d'internationalistes,

---

1. Hans Morgenthau, *Politics Among Nations*, New York, McGraw (rééd.), 1985, p. 73. « The other outstanding example of cultural imperialism in our time, antedating and surviving the National Socialist fifth column, is the Communist International. »

2. F. Cardoso, E. Faletto, *Dependency and Development in Latin America*, Berkeley, California University Press, 1979 ; F. Cardoso, *Les idées à leur place*, Paris, Métailié, 1984. Pour appréhender, dans une perspective critique, le rapport triangulaire entre États du Nord, multinationales économiques et États dépendants du Sud, voir tout particulièrement p. 176-177.

3. Notamment autour d'un auteur comme S. Amin, à l'image d'un des travaux qu'il a dirigés : *Mondialisation et accumulation*, Paris, L'Harmattan, 1990. Pour un prolongement postmoderne de ce type de questionnement, voir Timothy Shaw, « Conditionality Without End : Hegemony, Neo-Liberalism and the Desmise of Sovereignties in the South », dans Mark Denham, Mark Lombardi (eds), *Perspectives on Third World Sovereignty*, Londres, Macmillan, 1996, p. 102-119.

l'usage de la notion se fait de moins en moins implicite, lorsque par exemple des théoriciens libéraux américains se penchent sur le concept de puissance afin de comprendre la spécificité du rôle des États-Unis sur la scène mondiale. Emblématique de cet engouement, la thèse du *soft power*, initiée par Joseph Nye [19], énonce une interprétation quasiment enthousiaste de la notion de réseau. Les *networks* acquièrent leurs lettres de noblesse au sein d'une littérature presque militante, désireuse avant tout d'intégrer des mécanismes sociétaux au service de la puissance [1]. De la part des tenants du libéralisme, cette illustration des relations internationales par les réseaux et les liens sociaux n'est pas étonnante. En effet, ces auteurs – contre une perspective structurale – mettent l'accent sur la force des dynamiques associationnistes à l'échelle internationale. En cela, ils prolongent le travail des premiers transnationalistes des années soixante-dix [2].

Dans ce sillage, une somme importante de travaux de vulgarisation, qualifiée par les Britanniques de *airport lounge literature*, émerge progressivement et vante les mérites d'une société mondiale désétatisée et massivement néo-libérale. Inspirées de la vision idyllique de George Gilder [3], ces thèses importent, depuis les modèles

---

1. Un nombre croissant d'auteurs – bons prophètes et croisés d'un nouveau développement – ont recours à ce type d'argumentaire dans leur discours de mobilisation, à mi-chemin entre la charte et l'essai éclairé. Les exemples abondent ; voir un des plus significatifs en raison de l'activité de son auteur : George Soros, « Toward Open Societies », *Foreign Policy*, 95, printemps 1995, p. 65-75.
2. J. Nye, R. Keohane (eds) [16]. Pour une actualisation des thèses de Nye, à l'heure des technologies de l'information et de la communication et d'Internet, on peut se reporter à des textes qui ont assez bien inspiré les discours de la présidence américaine. Joseph Nye, William Owens, « America's Information Edge », *Foreign Affairs*, 75 (2), mars-avril 1996, p. 20-36.
3. En exaltant le mariage vertueux de l'entreprise et de l'ordina-

les plus simplificateurs de l'entreprise, une vision du monde au sein de laquelle les *transnational networks* sont les agents privilégiés d'une cascade de cercles vertueux [1]. Elles s'inspirent au moins implicitement de la pensée de Hume qui concevait l'Empire britannique comme le centre d'un réseau commercial plutôt qu'une métropole surarmée responsable du maintien de l'ordre territorial dans le Sud. Dans une telle perspective, plusieurs travaux contemporains se font l'éloge d'une alliance savante entre économie, société et savoir. Les réseaux incarneraient les chaînons fonctionnels d'une croissance favorisée par l'audace de l'entreprise individuelle. Au-delà de la nature idéologique de ces réflexions, toute une vision du monde résolument anti-étatiste est en jeu. Le plus souvent sur un mode enthousiaste, ces textes prennent le parti d'une anthropologie qui identifie terme à terme logique d'entreprise, développement social ou humanitaire et réseaux à dimension transnationale [2]. Guère décisifs sur le plan intellectuel, ces ouvrages sont, en revanche, autant de symptômes d'une pratique désormais courante, l'action en réseaux, dont des pans entiers des sociétés occidentales tout

---

teur, cet auteur a profondément inspiré de nombreux praticiens de ce secteur, également explorateurs de l'international. George Gilder, « Le mariage de l'ordinateur et du téléviseur », *Harvard-L'Expansion,* automne 1991, p. 32-47. On peut voir également son ouvrage le plus classique : George Gilder, *Wealth and Poverty*, New York, Basic Books, 1981.

1. Voir les travaux de Kenichi Ohmae, praticien de la gestion et nouveau théoricien d'un monde sans frontière. Kenichi Ohmae, *The Borderless World*, New York, Harper, 1990.

2. Les thèses du néo-libéral Peter Drucker incarnent assez bien cet optimisme, cette foi dans la technologie et l'efficacité de l'association entre les individus. Peter Drucker, *Managing the Future the 1990's and Beyond,* New York, Truman Talley Books, 1992. Et plus particulièrement dans cet ouvrage : « The Nonprofits Outreach Revolution », p. 227-231.

comme de nombreux secteurs des pays du Sud sont décidés à vanter les mérites.

Le détour sociologique

Résolument modernes, les réseaux investissent simultanément plusieurs secteurs de la vie sociale ; ils impliquent, en conséquence, un regard à plusieurs niveaux de la part des sciences sociales. D'emblée, l'enjeu est de taille. En effet, le rapport entre la structure et l'individu mobilise à la fois le sociologue, l'économiste et l'anthropologue qui s'intéressent aux réseaux [1]. Dans le domaine internationaliste, des théories classiques aussi opposées que le réalisme et la dépendance se rejoignent en accordant aux États le contrôle des individus et des réseaux. Les libéraux, en partant d'une interrogation similaire – la place des dynamiques transnationales dans la définition de la puissance –, exaltent l'apport du commerce, des flux et de la technologie, en soulignant l'utilité décisive de ces ressources dans la stratégie américaine. Pourtant, ces différentes considérations ne permettent pas de construire une théorie globale du système international. En cela, le retour à la sociologie aide à mieux cerner un objet dévoyé et embrigadé par les divers militantismes [2].

---

1. À propos de cette interrogation, pour un parallèle entre réalisme et sociologie, voir Alexander Wendt, « The Agent-Structure Problem in International Relations Theory », *International Organization*, 41 (3), été 1987, p. 335-370.
2. On remarque plusieurs travaux récents en sociologie générale, élaborés principalement dans la perspective de la régulation et désireux de s'affranchir de ces visions partisanes : Manuel Castells, *The Rise of the Network Society*, Londres, Basic Blackwell, 1996 ; Wolfgang Streeck, Philippe Schmitter, « Community, Market, State and Associations ? The Prospective Contribution of Interest Governance

Si la problématique des réseaux fait l'objet de nombreuses investigations en relations internationales, on observe le même phénomène en sociologie générale. Or, depuis les années soixante-dix, cet objet a connu de profondes mutations. Indiquons simplement un auteur auquel est redevable tout un ensemble de travaux dans ce domaine. À partir de ses recherches en sociologie du travail, le sociologue américain Mark Granovetter [10] a été un des premiers à considérer sérieusement la pertinence des réseaux en indiquant la « force de (leurs) liens faibles ». Dans la lignée de cet interactionnisme, le débat autour de la tension entre le poids des structures et la force des initiatives individuelles s'estompe au profit d'une compréhension renouvelée d'un acteur conscient de ses déterminismes et désireux de développer ses propres stratégies [1].

Pourtant, l'importation sociologique n'est pas sans poser un certain nombre de difficultés à l'internationaliste. En premier lieu, l'échelle d'analyse des réseaux constitue une de ses premières interrogations. Où situer l'espace des réseaux transnationaux dans le système international ? S'agit-il d'émanations individuelles de la puissance d'État ? À l'inverse, peut-on considérer que les réseaux transnationaux composent un ensemble relationnel autonome ? Notons d'emblée que la deuxième hypothèse se révèle largement stimulante et inspirc

---

to Social Order », dans Grahame Thompson (ed.), *Markets Hierarchies and Networks*, Londres, Sage, 1991, p. 227-241 ; W. Powell, « Neither Market Nor Hierarchy : Networks Forms of Organization », *Research in Organizational Behavior*, 12, 1990 p. 295-336.

1. Le travail des anthropologues est très éclairant sur ce point. Clyde Mitchell, « Social Networks », *Annual Review of Anthropology*, 3, 1974, p. 279-299. Pour une mise en perspective de ces travaux, voir Ariel Colonomos, « Sociologie et science politique : les réseaux, théories et objets d'études », *Revue française de science politique*, 45 (1), février 1995, p. 165-178.

aujourd'hui un certain nombre de travaux, notamment en ce qui concerne des acteurs transnationaux comme les mouvements humanitaires, les organisations écologiques, les religions.

En relations internationales, l'analyse des réseaux nécessite de surcroît une bonne connaissance des trajectoires des différents groupes. Ces investigations impliquent de se plonger dans une recomposition des « voyages » physiques des personnes, ainsi que dans les itinéraires des paradigmes véhiculés par ces organisations. Ces gageures constituent les contraintes de tout programme de recherche visant la connaissance des réseaux transnationaux : les déplacements sont nombreux et les recoupements entre des éléments d'information collectés auprès de sources très éloignées les unes par rapport aux autres font partie intégrante de l'enquête. La sociologie des réseaux transnationaux implique dès lors un regard constructiviste : recomposer les « liens faibles » et évaluer, en poursuivant l'intuition de Granovetter, leur « force ». La connaissance des phénomènes de diffusion est considérablement enrichie. On situe avec davantage de précision les logistiques qui participent à la propagation du protestantisme en Amérique latine, ou bien on comprend mieux l'écologie en tant que phénomène proprement global [1]. Enfin, d'un point de vue de relations internationales, on ne manquera pas de dégager les conséquences de la formation de telles organisations. S'agit-il de répercussions exclusivement locales, par exemple la recomposition des tissus sociaux à l'issue de l'intervention des multinationales économiques, ou bien est-on véritablement à même de penser

---

1. Paul Wapner, *Environmental Activism and World Civic Politics,* Albany, State University of New York Press, 1996.

une incidence systémique des réseaux sur l'international ?

Le jeu trinitaire :
États, firmes et communautés

La problématique des réseaux se compose suivant une pluralité de trajectoires et implique un nombre varié d'acteurs. En premier lieu, objet consacré des études juridiques et politiques, les institutions sont prioritairement concernées par le phénomène. En effet, les réseaux de personnes, l'association entre individus, y compris à l'échelle internationale, constituent une dimension traditionnelle de l'expression du pouvoir et de la redistribution des ressources qui l'accompagne. Au-delà de leur caractère anecdotique, les réseaux d'entraide et de cooptation font partie intégrante de la vie d'une institution. À ce titre, ils ne sauraient être « banalisés » en tant qu'objet sociologique. Ces dynamiques détournent de leur ordonnancement vertical une somme de ressources, de valeurs centralisées par les institutions politiques et contribuent par là même à la formation d'un vaste espace horizontal et informel. Comme l'a bien indiqué Shmuel Eisenstadt [9], le sociologue se trouve confronté à une problématique classique, l'institutionnalisation et ses contraires.

Dans cette perspective, bon nombre de travaux portent sur l'analyse des logiques associationnistes dans la vie de plusieurs institutions internationales. L'anthropologue Marc Abélès [1] souligne la place des réseaux dans la définition des priorités du Parlement européen. Christian Lesquesne [14] indique les trajectoires de la politique européenne française en des termes similaires. Enfin, Guillaume Devin [7] construit l'Internationale socialiste suivant l'identification et l'analyse des relations entre élites des différents pays, et Didier Bigo [2] dissèque les stratégies des bureaucraties policières à l'échelle européenne. Ces différents exemples témoignent de l'universalité du phénomène, de l'imbrication entre les intérêts des individus et les valeurs qu'ils énoncent. En effet, les logiques de réseau confirment pleinement l'analyse webérienne du modèle de l'entreprise, une organisation dont les intérêts stratégiques importent autant que les valeurs. Dans ces organisations de soutien (coteries diverses, courants, ou groupes de soutien), les intérêts sont dictés par les stratégies de leurs initiateurs et les valeurs constituent l'éternelle résultante du groupe en action. Les principes de confidentialité tout comme l'éloignement des membres les uns par rapport aux autres, l'investissement d'une sphère légitime et prestigieuse *per se*, l'international, toutes ces caractéristiques contribuent à renforcer la place des valeurs dans la définition des logiques de l'association au sein des réseaux transnationaux.

Sociologiquement, la problématique des réseaux fait se confronter plusieurs paradigmes : la démarche institutionnelle, le modèle de la firme économique et ses règles de maximisation du profit, enfin le mode communautaire de gestion des affects. Alors même que l'on se situe au sein de l'État, ces trois caractéristiques coexistent dans la formation de la dynamique des réseaux. Une fois retenu ce constat, on ne peut que mesurer l'importance d'un tel acquis pour la théorie des relations internationales. Tout comme l'indique l'école behavioriste, l'État est déconstruit par un regard qui plonge en deçà de son formalisme juridique et au-delà du mythe d'une puissance incarnée et réifiée. Comme le souligne François Constantin [5 et 6], on lutte ainsi contre un vieux préjugé, un mythe internationaliste tenace, l'« anthropomorphisation de l'État ». En termes de recherches, les questions soulevées par cette approche concernent les modes d'action politiques, la définition du « gouvernement » ou bien de la « gouvernementalité » [1].

Cette perspective porte essentiellement sur l'action d'individus en situation de domination en raison de leur position hiérarchique au sein de ces institutions. Pourtant, si elle se réduisait à ces objets, l'étude des réseaux transnationaux serait faiblement novatrice et tendrait à accréditer les thèses d'un contrôle social sans faille par les dominants : les jeux de pouvoir nécessitent obligatoirement l'accès aux ressources les plus légitimes et il n'y a de politique qu'entre « élus ». En termes de relations internationales, cette interprétation implique un centrage sur les notions d'État, de gouvernement, de bureaucratie, dont les réseaux sont toujours l'émanation plus ou moins voilée. Tout un pan de l'étude du système international nous indique au demeurant le contraire, en désignant en premier lieu des acteurs intermédiaires des relations internationales dotés de formes diverses d'autonomie, les firmes économiques, les ONG [2], ou bien les réseaux de professionnels qui occupent une place significative dans une pluralité d'espaces supranationaux. Une sociologie des organisations appliquée à l'international a

---

1. Un nombre croissant de travaux s'inspire plus ou moins directement de la pensée de Michel Foucault. Pour une discussion sur les paradigmes à l'œuvre (gouvernementalité/stratégie des acteurs), voir Ariel Colonomos, « *The Destination is the Journey* : Itineraries and Paradigms in Transnational Networks », paper presented at the Warwick conference on Non State Actors and Authority in the Global System, octobre 1997 (à paraître).

2. Il existe aujourd'hui, suivant les secteurs, une importante littérature sur l'environnement, l'humanitaire, etc. Dans une perspective plus généraliste, Anne Marie Clark, « NGOs and Their Influence on International Society », *Journal of International Affairs*, 48 (2), hiver 1995, p. 507-526.

vu le jour au cours des années quatre-vingt. Un auteur comme Christer Jönsson [13] a tenté de comprendre le fonctionnement de secteurs comme l'aviation à partir de cette problématique associative. Certains jalons de cette réflexion avaient déjà été posés par Jacobson [12] et, aujourd'hui, ces recherches se prolongent sur le terrain des politiques publiques. On note une croissance des publications autour de la thématique des *policy networks*, sur des terrains aussi divers que la pollution, l'environnement [1].

Depuis ses origines, la sociologie des multinationales indique deux axes autour desquels se recomposent les firmes. D'une part, la spatialisation des entreprises suscite des réaménagements organisationnels, qui conditionnent une nouvelle division du travail dans une régionalisation du processus de décision [2] : des réseaux de personnes prennent en charge la stratégie de la firme et orientent son action notamment à l'échelle régionale. De l'autre, comme le travail de Susan Strange [23] le montre, les réseaux d'individus au sein des multinationales se positionnent en tant que para-diplomatie face aux États qu'ils traversent et, en conséquence, se situent au point d'imbrication des logiques étatiques et des dynamiques transnationales. Cette dernière dimension

---

1. Pour une introduction à ce type de recherches, voir Bernd Marin, Renate Mayntz, *Policy Networks Empirical Evidence and Theoretical Considerations*, Frankfurt, Campus Verlag/Boulder (Mass.), Westview Press, 1991. Pour une application sectorielle : Hans Bressers, Laurence J. O'Toole Jr, Jeremy Richardson, « Networks as Models of Analysis : Water Policy in Comparative Perspective », *Environmental Politics*, hiver 1994, p. 1-23.

2. Certains auteurs citent le cas de l'entreprise IBM et la définition de sa stratégie à l'échelle régionale en Europe notamment. Huibert Schijf, Meindert Fennema, « The Transnational Network », dans Frans N. Stokman, Rolf Ziegler, John Scott, *Networks of Corporate Power a Comparative Analysis of Ten Countries*, Cambridge, Polity Press, 1985, p. 250-266.

nous fait mieux saisir l'importance des réseaux. De par leur nature, ces organisations ont une vocation intermédiaire, à cheval sur deux mondes, d'une part sur la scène politique dans les espaces publics – une multinationale est amenée souvent à prendre position sur le terrain du droit et des législations – de l'autre dans la sphère des intérêts privés et confidentiels, privilégiant la stratégie de maximisation du profit choisie par l'ensemble de ses dirigeants et favorisée par la construction de ces dynamiques associatives.

Pour l'étude des relations internationales, ce phénomène est doublement significatif. Il indique en premier lieu que l'analyse du système international ne saurait se passer de l'intégration d'acteurs à la fois non étatiques et non politiques. Par ailleurs, il témoigne d'un phénomène dont un certain nombre d'internationalistes comme James Rosenau [22] soulignent aujourd'hui l'importance : la tension entre ordre et désordre, institutionnalisation et désinstitutionnalisation du monde. Contrairement aux thèses libérales les plus extrêmes, il n'est pas question ici de faire l'éloge de ces flux en raison de la croissance économique qu'ils entraîneraient. Il semble nécessaire, en revanche, d'indiquer la démultiplication des normes et des valeurs suscitées par la redistribution de ces intérêts économiques. Un jeu interactif s'engage avec les bureaucraties d'État, désireuses de capter ces nouvelles ressources sans pour autant trop céder de leur droit de contrôle sur l'activité d'entreprises étrangères qui s'établissent sur leur sol. À l'échelle internationale, on remarque combien les logiques de désinstitutionnalisation accompagnent la formation des réseaux transnationaux dans un jeu sans cesse renouvelé de *bargaining* entre États et acteurs non étatiques. Traditionnellement interprété comme un phénomène témoignant d'un « déclin du politique », cette dynamique pourrait à terme signifier bien davantage une professionnalisation des dirigeants économiques, précisément sur le terrain politique[1]. L'intégration de variables politico-administratives par les multinationales irait de pair avec le développement de leurs activités. Par ailleurs, le développement de nouveaux secteurs – notamment dans les télécommunications et l'audiovisuel – est en mesure de susciter des fonctions politiques inédites de la part d'acteurs dont la portée globale s'accroît fortement.

De nouveaux terrains de la vie économique transnationale font aujourd'hui l'objet d'enquêtes sociologiques. Dans cette perspective, la scène juridique inspire une génération nouvelle de recherches. Pour Yves Dezalay [8], les cabinets d'avocats d'affaires et leurs réseaux composent une scène supranationale à partir de laquelle se redéploient valeurs et intérêts, principalement des nouvelles logiques de régulation de nature à affecter nombre de sociétés occidentales. Cette approche a le mérite d'identifier dans une perspective critique la transformation des paysages juridiques contemporains. Mieux encore, elle permet de comprendre la diffusion de pratiques et de normes inédites. Alors que les discours sur la mondialisation privilégient l'abstraction, les progrès sont notables : on cerne davantage le rôle du droit, on saisit avec précision l'imbrication entre l'interne et l'externe, enfin on donne vie à la fameuse problématique de la mise sur agenda des enjeux internationaux[2].

---

1. Voir les travaux sur les nouvelles formes de diplomatie, notamment économiques. Roger Morgan, Jochen Lorentzen, Anna Leander, Stefano Guzzini, *New Diplomacy in the Post-Cold War World,* New York, St. Martin's Press Inc, 1993.

2. Sur les logiques du droit et des ONG juridiques dans la diffusion de l'enjeu des droits de l'homme en Amérique latine, voir Kathryn Sikkink, « Human Rights, Principled Issued Networks and Sovereignty in Latin America », *International Organization*, 47 (3), été 1993, p. 411-441.

L'expertise internationale a suscité toute une série d'études dans des secteurs de compétences très spécifiques, notamment dans des domaines de haute technicité. Ces études consacrent l'émergence d'un objet aux contours encore imprécis, la communauté épistémique. Elles mettent en avant l'hypothèse d'une communauté de valeurs et d'intérêts réunissant leurs participants à l'échelle d'une profession dans les divers forums qui marquent la vie de ces collectivités [1]. Héritiers d'une tradition internationaliste qui avait pris pour habitude de considérer sérieusement le rôle des experts notamment dans les affaires nucléaires, les auteurs des travaux sur les communautés épistémiques s'engagent dans des enquêtes minutieuses et détaillées. Pourtant, ces trajectoires décrivent des dynamiques au demeurant très sectorialisées, sans nécessairement éclairer le lecteur sur les stratégies des différents groupes : en effet prime, dans ces travaux, l'hypothèse de l'homogénéité des systèmes de croyances et de valeurs à l'échelle d'une profession ou d'un groupe d'agents réunis par leur travail.

Les dynamiques de réseaux ne mobilisent pas uniquement des acteurs prioritairement engagés sur le terrain des intérêts économiques ou professionnels. Une sociologie webérienne de l'international nous engage à poursuivre notre investigation sur le terrain des valeurs. La formation des identités occupe aujourd'hui bon nombre d'études internationales, qui souhaitent comprendre depuis les réseaux les dynamiques de changement, d'affirmation ou de repli caractérisant la vie des groupes et des individus. On aurait sans doute tort de reléguer ces dynamiques à un second rang comme l'avaient fait

---

1. Peter Haas, « Introduction : Epistemic Communities and International Policy Coordination », *International Organization*, 46 (1), hiver 1992, p. 1-36.

les principaux auteurs pendant la guerre froide. Les logiques communautaires, précisément, semblent aujourd'hui résolument en prise sur notre modernité dans les moyens qu'elles mobilisent – communications de masse, usage des technologies, inscription dans les débats de société – mais surtout dans les structures qu'elles déploient. Si l'Église catholique et le Vatican demeurent des modèles d'institutionnalisation, de centralité et de verticalité, en revanche, une foule d'acteurs dirigent leurs forces bien différemment. En premier lieu, au sein même du catholicisme, il convient de noter une pluralité d'acteurs désireux de préserver leur autonomie. Divers mouvements organisent leur propre vie transnationale, innovant dans un univers le plus souvent tourné vers son centre romain. Le protestantisme n'est, quant à lui, assujetti à aucune institution supranationale. En conséquence, les protestantismes privilégient l'action en réseau suivant des modalités diverses. Il en est de même pour le judaïsme et l'islam qui témoignent tous deux de la force et de l'innovation du religieux sur le terrain des réseaux [1].

On remarque alors combien une pluralité d'entreprises religieuses entraîne dans leur sillage des forces économiques – mobiliser les ressources pour financer des projets d'expansion, montrer l'exemple sur le terrain économique, procurer une aide sociale aux plus démunis ou bien assister les élites économiques – tout en stimulant la promotion de valeurs identitaires dans les espaces privés (la famille) et publics (l'Église dans la cité, les

---

1. Suzanne Hoeber Rudolph, James Piscatori (eds), *Transnational Religions and Fading States*, Boulder (Col.), Westview Press, 1997. En ce qui concerne les diasporas, on remarque que la problématisation de cet objet se fait jour en relations internationales. Voir Robin Cohen, « Diasporas and the Nation-State : From Victims to Challengers », *International Affairs*, 72 (3), 1996, p. 507-520.

partis confessionnels, le groupe de pression). Dans le cas du christianisme, ces « Églises en réseaux » forment de singulières trajectoires, allant souvent jusqu'à marier les exigences les plus enthousiastes du communautarisme avec les principes libéraux de la libre concurrence et de l'associationnisme. L'inscription dans les réseaux transnationaux se révèle décisive pour l'acteur religieux, en raison de la légitimité que celui-ci se procure sur cette scène et également grâce à la marge de manœuvre dont il bénéficie dans un espace qu'il maîtrise assez bien. Dans ces conditions, à la faveur de la fin de la guerre froide, il n'est guère surprenant de voir un nombre toujours croissant de publications dans un domaine sous-investi par l'analyse des relations internationales.

Les enjeux pour la discipline

Le développement des acteurs-réseaux est révélateur de l'évolution des structures du système international. Si certains auteurs comme les libéraux et leurs émules [1] voient là le signe d'un retrait quasi définitif de l'État de la scène internationale, il faut reconsidérer ces propos en s'engageant dans une analyse véritablement compréhensive. Les réseaux ne marquent en aucun cas la fin de l'État sur la scène politique. Au contraire, ils témoignent de la possibilité pour une institution non seulement de distribuer ses forces suivant des registres inédits, mais également de susciter des dynamiques de régulation nouvelles. Et la réflexion sur les nouveaux types d'États, notamment dans un contexte d'intégration régionale,

---

1. Voir *supra*. En France, certains essais se sont récemment fait l'écho de cette interprétation. Le pouvoir de diffusion de cette grille de lecture est loin d'être négligeable.

témoigne de cette analyse pragmatique des institutions, ainsi que des réseaux qui accompagnent ces processus [1]. Par ailleurs, comme le souligne Thomas Risse Kappen [20] en réhabilitant l'étude de la transnationalité, la présence des réseaux transnationaux révèle désormais une dimension davantage sociologique des relations internationales : le rôle décisif du clivage État-société.

Un bilan s'impose aujourd'hui. En premier lieu, le développement des réseaux transnationaux nous indique une piste incontournable pour l'étude des relations internationales. Tout un ensemble de groupes, firmes économiques, associations professionnelles, mais aussi organisations identitaires, composent des trajectoires diverses et variées. Pourtant, bien de ces chemins se recoupent autour d'un lieu de passage commun : les États-Unis. Une réflexion sur le rôle des États-Unis dans le système international gagnerait alors à intégrer ce paramètre : les logiques de réseaux, lorsqu'elles supposent le passage à l'acte dans la transnationalité, intègrent bien souvent un séjour américain. Peu surprenant et finalement tautologique lorsqu'on songe à des entreprises qui cautionnent la puissance de l'État américain (les multinationales d'origine américaine), ce constat est bien davantage stimulant lorsqu'il concerne des acteurs dont les intérêts ne coïncident pas avec ceux des bureaucraties américaines (certaines ONG, divers groupes religieux, des fondations, des

---

1. On se situe dans une voie déjà ouverte par les réflexions sur l'interdépendance de Nye et Keohane. Ces auteurs évoquaient, à la faveur d'une fluidité majeure du système international, l'émergence de *transgovernmental policy networks*. J. Nye, R. Keohane, *Power and Interdependence World Politics in Transition*, Boston, Little Brown, 1977, p. 35. Pour une réflexion contemporaine sur cette dynamique à partir d'un enjeu comme l'environnement, voir Reiner Grundmann, « Mending the Ozone Layer : The Role of Transnational Policy Networks », *Working Paper*, Max Planck Institute for the Study of Societies, dactyl., 32 p.

mouvements sociaux). Espace d'ouverture au marché économique et à l'expression communautaire (le pluralisme concurrentiel), la société américaine tout comme parfois son État stimule un grand nombre d'initiatives transnationales en réseaux, qui sont là en mesure de redéployer leur maillage et ceci parfois indépendamment de leur orientation idéologique. Du point de vue des relations internationales, il est intéressant de noter le développement de groupes essentiellement dirigés contre l'État américain et son *establishment*. Au demeurant, ces mobilisations tirent amplement profit des possibilités offertes par la société américaine, et notamment de son système fiscal. Lorsqu'on songe à des populismes radicalement différents l'un par rapport à l'autre comme ceux du télévangéliste Pat Robertson ou bien du leader noir musulman Louis Farrakhan, on remarque combien l'inscription dans l'international, et donc la constitution de réseaux transnationaux, alimente le sens de ces deux entreprises politiques à l'échelle interne. Ce paradoxe entre l'adhésion à une logique de société et le rejet viscéral d'une dynamique d'État (les États-Unis) illustre assez bien la tension entre l'univers des institutions bureaucratisées et le monde des individus au centre de laquelle les réseaux occupent un rôle premier [1].

Comprendre ces logiques de la libre adhésion à partir de ce double ancrage aux forces du marché économique et aux aspirations communautaires permet d'approcher à la fois conceptuellement et empiriquement le phénomène de mondialisation. La phénoménologie des réseaux touche en effet à la description, puis à l'analyse des trajectoires d'un enjeu qui devient proprement global. Les

---

1. En évoquant cette dialectique, James Rosenau [21] insiste sur la différence entre monde « stato-centré » et univers « multi-centré ».

multinationales en réseaux [1], les mouvements islamiques ou bien les Églises pentecôtistes traversent les frontières, certes, par là même, ces acteurs désectorialisent leur action ; ils transfèrent d'un domaine à l'autre, de l'économique au culturel, au social, au politique, leurs ressources et leurs valeurs. Ces logiques de transferts font résolument sens dans une dynamique de la mondialisation. Ainsi, comprendre les « voyages » de ces groupes indique le dessin de trajectoires inédites : l'interpénétration des sociétés, la reformulation du rôle des États, ainsi que la stratégie des acteurs transnationaux. On note alors combien ce processus de désectorialisation dépend du type de structure élu par l'entrepreneur du réseau : en effet, l'horizontalité des liens favorise la diffusion et la dissémination ; pourtant, le rapport aux États et aux bureaucraties est générateur d'institutionnalisation et les organisations transnationales en réseaux sont couramment confrontées à ce dilemme.

La sociologie des réseaux avait délimité ce domaine de recherche à l'échelle locale en soulignant la problématique de la multifonctionnalité. Dans l'international, un enjeu devient proprement global lorsque l'entrepreneur du réseau se trouve en mesure d'irriguer simultanément plusieurs secteurs de la vie politique, économique, sociale et culturelle. Les ONG humanitaires ou écologiques, les mouvements sociaux ou les nouveaux mouvements religieux s'attellent aujourd'hui à cette tâche et connaissent à leur mesure un succès sans précédent. Soucieux de tirer toujours davantage profit de ces logiques résolument informelles, l'entrepreneur identi-

---

1. Pour une réflexion sur ce point à partir de ce paradigme, voir Thomas W. Malnight, « The Transition From Decentralized to Network – Based MNC Structures : An Evolutionary Perspective », *Journal of International Business Studies*, 27 (1), 1er trimestre 1996, p. 43-66.

taire ou bien l'entrepreneur de cause s'inscrit avec facilité dans un espace mondial faiblement régulé, à la faveur de l'anarchie qui règne entre les instances étatiques. Le développement croissant de nouvelles formes de philanthropie – les exemples de George Soros, Ted Turner ou Bill Gates font figure de modèles – témoigne de formes d'expressions traditionnelles largement adaptées aux contours du système international de l'après-guerre froide. L'essor du libéralisme, la montée de l'identitaire, l'implosion de l'État à l'Est et au Sud encouragent ces vocations et confortent dans leur for intérieur les initiateurs de ces mobilisations. Des réseaux se constituent là où les États ont le plus péché par inefficacité ou maladresse : les retours à la « morale » exigés par certains groupes – on songe notamment aujourd'hui au Congrès juif mondial vis-à-vis des banques suisses et de la Confédération helvétique – illustrent le réveil d'un potentiel qui s'active en exigeant la repentance des institutions. Toute une interprétation de l'international est en question. Contre l'anthropologie réaliste qui conditionne une lecture d'un système international a-moral peuplé de « monstres froids », on cerne les contours d'une société mondiale où la diffusion des enjeux éthiques peut se révéler mobilisatrice.

Les réseaux prolifèrent dans une double direction. D'une part, ils s'investissent massivement dans des logiques de mobilisation de ressources en parallèle des sphères officielles et publiques : ces organisations drainent des ressources économiques et symboliques, organisent des forums destinés à leurs membres, démultiplient les contacts avec de nouveaux adeptes. De l'autre, lorsque leurs forces le permettent, les réseaux transnationaux émergent au sein des différents espaces publics afin d'exprimer et de faire entendre leur voix. Cette singulière tension entre le contournement et la participation concerne bon nombre d'acteurs de la scène internationale. La compréhension du système international se trouve renforcée, désignant par là une nouvelle problématisation de la dialectique entre ordre et désordre, ainsi qu'une somme d'expressions intermédiaires, entre conformisme et déviance.

Ariel COLONOMOS

BIBLIOGRAPHIE

1. Abélès (Marc), *La vie quotidienne au Parlement européen*, Paris, Hachette, 1992.
2. Bigo (Didier), *Polices en réseaux*, Paris, Presses de Sciences Po, 1996.
3. Cardoso (F.), Faletto (E.), *Dependency and Development in Latin America*, Berkeley, California University Press, 1979.
4. Colonomos (Ariel) (dir.), *Sociologie des réseaux transnationaux*, Paris, L'Harmattan, 1995.
5. Constantin (François), « Sur les modes populaires d'action diplomatique : affaires de famille et affaire d'État en Afrique orientale », *Revue française de science politique*, 36 (5), 1985, p. 672-694
6. Constantin (François), « L'informel international ou la subversion de la territorialité », dans Badie (Bertrand), Smouts (Marie-Claude) (dir.), « L'international sans territoire », *Cultures et conflits*, 21-22, printemps-été 1996, p. 311-345.
7. Devin (Guillaume), *L'Internationale socialiste*, Paris, Presses de Sciences Po, 1993.
8. Dezalay (Yves), *Marchands de droit*, Paris, Fayard, 1992.
9. Eisenstadt (Shmuel), « Institutionnalization and Change », *American Sociological Review*, avril 1964, p. 235-247.
10. Granovetter (Mark), « The Strength of Weak Ties », *Ame-*

rican Journal of Sociology, 78 (6), mai 1973, p. 1360-1380.

11. Haas (Peter), « Introduction : Epistemic Communities and International Policy Coordination », *International Organization*, 46 (1), hiver 1992, p. 1-36.

12. Jacobson (Harold K.), *Networks of Interdependence : International Organizations and The Global Political System*, New York, Knopf, 1979.

13. Jönsson (Christer), « Organisation et coopération internationales : l'approche interorganisations », *Revue internationale des sciences sociales*, 138, novembre 1993, p. 539-554.

14. Lesquesne (Christian), *Paris-Bruxelles. Comment se fait la politique européenne de la France*, Paris, Presses de Sciences Po, 1993.

15. Morgenthau (Hans), *Politics Among Nations*, New York, McGraw Hill, 1948.

16. Nye (Joseph), Keohane (Robert) (eds), *Transnational Relations and World Politics*, Cambridge (Mass.), Harvard University Press, 1971.

17. Nye (Joseph), Keohane (Robert), *Power and Interdependence*, Boston, Little Brown, 1977.

18. Nye (Joseph), *Bound to Lead*, New York, Basic Books, 1990.

19. Nye (Joseph), « Soft Power », *Foreign Policy*, 80, automne 1990, p. 153-171.

20. Risse Kappen (Thomas) (ed.), *Bringing Transnational Relations Back In*, Cambridge, Cambridge University Press, 1995.

21. Rosenau (James), *Turbulence in World Politics*, Princeton, Princeton University Press, 1990.

22. Rosenau (James), « Le touriste et le terroriste ou les deux extrêmes du continuum transnational », *Études internationales*, 10 (2), juin 1979, p. 219-252.

23. Strange (Susan), *States and Markets,* Londres, Pinter, 1988.

24. Wapner (Paul), *Environmental Activism and World Civic*

225

Politics, Albany, State University of New York Press, 1996.

25. Wendt (Alexander), « The Agent-Structure Problem in International Relations Theory », *International Organization*, 41 (3), été 1987, p. 335-370.

Chapitre 9

Circulation des idées
et relations internationales

L'histoire des idées a parfois mauvaise presse. Elle offre au chercheur, comme aimait le rappeler Isaiah Berlin [5], « un vaste champ d'études, mais celles-ci sont, de par leur nature même, entachées d'imprécision ; c'est pourquoi elles suscitent, chez les spécialistes de disciplines plus exactes, une méfiance fort naturelle ». Et pourtant, peut-être comme nul autre, le XXe siècle aura-t-il été un siècle traversé par ce que le philosophe appellera « les grandes tempêtes idéologiques » [4], un siècle où les visions du monde se sont heurtées les unes aux autres, où les idées se sont invitées à la ronde de l'histoire politique et économique du monde contemporain.

En dépit des difficultés pour analyser leur impact, on assiste néanmoins, depuis quelques années, à un sensible regain d'intérêt pour la place des idées dans les relations internationales. Qu'il s'agisse des études en matière de politique étrangère, d'économie politique internationale ou encore de transitions économiques et politiques, nombre de spécialistes se sont attachés à démêler le rôle des idées, leur genèse, leur circulation et leur impact au niveau international.

Les travaux portant sur l'émergence de la démocratie

227

de marché sont exemplaires de ce revirement. Dans un premier temps, les spécialistes se sont empressés de disséquer ces transformations en délaissant les dynamiques internationales de cette diffusion, la démocratisation étant considérée comme une affaire intérieure par excellence [1]. Mais, progressivement, les études aborderont les dimensions internationales en s'intéressant aussi bien aux acteurs individuels qu'aux institutions, au local qu'au mondial, à l'interne qu'à l'externe. Les typologies des mécanismes de diffusion démocratique sont dressées, les auteurs distinguant les logiques de diffusion, par imposition ou intervention étrangère de celles, davantage endogènes, par imitation ou contagion démocratique.

À l'instar des études sur les démocratisations, les travaux d'économie politique internationale et ceux portant sur l'analyse des politiques étrangères ont connu également un regain d'intérêt pour l'analyse du rôle des idées. Plusieurs ouvrages et essais permettent ainsi de dresser l'éventail des thèmes et des problèmes soulevés par ce virage idéaliste. Qu'il s'agisse de montrer la prégnance de l'idée d'*arms control* et de sa diffusion au travers de communautés épistémiques [2], la production, la mobilisation et la circulation des idées et des intérêts en matière d'économie internationale, de négociations internationales ou encore de diffusion de théories et de politiques économiques ou de formulation de politique étrangère [3],

---

1. Dans les années quatre-vingt, peu d'ouvrages consacreront des développements aux dimensions internationales de la diffusion de la démocratie de marché, cet aspect étant considéré comme secondaire par rapport aux dynamiques internes. Voir, par exemple, l'ouvrage de Guillermo O'Donnell, Philippe Schmitter et Laurence Whitehead [37].
2. Voir, en particulier, Emanuel Adler [1] et Emanuel Adler et Peter Haas [2].
3. Voir John Jacobsen [29], Ngaire Woods [65], Judith Goldstein

les analyses de relations internationales ont fait une large place aux dynamiques de diffusion des idées.

Nombre de ces travaux pâtissent néanmoins d'une certaine imprécision, le premier d'entre eux portant, comme on le verra, sur la notion même d'idée. La plupart restent également dominés par le souci d'appréhender les liens de causalité, de mesurer l'influence et l'impact des idées dans la formulation ou la mise en œuvre de politiques étrangères ou de telle ou telle politique économique, entreprise difficile à tester empiriquement et se prêtant aisément à la critique adressée par Popper [39] aux tendances historicistes de certaines sciences sociales.

Au-delà des limites certaines de ces travaux, ceux-ci constituent néanmoins d'importantes tentatives pour appréhender ce qui reste l'une des aires de recherche inégalement explorées.

Pluralité des acteurs : la diffusion de la démocratie

Cette fin de siècle aura été dominée par un ample mouvement de démocratisation. En quelques années, en Amérique latine comme en Europe centrale et orientale, les référentiels ont basculé, la démocratie s'imposant progressivement comme le cadre de référence politique incontournable, *the only game in town*, pour reprendre les termes de Linz et Stepan [34]. Comment, à travers quels canaux et vecteurs, l'idée démocratique s'est-elle diffusée d'un pays à l'autre ? Pour répondre à cette question, des auteurs tels que Whitehead [64] se sont efforcés

[17], William Drake et Kalypso Nicolaidis [11], Ernst Haas [19], Judith Goldstein [16].

de distinguer trois différentes modalités de transmission internationale de l'idée démocratique.

La première est celle de contagion mimétique, l'idée de démocratie se transmettant d'un pays à l'autre par simple effet d'imitation. On a pu ainsi évoquer, à l'instar de Samuel Huntington [26] ou de Starr [60], l'idée de vagues de démocratisation ou d'effets dominos, l'une des dernières étant celle, latine, qui emportera, dans le sillage de l'Espagne et du Portugal, la plupart des pays latino-américains. En à peine une décennie, du Pérou au Chili, en passant par le Paraguay, l'Argentine ou encore le Brésil, l'idée et la réalité démocratique s'imposeront comme cadre de référence politique du continent. De même, après 1989, en quelques mois, la Pologne, la Tchécoslovaquie, la République démocratique allemande, la Hongrie, la Roumanie et la Bulgarie puis l'ancien Empire soviétique et les nations africaines, comme l'Afrique du Sud en 1994, l'effet de domino démocratique se propagera à l'ensemble du globe recouvrant d'innombrables réalités et modalités de diffusion.

Néanmoins, l'analyse en termes de contagion et d'imitation n'explique pas l'ensemble des processus. Il est ainsi difficile d'affirmer, en dépit de la proximité spatiale et temporelle de leurs transitions, que l'Espagne se soit engagée en 1975 dans un changement de régime par simple imitation de la dynamique enclenchée en 1974 au Portugal. Cette dynamique de contagion s'avère plus prégnante dans d'autres cas, comme par exemple au Paraguay, pays qui, après la transition chilienne de 1989, restera entièrement cerné de régimes démocratiques. La diffusion de la démocratie par imposition constitue une autre modalité qui sera amplement analysée par les spécialistes de politique étrangère. Ceux-ci détailleront en particulier les interventions nord-américaines sans épuiser pour autant les explications [1]. En effet, comme le fera remarquer Terry Karl [30], les progrès démocratiques se feront davantage dans des pays où la pression nord-américaine était faible que dans ceux où l'intervention militaire directe aura lieu. Aussi une troisième grille d'analyse émergera, tendant à montrer non seulement la prégnance des dynamiques diplomatiques ou interétatiques mais également l'importance des mouvements transnationaux dans cette diffusion démocratique.

Outre le rôle des diplomaties nationales ou des organisations internationales, comme les Communautés européennes à l'égard de la démocratisation grecque, par exemple, ou des pays de l'Est [2], les thèses de la propagation (par le doux commerce ou encore la douce communication) se multiplieront en faisant une place relativement importante aux acteurs non seulement étatiques et interétatiques mais également transnationaux [3], les uns et les autres étant parfois intimement liés (les premiers étant, par exemple, souvent les bailleurs de fonds des seconds). Aujourd'hui, comme le souligne Philippe Schmitter [53], le maillage, que constituent, à travers l'ensemble du globe, des multiples réseaux d'institutions publiques et privées soutenant l'idée démocratique, est singulièrement dense.

Parallèlement, de nouveaux sites de recherches sont explorés, les auteurs soulignant le rôle des diplomaties

---

1. Sur les interventions militaires en particulier et la politique nord-américaine en matière de promotion de la démocratie et de défense des droits de l'homme, voir Tony Smith [59], Thomas Carothers [8], Abraham Lowenthal [35].

2. Voir, en particulier, les ouvrages de Pridham qui, dans le sillage des travaux de Rosenau, s'efforcera de mettre en avant les *linkage politics* en matière de diffusion démocratique. Voir, en particulier, Geoffrey Pridham [42], Geoffrey Pridham et Tatu Vanhanen [40].

3. Voir, par exemple à propos de l'Europe de l'Est, G. Pridham, E. Herring et G. Sanford [41].

nationales mais aussi des partis politiques structurés en mouvements internationaux [1], des *thinks tanks* locaux et étrangers [2]. Le rôle de l'exil, dans les pays étrangers, des fondations allemandes ou des communautés européennes est ainsi exploré afin de mettre en avant les mécanismes internationaux de la diffusion démocratique [3]. Aux analyses centrées sur les structures succèdent des analyses se focalisant davantage sur le jeu des acteurs, leurs choix et leurs préférences. On s'intéresse au processus d'apprentissage, aux conversions idéologiques et à la diffusion internationale de l'idée (polysémique) de démocratie. Un peu partout dans le monde, les acteurs de la diffusion démocratique se sont multipliés, la prolifération des *thinks tanks* et des organisations non gouvernementales étant à cet égard exemplaire.

Cette pluralité des acteurs et des promoteurs de la démocratie rend singulièrement délicates toutes les tentatives de reconstitution des mécanismes de diffusion, les liens de causalité et les canaux de transmission demeurant singulièrement enchevêtrés. Une véritable industrie de la promotion démocratique ainsi a vu le jour, le marché de l'aide à la démocratisation et à la diffusion de l'idée démocratique s'organisant autour de multiples pôles publics et privés, nationaux et internationaux, gouvernementaux et non gouvernementaux [4].

Aux côtés des agences gouvernementales comme la Swedish International Development Authority (SIDA), de

---

1. Voir, en particulier, Kathryn Sikkink [54].
2. De manière plus générale sur le rôle des *think-tanks* dans la diffusion des idées et la configuration des agendas internationaux, on consultera l'ouvrage très complet de Diane Stone [61].
3. Voir Michael Pinto-Duschinsky [38].
4. Pour une synthèse des différents acteurs et instruments de la promotion démocratique, voir Larry Diamond [10] ; et plus particulièrement sur l'Europe de l'Est, voir Kevin Quigley [43].

l'Agency for International Development (AID) nord-américaine, de multiples organisations non gouvernementales sont devenues des acteurs majeurs de la promotion démocratique. Les moyens humains et financiers mis en œuvre par les uns et les autres sont considérables. Pour la seule année budgétaire 1994, l'AID engagera ainsi plus de 400 millions de dollars pour soutenir ou diffuser la démocratie à travers le monde. Des institutions non gouvernementales comme les Fondations Soros multiplieront les opérations, d'abord en Hongrie à partir de 1984, puis dans plus de vingt-deux pays.

Outre les grandes fondations privées américaines comme la MacArthur Foundation, la Ford Foundation ou la Carnegie Corporation de New York, nombre d'institutions multiplieront les programmes d'assistance à la démocratie à l'instar du National Endowment for Democracy, créé en 1983 sur le modèle des grandes fondations allemandes, de la Westminster Foundation for Democracy, créée en 1992 en Grande-Bretagne, de l'International Centre for Human Rights and Democratic Development, établi en 1988 par le Parlement canadien, ou encore, parmi les toutes dernières institutions créées, l'International Institute for Democracy and Electoral Assistance (IDEA), créé en 1995 et basé à Stockholm. Les initiatives privées comme celles de l'American Bar Association, des organismes de presse comme le Comité de protection des journalistes ou *Radio Free Europe*, constitueront autant de canaux de transmission démocratique venant compléter l'action de la communauté internationale (ONU, OSCE, Organisation des États américains, Organisations des États africains, Conseil de l'Europe, Union européenne, etc.).

La quête des causalités :
l'économie politique internationale

L'analyse des idées a également connu un regain d'intérêt de la part des spécialistes d'économie politique internationale. Plusieurs auteurs, dans le sillage des néo-institutionnalistes, se sont employés à montrer l'importance des idées en matière de relations internationales.

Ce renouveau d'intérêt masque néanmoins difficilement un des problèmes latents de la littérature consacrée aux dynamiques de diffusion des idées, à savoir la quête de causalités claires et explicites. Qu'il s'agisse d'ouvrages inspirés par l'institutionnalisme historique, comme ceux de Peter Hall ou de Kathryn Sikkink par exemple, ou ceux inspirés par l'institutionnalisme rationnel, comme ceux de Judith Goldstein et Robert Kehoane, les tentatives pour réincorporer les idées dans la politique économique internationale sont souvent sollicitées comme variables explicatives, traitées de manière instrumentale ou fonctionnelle, et rarement pour elles-mêmes [1].

Le dernier ouvrage édité par Goldstein et Keohane [15] constitue, à cet égard, un exemple des avancées et des limites des tentatives pour incorporer les idées dans des programmes de recherches d'inspiration institutionnaliste. Les idées sont avant tout des « cartes routières » s'organisant autour de croyances premières ou causales et, de manière plus générale, autour de visions du monde. Elles participent de la définition et de la mise en œuvre des politiques étrangères, au même titre que les intérêts, des différentes contributions, mettant ainsi en lumière tour à tour le rôle des idées dans la diffusion du

---

1. Pour une analyse critique de ces ouvrages et approches, voir Mark Blyth [7] et Pascal Vennesson [62].

thème des droits de l'homme [55], dans la prégnance du keynésianisme au sortir de la seconde guerre mondiale [27] ou encore, dans une approche fondée sur la théorie des choix rationnels [9], sur la prégnance des idées en matière de construction européenne [13]. Aucune des contributions ne traite cependant de ce qui est affirmé comme l'un des objectifs du programme de recherche, en introduction comme en conclusion : à savoir la mise en évidence des causalités [1].

Ces travaux constituent néanmoins des avancées importantes rompant avec des approches ignorant ou ne traitant qu'à la marge du rôle des idées. L'ouvrage de Sikkink [57] veut expliciter, à partir d'une comparaison entre l'Argentine et le Brésil, l'adoption et l'adaptation d'un modèle économique à partir des idées défendues par les différents groupes d'intérêts plutôt qu'à partir des positions dans l'économie internationale ou nationale de ces différents groupes. Pour lui comme pour Peter Hall [20], les idées sont avant tout des *policy paradigms* qui deviennent progressivement saillants et s'imposent au sein d'institutions pertinentes tant au niveau national qu'international. Sikkink souligne en ce sens l'importance, pour la diffusion de la stratégie de développement par substitution des importations, d'une institution telle que la Commission économique des Nations unies basée à Santiago du Chili, la Commission économique pour l'Amérique latine (CEPAL).

Les analyses de Sikkink s'inscrivent dans le sillage des importants travaux menés par Peter Hall dont le traitement de la production et de la circulation des idées constitue l'un des essais les plus aboutis. Développant un modèle élaboré à propos de la dissémination des idées

---

1. Pour un traitement de la question causale et des effets des idées sur le politique, voir Albert Yee [66].

keynésiennes à travers le monde après la seconde guerre mondiale, Hall [21] explique le passage du keynésianisme au monétarisme. Il met ainsi en avant les différentes séquences conduisant à la crise d'un paradigme, à son abandon et à l'adoption d'un nouveau, la succession des *policy paradigms* étant, avant souligne-t-il, tout un processus sociologique et non pas uniquement scientifique. Le succès d'une idée dépend avant tout des groupes et des dynamiques de groupes qui la prennent en charge, les enjeux d'autorité et les jeux d'institutions s'avérant prépondérants.

Qu'il s'agisse de l'exportation de la révolution keynésienne depuis les États-Unis ou de l'irradiation en Amérique latine du cépalisme, un autre auteur s'est également intéressé à la diffusion des idées : Albert Hirschman [22]. Celui-ci s'est ainsi longuement attardé à montrer les mécanismes de cette diffusion idéologique et en particulier de celle des idéologies du développement économique, constituées par « un ensemble de croyances, principes et attitudes distinctifs » [25]. Ces diffusions, en amont et en aval, présentent plusieurs traits distinctifs. Émises par un économiste (Keynes ou Prebisch), elles sont transmises par un ou plusieurs groupes dont les positions et les fonctions au sein d'institutions nationales ou internationales leur assurent une plus ou moins grande portée diffusionnelle. Ainsi, sans discuter ici de la cohérence et des mérites intrinsèques de chacune des théories, il n'est pas indifférent que le keynésianisme ait été diffusé depuis les États-Unis, nation alors en pleine ascension, devenue superpuissance à l'issue de la seconde guerre mondiale, et que le cépalisme ait été diffusé depuis un organisme à forte visibilité régionale et internationale tel que la CEPAL [1].

_____

1. En ce sens, la diffusion du premier a été mondiale, celle du second davantage régionale. Il convient toutefois de nuancer l'idée

Galbraith [12], Salant [48] et d'autres tels que Moss [36] ont également montré comment les idées keynésiennes, parvenues à l'Université Harvard et dans certains organismes pivots de Washington (Federal Reserve Board, Trésor, Budget), s'étaient par la suite diffusées en Europe en particulier [1], la rhétorique de la Théorie Générale ayant suscité à la fois ses épigones et ses détracteurs, de sorte qu'elle est devenue le pivot autour duquel s'est articulé l'ensemble du débat en matière de politique économique en suscitant à la fois, comme l'a souligné Hirschman [22 et 24], un « effet de persuasion » et un « effet de recrutement ». De même, les idées du développementalisme cépalien ont été adoptées, consolidées et diffusées comme des réponses nouvelles aux changements internes et internationaux, et ce par le biais d'institutions étatiques, devenant progressivement matière à consensus au sein des élites gouvernementales et intellectuelles. Dans cette perspective, comme l'a montré Sikkink [57], dans son étude sur la diffusion du

---

d'une corrélation entre diffusion idéologique et puissance plus ou moins hégémonique : comme le remarque Hirschman, « les keynésiens américains eurent plus d'influence dans les pays où les États-Unis avaient moins de pouvoir et l'exerçaient indirectement à travers leurs conseillers, plutôt que directement à travers ses administrateurs ». Ceux-ci en effet, loin de s'être convertis au keynésianisme, se virent confier, au lendemain de la seconde guerre mondiale, l'improvisation de gouvernements provisoires en Allemagne et au Japon par exemple, tandis que dans d'autres pays, moins stratégiques, les postes clés ne furent pas confiés à des militaires ou à des cadres expérimentés mais à des économistes, les Américains ayant hérité des postes de conseillers économiques des gouvernements alliés dans le cadre du plan Marshall. Aussi est-ce à ces postes que les keynésiens en tant que conseillers, en ayant le dernier mot sur la politique économique que les États-Unis conseillaient aux autorités locales, auront le plus d'influence.

1. Voir les contributions de Pierre Rosanvallon [46] et de Margaret Weir [63].

développementalisme au Brésil et en Argentine, des stratégies de captation de la part d'acteurs nationaux peuvent ainsi être mises en évidence.

Ces études montrent qu'idées, acteurs et institutions sont les principales variables des dynamiques de diffusion idéologique. Le postulat qui sous-tend ces travaux est, en effet, que les idées sont à prendre en considération pour l'étude des dynamiques en matière de politiques économiques. Mais celles-ci – valeurs, savoirs, concepts – ne circulent pas librement, elles sont produites, sélectionnées et partagées par des individus pouvant constituer une ou plusieurs communautés épistémiques. De même l'accès à d'autres institutions ou nations et le succès dans d'autres pays dépendent également (en partie) des institutions réceptrices, de leurs stratégies d'appropriation et de captation tout autant que de la cohérence interne et de la pertinence concrète des théories ou des modèles proposés [1].

De plus, la problématique de la diffusion doit être nuancée au regard de pluralité des cas qui se présentent : pour certains pays ou produits prédomineront des logiques d'imitation ou de dissémination ou alors d'irradiation, tandis que, dans d'autres cas, il conviendra davantage de parler d'émulation et d'invention [2]. Ainsi,

---

1. Plusieurs travaux récents s'attachent à mettre en évidence l'importance de ces structures domestiques d'accueil. Voir Kathryn Sikkink [56], Thomas Risse-Kappen [44 et 45].

2. L'élément commun à cet ensemble de terminologies est que toutes ces logiques supposent que divers événements ou succession d'événements dans le temps ne sont pas étrangers les uns aux autres. Deux notions pourraient être retenues pour synthétiser l'ensemble, celle de contagion – influence exercée d'un pays vers un autre géographiquement proche – ou d'irradiation – influence exercée par un phénomène sur l'ensemble des pays sans considération de proximité géographique. Voir l'étude de Jean Laponce [33]. Une autre distinction particulièrement stimulante est celle proposée par Bélanger qui

la diffusion au Chili de l'économie libérale peut difficilement s'entendre comme une simple et pure imitation, partie prenante d'un phénomène plus général, d'ampleur mondiale, ce pays ayant été précisément un des pionniers, avec la Grande-Bretagne et les États-Unis, en matière de mise en œuvre de politiques monétaristes ou de privatisations. Dans ce cas, la seule analyse en termes d'imitation, de *policy bandwagoning* s'avère insuffisante [1]. Au Mexique comme au Chili, c'est à la fois un effet de contagion mais aussi d'émulation dans le premier cas et d'invention dans le second, qu'on a observé [2].

Les temporalités du politique

Les idées, à l'instar des intérêts, comme l'attestent ces études, jouent un rôle dans les relations internationales. Encore convient-il de préciser que la littérature s'attelle, dans une perspective rationaliste, à expliciter ce rôle à l'aune d'une conception sous-jacente de la notion d'idée. Traitées avant tout comme objet – ou, de manière plus métaphoriques comme bien ou produit –, les idées deviennent des variables explicatives rivales des intérêts. Elles ont, dans le système international, des effets causaux clairement identifiables.

---

centre son analyse sur les dynamiques d'imitation mais aussi d'émulation dans l'ordre international, autrement dit des dynamiques qui dépassent le simple mimétisme mais intègrent également un élément d'invention ou d'innovation syncrétique dépassant la simple répétition du modèle initial. Voir Louis Bélanger [3].

1. Voir John Ikenberry [28]. Plus particulièrement sur l'Amérique latine, on peut consulter les contributions de Ben Ross Schneider [47].

2. Pour une analyse de la dynamique chilienne en particulier, on peut consulter Javier Santiso [51]. Sur la diffusion libérale en général, on pourra tout particulièrement consulter l'essai de Thomas Biersteker [6].

Souvent, la notion est assimilée à celle d'idéologie, de croyance ou encore de théorie et est alors traitée de manière instrumentale, comme un outil utilisé par des entrepreneurs politiques. En ce sens, les travaux et la redécouverte du rôle des idées appellent davantage de conceptualisation, certains auteurs proposant d'utiliser le terme de technologie symbolique, c'est-à-dire des « systèmes inter-subjectifs de représentation et de pratiques de reproduction des représentations [1] ». Ces approches plaident donc pour davantage de sociologie, la reconstitution des courants d'idées et systèmes de représentations passant à travers des sites et des hommes, acteurs et vecteurs de celles-ci.

Certaines propensions seraient également à réfréner pour ceux qui souhaiteraient s'efforcer de montrer l'incidence des idées dans la genèse du monde de l'après-1989. L'une est celle qui tend à dépeindre, sur la forme épique ou tragique, la guerre des idées sans que ces luttes soient liées aux conflits d'intérêts et surtout au cheminement même des idées. « Il est, souligne en ce sens Hirschman [23], évidemment moins simple de dépeindre une longue transformation ou transition idéologique comme un processus endogène que de le représenter comme une lutte victorieuse d'une idéologie autonome et rebelle contre une éthique naguère dominante. » Il faut ainsi dépister les maillons successifs du long et lent enchaînement d'idées, s'attarder à en reconstituer les tours et les détours en s'attaquant à l'évolution endogène des idées comme le font les spécialistes de l'histoire conceptuelle se livrant à d'importants exercices de sémantique temporelle [2].

---

1. Voir Mark Laffey et Jutta Weldes [32].
2. Voir en ce sens les travaux de Quentin Skinner [58] et ceux de Koselleck [31].

Ces dernières années, d'importants changements politiques sont en effet intervenus aussi bien en Amérique latine qu'en Europe de l'Est. Les cadres de référence du politique se sont transformés avec l'émergence de nouveaux référentiels politiques, à savoir le basculement de la révolution vers la démocratie et de l'État vers le marché. Ces changements conceptuels informent non seulement des transformations politiques mais également des transformations des représentations temporelles [1]. L'avenir, pour reprendre l'expression de Koselleck, est aujourd'hui dépassé. À l'instar du marché [2], la démocratie consacre une temporalité politique davantage centrée sur le présent que sur l'avenir. Autrement dit, elle informe également un rétrécissement des horizons temporels, le temps de la démocratie, rythmé par les aléas électoraux, étant avant tout un temps limité [3].

Contrairement aux régimes autoritaires, la démocratie consacre un gouvernement temporaire, *pro tempore*, elle institue des échéances qui délimitent une durée et fixent des bornes temporelles à l'action gouvernementale. Elle est le temps politique par excellence, si l'on concède que les utopies révolutionnaires et les uchronies autoritaires sont autant de tentatives antipolitiques d'échapper au temps, de le mettre entre parenthèses, soit en projetant toujours un futur aussi lointain qu'insaisissable, soit en déniant toute contrainte de durée autre que celle biologique à l'exercice du pouvoir. En démocratie, rien de tel. L'avenir d'un gouvernement y est aussi ouvert que pos-

---

1. Voir Santiso [50].

2. Sur le court-termisme des marchés financiers, voir Santiso [49].

3. Pour une analyse temporelle de la démocratie, voir le numéro spécial (où figurent également des articles de Juan Linz, Robert Goodin, Thomas Patterson et Philippe Schmitter) introduit par Andreas Schedler et Javier Santiso [52].

sible, mais il s'agit d'un avenir limité. Des bornes temporelles précises cadrent la durée des mandats, émaillent le jeu politique d'un *tempo* institutionnel calendarisé, précis et prévisible. Autour de ce même temps politique, vont graviter argumentaires et stratégies. Au sein d'une même institution, le temps devient un élément de conflits, un enjeu d'appropriations sémantiques et stratégiques. La durée des sessions parlementaires, par exemple, leur fragmentation au cours de l'année législative, la maîtrise des ordres du jour, autrement dit des agendas parlementaires, sont autant d'éléments qui entrent en ligne de compte dans les stratégies et les argumentaires des diverses composantes des assemblées. Pour les uns, il s'agira de gagner du temps en multipliant les amendements et les recours afin de faire obstruction à un projet de loi. Pour les autres, la majorité parlementaire, il s'agira au contraire de ne pas en perdre, quitte à inciter le gouvernement à prendre des mesures accélérant les procédures, à l'instar du fameux article 49.3 de la Constitution française.

Une lecture temporelle des relations internationales et de la diffusion des idées permettrait de souligner également les transformations politiques contemporaines. On assiste en effet, au niveau international, à un foisonnement de vocables ayant trait à la vitesse, à l'urgence ou encore à l'émergence. On parle ainsi, dans le domaine militaire, de force de réaction rapide ou encore, en matière de régulation financière internationale, de fonds d'urgence. Dans le domaine de l'économie politique ou de la finance internationale, cette accélération et ce rétrécissement des horizons temporels sont particulièrement saillants [1]. Ainsi, par exemple, les investissements massifs réalisés par les fonds de pension dans les entreprises

---

1. Voir, pour une analyse plus approfondie, Santiso [49].

imposent des impératifs de rendement souvent à court terme pesant comme autant de contraintes sur l'impératif de développement et ouvrant une question centrale : comment dès lors, faute de capitaux stables, inscrire son développement dans la durée ? De même, et en transposant la question de la délibération démocratique au niveau international, que signifie, pour les instances de régulation internationale supposées y faire face, ce tempo singulièrement rapide qu'imposent les réactions et sur-réactions des marchés financiers ? La comparaison des temporalités inhérentes aux renégociations de dette à l'issue de la crise de 1982 et de celles afférentes aux négociations intervenues en 1994 et en 1997, à l'issue des crises mexicaine et asiatique, confirme l'ampleur des transformations à l'œuvre au niveau de ce que l'on nomme aujourd'hui la gouvernance internationale où importent autant la vitesse de réaction que l'ampleur de l'aide.

L'analyse temporelle de ces transformations reste à faire. Elle permettrait en particulier de souligner, à partir d'études empiriques ayant trait à l'économie politique internationale, combien l'ajustement structurel de cette fin de siècle s'apparente également à un ajustement temporel. Elle inviterait également à s'intéresser davantage à l'histoire conceptuelle en prenant soin, à l'instar de l'anthropologue Ernest Gellner, de le faire sans se polariser sur les seules idées qui triomphent mais en s'intéressant également à celles qui, parce que arrivées trop tôt ou trop tard, ont échoué [1]. Prendre en compte le timing et les séquences d'émergence de telle ou telle idée, de son effacement et, de manière endogène, de son cheminement, n'est en ce sens qu'une manière supplémentaire de s'engager dans une lecture temporelle de la

---

1. Voir Ernest Gellner [14].

production et de la diffusion des idées et d'arpenter ce qui reste encore un des archipels à explorer des relations internationales.

Javier SANTISO

BIBLIOGRAPHIE

1. Adler (Emanuel), « The Emergence of Cooperation : National Espistemic Communities and the International Evolution of the Idea of Arms Control », *International Organization*, 46 (1), 1992, p. 101-145.
2. Adler (Emanuel), Haas (Peter), « Conclusion : Epistemic Communities, World Order and the Creation of a Reflexive Research Program », *International Organization*, 46 (1), 1992, p. 367-390.
3. Bélanger (Louis), « Les relations internationales et la diffusion du temps mondial », *Revue d'études internationales*, 24 (3), septembre 1993, p. 549-569.
4. Berlin (Isaiah), « La recherche de l'idéal », dans Berlin (I.) (dir.), *Le bois tordu de l'humanité. Romantisme, nationalisme et totalitarisme*, Paris, Albin Michel, 1992, p. 15-32.
5. Berlin (Isaiah), « Le nationalisme : dédains d'hier, puissance d'aujourd'hui », dans Berlin (I.) (dir.), *À contre-courant. Essais sur l'histoire des idées*, Paris, Albin Michel, 1988, p. 346.
6. Biersteker (Thomas), « The Triumph of Neoclassical Economics in Developing World : Policy Convergence and Bases of Governance in the International Economic Order », dans Rosenau (James), Czempiel (Ersnt Otto) (eds), *Governance Without Government : Order and Chaos in World Politics*, New York, Cambridge University Press, 1992 et 1993, p. 102-131.
7. Blyth (Mark), « Any More Bright Ideas ? The Ideational

Turn of Comparative Political Economy », *Comparative Politics*, janvier 1997, p. 229-250.

8. Carothers (Thomas), *In the Name of Democracy : US Policy Toward Latin America in the Reagan Years*, Berkeley, University of California Press, 1991.

9. Coase (Ronald), « The Problem of Social Cost », *Journal of Law and Economics*, janvier 1960, p. 1-44.

10. Diamond (Larry), *Promoting Democracy in the 1990s. Actors, Instruments, Issues and Imperatives*, New York, Carnegie Corporation on Preventing Deadly Conflict, 1995.

11. Drake (William), Nicolaidis (Kalypso), « Ideas, Interests and Institutionalization : "Trade in Services" and the Uruguay Round », *International Organization*, 46 (1), 1992, p. 37-100.

12. Galbraith (John Kenneth), « How Keynes Came to America », dans Galbraith, *Economics, Peace and Laughter*, Boston (Mass.), Houghton Miffin, 1971, p. 43-49.

13. Garett (Geoffrey), Weingast (Barry), « Ideas, Interests and Institutions : Constructing the European Community's Internal Market », dans Goldstein (Judith), Keohane (Robert) (eds), *Ideas and Foreign Policy : Beliefs, Institutions and Political Change*, Ithaca, Cornell University Press, 1993, p. 173-206.

14. Gellner (Ersnt), « A Marxist Might Have Been », dans Gellner (ed.), *Anthropology and Politics. Revolutions in the Sacred Grove*, Oxford, Blackwell Publishers, 1995, p. 137-159.

15. Goldstein (Judith), Keohane (Robert) (eds), *Ideas and Foreign Policy : Beliefs, Institutions and Political Change*, Ithaca, Cornell University Press, 1993.

16. Goldstein (Judith), *Ideas, Interests and American Trade Policy*, Ithaca, Cornell University Press, 1993.

17. Goldstein (Judith), « Ideas, Institutions and Trade Policy », *International Organization*, 42 (1), 1988, p. 179-217.

18. Grabendorf (Wolf), « International Support for Democracy in Contemporary Latin America : the Role of the

Party International », dans Whitehead (ed.), *The International Dimensions of Democratization. Europe and the Americas*, Oxford, Oxford University Press, 1996, p. 201-226.

19. Haas (Ernst), *When Knowledge is Power : Three Models of Change in International Organizations*, Berkeley et Los Angeles, University of California Press, 1990.

20. Hall (Peter), « Policy Paradigms Social Learning and the State », *Comparative Politics*, 25, avril 1993, p. 275-296.

21. Hall (Peter) (ed.), *The Political Power of Economic Ideas : Keynesianism Across Nations*, Princeton, Princeton University Press, 1989, p. 347-359.

22. Hirschman (Albert), « Comment les États-Unis ont exporté la révolution keynésienne », dans Hirschman (A.) (dir.), *Un certain penchant à l'autosubversion*, Paris, Fayard, 1995, p. 203-223.

23. Hirschman (Albert), *Les passions et les intérêts. Justifications politiques du capitalisme avant son apogée*, Paris, PUF, 1980, p. 9.

24. Hirschman (Albert), « A Dissenter's Confession : The Strategy of Development Revisited », dans Hirschman (A.) (ed.), *Rival Views of Market and Society and Other Recent Essays*, Cambridge (Mass.), Harvard University Press, 1986, p. 34. Traduit dans Hirschman (A.), « Confession d'un dissident. Retour sur *Stratégie du développement économique* », dans Hirschman (A.) (dir.), *L'économie comme science morale et politique*, Paris, Gallimard/Le Seuil, 1984, p. 95-96.

25. Hirschman (Albert), « Ideologies of Economic Development in Latin America », dans Hirschman (A.) (ed.), *Latin American Issues*, New York, Twentieth Century Fund, 1961, p. 3.

26. Huntington (Samuel), *The Third Wave : Democratization in the Late Twentieth Century*, Norman, Oklahoma University Press, 1991.

27. Ikenberry (John), « Creating Yesterday's New World Order : Keynesian "New Thinking" and the Anglo-American Postwar Settlement », dans Goldstein (Judith),

Keohane (Robert) (eds), *Ideas and Foreign Policy : Beliefs, Institutions and Political Change*, Ithaca, Cornell University Press, 1993, p. 289-321.

28. Ikenberry (John), « The International Spread of Privatization Politicies : Inducements, Learning and Policy Bandwagonong », dans Suleiman (Ezra), Waterbury (John) (eds), *The Political Economy of Public Sector Reform and Privatization*, Princeton, Princeton University Press, 1990.

29. Jacobsen (John), « Much Ado About Ideas : the Cognitive Factor in Economic Policy », *World Politics*, 47 (2), p. 283-310.

30. Karl (Terry), « Dilemmas of Democratization in Latin America », *Comparative Politics*, 23 (1), p. 1-21.

31. Koselleck (Reinhart), *Le futur passé. Contribution à la sémantique des temps historiques*, Paris, EHESS, 1990.

32. Laffey (Mark), Weldes (Jutta), « Beyond Belief : Ideas and Symbolic Technologies in The Study of International Relations », *European Journal of International Relations*, 3 (2), 1997, p. 193-237.

33. Laponce (Jean), « Les langues comme acteurs internationaux. Phénomènes de contagion et phénomènes d'irradiation », dans *Les relations internationales à l'épreuve de la science politique. Mélanges Marcel Merle*, Paris, Economica, 1993, p. 211-224.

34. Linz (Juan), Stepan (Alfred), *Problems of Democratic Transition and Consolidation. Southern Europe, South America and Post-Communist Countries*, Baltimore et Londres, The Johns Hopkins University Press, 1996.

35. Lowenthal (Abraham), *Exporting Democracy : The United States and Latin America*, 2 vol., Baltimore, Johns Hopkins University Press, 1991.

36. Moss (David), *Socializing Security. Progressive Era-Economists and the Origins of American Social Policy*, Cambridge (Mass.), Harvard University Press, 1995.

37. O'Donnell (Guillermo), Schmitter (Philippe), Whitehead (Laurence) (eds), *Transitions from Authoritarian Rule :*

Prospects for Democracy, Baltimore, Johns Hopkins University Press, 1986.

38. Pinto-Duschinsky (Michael), « International Political Finance : The Konrad Adenauer Foundation and Latin America », dans Whitehead (ed.), *The International Dimensions of Democratization. Europe and the Americas*, Oxford, Oxford University Press, 1996, p. 227-255.

39. Popper (Karl), *Misère de l'historicisme*, Paris, Plon, 1956.

40. Pridham (Geoffrey), Vanhanen (Tatu) (eds), *Democratization in Eastern Europe : Domestic and International Perspectives*, Londres, Routledge, 1994.

41. Pridham (G.), Herring (E.), Sanford (G.) (eds), *Building Democracy ? The International Dimension of Democratisation in Eastern Europe*, Londres, Leicester University Press, 1994.

42. Pridham (Geoffrey), « The Politics of the European Community, Transnational Networks and Democratic Transition in Southern Europe », dans Pridham (ed.), *Encouraging Democracy : the International Context of Regime Transition in Southern Europe*, Londres, Leicester University Press, 1991, p. 212-245.

43. Quigley (Kevin), *For Democracy's Sake : Foundations and Democracy Assistance in Eastern Europe*, Baltimore, Woodrow Wilson Center Press et Johns Hopkins University Press, 1997.

44. Risse Kappen (Thomas) (ed.), *Bringing Transnational Relations Back In. Non State Actors, Domestic Structures and Internatinal Institutions*, Cambridge, Cambridge University Press, 1995.

45. Risse Kappen (Thomas), « Ideas do not Float Freely : Transnational Coalistions, Domestic Structures and the End of the Cold War », *International Organization*, 48 (2), printemps 1994, p. 185-214.

46. Rosanvallon (Pierre), « The Development of Keynesianism in France », dans Hall (Peter), 1989, *The Political Power of Economic Ideas : Keynesianism Across Nations*, Princeton, Princeton University Press, 1989, p. 171-194.

47. Ross Schneider (Ben), « The Politics of Privatization in

248

Brazil and Mexico : Variation on a Statist Theme », dans Suleiman (Ezra), Waterbury (John) (eds), *The Political Economy of Public Sector Reform and Privatization*, Princeton, Princeton University Press, 1991, p. 319-345.

48. Salant (Walter), « The Spread of Keynesianism Doctrines and Practices in the United States », dans Hall (Peter) (ed.), *The Political Power of Economic Ideas : Keynesianism Across Nations*, Princeton, Princeton University Press, 1989, p. 27-52.

49. Santiso (Javier), « Wall Street face à la crise mexicaine : une analyse temporelle des marchés émergents », *Les études du CERI*, 34, décembre 1997. Pour une version abrégée, voir Santiso (Javier), « Temps des États, temps des marchés : retour sur la crise financière mexicaine », *Esprit*, mai 1958, p. 58-85.

50. Santiso (Javier), « Los relojes y las nubes : Tiempo y democratizacion en América latina y en Europa del Este », *Política y Gobierno*, 4 (1), premier semestre 1997, p. 43-80 ; Santiso (Javier), « The Fall into the Present : the Emergence of Limited Political Temporalities in Latin America », *Time and Society*, 7 (1), 1998, p. 25-54 ; et sur l'Europe de l'Est, Santiso (Javier), « La valse aux adieux : une analyse temporelle », dans Hermet (Guy), Marcou (Lilly) (dir.), *Des partis comme les autres ? Les anciens communistes en Europe de l'Est*, Bruxelles, Complexe, 1998, p. 119-136.

51. Santiso (Javier), « Élites et démocratisation au Chili : les centres académiques privés », dans Colonomos (Ariel) (dir.), *Sociologie des réseaux transnationaux*, Paris, L'Harmattan, 1995, p. 245-279.

52. Schedler (Andreas), Santiso (Javier), « Democracy and Time : An Invitation », *International Political Science Review*, 19 (1), janvier 1998, p. 5-18.

53. Schmitter (Philippe), « The Influence of the International Context Upon the Choice of National Institutions and Policies in Neo-Democracies », dans Whitehead (Laurence) (ed.), *The International Dimensions of Democra-*

tization. Europe and the Americas, Oxford, Oxford University Press, 1996, p. 26-54.

54. Sikkink (Kathryn), « The Effectiveness of US Human Rights Policy, 1973-1980 » dans Whitehead (Laurence) (ed.), *The International Dimensions of Democratization. Europe and the Americas*, Oxford, Oxford University Press, 1996, p. 93-124.

55. Sikkink (Kathryn), « The Power of Principled Ideas : Human Rights Policies in the United States and Western Europe », dans Goldstein (Judith), Keohane (Robert) (eds), *Ideas and Foreign Policy : Beliefs, Institutions and Political Change*, Ithaca, Cornell University Press, 1993, p. 139-170.

56. Sikkink (Kathryn), « Human Rights, Principled Isue-Networks and Sovereignity in Latin America », *International Organization*, 47, été 1993, p. 411-441.

57. Sikkink (Kathryn), *Ideas and Institutions : Developmentalism in Argentina and Brazil*, Ithaca, Cornell University Press, 1991.

58. Skinner (Quentin), Tully (James) (eds), *Meaning and Context : Quentin Skinner and its Critics*, Cambridge, Polity Press, 1968, p. 7-25.

59. Smith (Tony), *America's Mission : The United States and the Worldwide Struggle for Democracy in the Twentieth Century*, Princeton, Princeton University Press, 1994.

60. Starr (Harvey), « Democratic Dominoes : Diffusion Approaches to the Spread of Democracy in the International System », *Journal of Conflict Resolution*, 35 (2), 1991.

61. Stone (Diane), *Capturing Political Imagination. Think Tanks and the Policy Process*, Londres, Franck Cass, 1996.

62. Vennesson (Pascal), « Idées, institutions et relations internationales », *Revue française de science politique*, 45 (5), octobre 1995, p. 857-866.

63. Weir (Margaret), « Ideas and Politics : The Acceptance of keynesianism in Britain and United States », dans Hall (Peter), *The Political Power of Economic Ideas : Keyne-*

sianism Across Nations, Princeton, Princeton University Press, 1989, p. 53-86.

64. Whitehead (Laurence) (ed.), *The International Dimensions of Democratization. Europe and the Americas*, Oxford, Oxford University Press, 1996.

65. Woods (Ngaire), « Economic Ideas and International Relations : Beyond Rational Neglect », *International Studies Quarterly*, 39 (2), p. 161-180.

66. Yee (Albert), « The Causal Effects of Ideas on Politics », *International Organization*, 50 (1), 1996, p. 69-108.

Chapitre 10

Économie politique internationale

L'économie politique internationale (EPI) est l'«étude des interactions (*interplay*) de l'économique et du politique dans l'arène mondiale» [16]. Elle se propose donc d'analyser à la fois les interactions entre le politique et l'économique et les interactions entre le national et l'international. Elle est parfois dénommée économie politique globale ou économie politique mondiale pour tenir compte de l'érosion des nations.

La longue histoire de l'EPI

L'EPI a été, pendant des siècles, le principal objet de la réflexion économique. C'est pour renforcer la puissance des États et participer à la naissance des nations qu'écrivaient les mercantilistes. Leurs objectifs étaient l'accroissement des trésors de guerre et l'émergence d'une industrie nationale. La rivalité entre États justifiait le protectionnisme et la recherche d'un excédent commercial. L'EPI était un jeu à somme nulle.

C'est expressément contre cette EPI que s'est construite l'école classique. Les relations internationales sont un jeu à somme positive (théories des avantages comparatifs et de l'équilibre automatique de la balance commerciale). Simultanément, les classiques contribuent à l'autonomisation de l'économie par rapport au politique et au social. Mais ils maintiennent une approche d'économie politique. À l'extérieur, Smith admet la protection à des fins de défense nationale ; à l'intérieur, la conclusion de Ricardo – supprimer la rente – est éminemment politique. Le terme d'économie politique reste donc utilisé par les libéraux jusqu'à l'apparition du néo-classicisme.

Les grandes doctrines qui, au XIXᵉ siècle, s'opposent au libéralisme renforcent l'aspect politique de l'EPI. List et les autres protectionnistes réhabilitent l'État, la nation, le nationalisme et croient à l'existence de conflits économiques internationaux. Les socialistes interprètent les relations internationales comme conflictuelles du fait qu'elles prolongent, en leur servant parfois de camouflage, les conflits internes de répartition.

Ce n'est qu'à la fin du XIXᵉ siècle qu'est introduite, dans les sciences sociales, l'hypothèse de séparabilité de l'économique et du politique. Elle est formalisée par la construction néo-classique de Pareto qui est tout entière construite pour dépolitiser la science économique et pour dénouer les conflits tant internes qu'externes. Pareto cherchait explicitement à dévaloriser définitivement la guerre, les conflits internationaux, le protectionnisme, le nationalisme et le militarisme. Il a défini les *optima paretiens* par substitution normative de la négociation au conflit et de l'économique au politique. Il a insisté sur la non-comparabilité des utilités individuelles pour délégitimer toute réduction de la satisfaction d'un individu au nom de la nation ou de la classe. Dès lors l'EPI, avec ses États et leurs conflits (internes et externes), cède la place à une vision microéconomique où les relations économiques internationales (REI) ne sont génératrices que de gains mutuels propres à réduire les tensions politiques internationales. Parce qu'elle avait été le premier objet des études économiques, l'EPI en devient le repoussoir. Puis, lorsque la formalisation paretienne aura été enseignée à des générations d'étudiants sans leur en préciser la genèse, l'EPI devient le refoulé de la pensée économique.

L'EPI se réfugie alors chez des auteurs hétérodoxes qui jugent non pertinente une théorie des REI qui ignore l'existence de conflits économiques et politiques et des coopérations hors marché. Ils étudient les causes, le déroulement et les résultats de ces conflits en niant la séparabilité de l'économique et du politique. Loin de refuser l'analyse des préférences collectives, ils les étudient au point d'en découvrir parfois la rationalité cachée [42]. Loin de vouloir nier leur propre implication dans les valeurs et les attitudes des acteurs, ils explicitent leurs propres valeurs et leur propre insertion dans les conflits et dans les coalitions politiques au point de proposer de nouvelles axiologies et de nouvelles organisations des relations économiques internationales [34]. Cette démarche est visible dans la réhabilitation du mercantilisme par J.M. Keynes, sa prise de position sur les « conséquences économiques de la paix » et son intervention à Bretton Woods. C'est ce qui a fait critiquer les stratégies de domination économique de l'Allemagne nazie [20], les interactions entre puissance étatique et domination économique [35], la vision social-démocrate de l'intégration internationale [34], l'hégémonie policoéconomique [29], les effets déstructurants de la financiarisation de l'économie sur les États [36], les effets de dépendance internationale [9], la dynamique sociopolitique de l'expansion du système mondial [41] ou le rôle décisif des États dans l'émergence de l'Asie [2, 40].

Longtemps détournés des études économiques par la primauté de la *high politics*, les politologues des relations internationales n'ont pas pu ignorer les effets politiques de l'interdépendance économique croissante des nations [27]. Dans les années soixante-dix, cette prise de conscience a été aiguisée par des interrogations sur l'avenir de l'hégémonie des États-Unis, des règles du jeu monétaire international, de la puissance des États pétroliers et des réunions économiques au sommet [26]. Une nouvelle période de l'EPI (dont la dénomination est désormais reconnue) s'est ouverte et, par des débats entre politologues, économistes et historiens, a renouvelé ses thèmes et ses instruments d'analyse [10].

Réalisme, libéralisme et marxisme dans les débats de l'EPI

Toute définition générale et univoque des relations entre l'économie et le politique conduit, A.O. Hirschman l'a souligné, à des platitudes ou à des affirmations immédiatement infirmables. L'EPI n'a pas toujours évité les théories et les idéologies simplistes. Elles ont été classées par Frieden et Lake [16] et par Gilpin [18] en trois courants. Le « réalisme » suppose (avec les mercantilistes et les nationalistes) la prééminence du politique sur l'économique dans des relations internationales et la priorité toujours accordée, par les États, aux objectifs de puissance. Le « marxisme » a souvent été défini, y compris par certains marxistes, comme affirmant la primauté de l'économique sur le politique (dans la construction des nations et des États comme dans les conflits internationaux) et le « libéralisme » autonomise l'économie du politique, légitimant l'économie internationale comme une discipline autonome.

Cette classification ternaire a le mérite de souligner

256

que les clivages contemporains reproduisent encore parfois les grandes ruptures historiques qui ont forgé l'EPI. Elle souligne aussi la genèse polémique des théories de l'EPI. Elle rappelle notamment que la théorie pure des relations économiques internationales part d'un choix très précis – la dépolitisation de l'économie internationale – et qu'elle est remise en question à chaque fois que l'ordre international, les règle du jeu ou les régimes internationaux sont remis en cause.

Mais ce triptyque est évidemment daté : l'analyse néoclassique a créé, on y reviendra, sa propre « économic politique » et la vulgate marxiste subit une éclipse sérieuse. Il est aussi simplificateur : les « réalistes » n'ignorent pas la présence d'objectifs économiques dans les choix des États [30]. Et si le marxisme a suscité des affirmations excessives sur la primauté de l'économique, il a aussi suscité des affirmations également excessives sur la primauté du politique (cette oscillation s'observe dans toutes les tentatives de poser des relations unilatérales entre économie et politique).

En outre, toute présentation de l'EPI par l'inventaire des orthodoxies ignore, par construction, le rôle majeur qu'ont joué hétérodoxies et syncrétismes (dépendantisme latino-américain combinant marxisme et nationalisme, théorie du système mondial de Wallerstein [41] combinant F. Braudel et le marxisme).

Enfin, défaut rédhibitoire, la classification ternaire ne cite qu'une théorie (le libéralisme néo-classique) qui recommande la séparation de l'économique et du politique et deux théories qui supposent une causalité asymétrique soit de l'économique sur le politique (dans les textes de marxisme simplifié), soit du politique sur l'économique dans les textes réalistes tout aussi simplifiés. Aucune des trois théories ne s'intéresse donc à ces interactions qui sont, on l'a dit, le véritable objet de toute économie politique.

Éviter ou assumer l'interdisciplinarité dans les études d'EPI ?

Avec cet objet, l'EPI rencontre inéluctablement le défi de l'interdisciplinarité. Faut-il, pour traiter d'un problème relevant de plusieurs disciplines, essayer de combiner leurs instruments d'analyse ou rester dans un même ensemble d'instruments d'analyse ?

Un nombre non négligeable d'études choisit, par souci de rigueur scientifique, par choix pédagogique ou par ignorance, d'éviter l'interdisciplinarité. Soit en s'abstenant de traiter des faits relevant d'une discipline, ce qui interdit de faire de l'EPI. Soit en interprétant même la dynamique politique internationale à l'aide des instruments de l'analyse économique, ce qui introduit les hypothèses de rationalité des choix, d'utilitarisme des acteurs, de comportements de maximisation du profit, de recherche de rentes, de stratégies de compétition, d'autorégulation par l'économie et de genèse économique des conventions. Soit, à l'inverse, en interprétant l'économie internationale en termes de puissance, de menaces armées, de mythes, d'images, de recherche de prestige, de rivalités interétatiques, de conflits non négociables et de différences de régimes politiques. Ces analyses unidisciplinaires ont apporté des éclairages nouveaux, ne serait-ce que par les emprunts de vocabulaire qui créent des métaphores stimulantes. Elles ont été pertinentes lorsque les acteurs politiques, subissant les mêmes influences que les analystes, avaient économicisé leurs idéologies, leurs motivations et leurs comportements et lorsque les acteurs économiques avaient réciproquement intériorisé les notions de puissance, de guerre, de rivalité, de nuisance, de frontière, de nationalité, de pluralité des civilisations etc. Mais, parfois, l'interprétation économique du politique et l'interprétation politique de l'économique se sont avérées réductrices par ignorance pure et simple des acquis de l'autre discipline.

Contre ces impérialismes disciplinaires, les études qui se veulent fondatrices de l'EPI partent du constat que l'EPI n'existe que si l'on met en évidence les interactions entre des faits dont les uns sont non intégrés et non intégrables dans le paradigme économique et d'autres non intégrés et non intégrables dans le paradigme politique (en l'état actuel des paradigmes [1]). Les interactions analysées sont une combinaison de relations économiques et politiques dont il est naïf de supposer qu'elles n'ont pas déjà suscité des instruments d'analyse dans la discipline correspondante. Toute économie politique naît de la reconnaissance de l'irréductibilité des paradigmes et de la nécessité de les utiliser simultanément. Cette utilisation d'instruments hétérogènes crée un danger de perte de cohérence mais c'est un risque assumé pour gagner en pertinence.

Les ouvrages fondateurs de l'EPI se sont souvent affichés comme tels en prenant pour titre des couples de mots clés dont l'un relève conventionnellement de l'éco-

---

1. Pour prendre l'exemple des économistes, ceux-ci savent que leur paradigme n'a pas été construit pour intégrer la puissance des États, les nations et les nationalismes, les identités culturelles, la violence légitime ou non, les conflits non financièrement négociables, les affrontements symboliques, les imaginaires internationaux, les images de l'étranger, les trajectoires culturelles nationales, les mythologies et les idéologies politiques, les rivalités conduisant à des conflits inexpiables, l'éthos de l'honneur, les infractions politiques au marché, les comportements de tout ou rien, les stratégies de nuisance, les comportements suicidaires, les intentions caritatives et les « mythes irrationnels » (pour parler comme Pareto qui, précisément, n'a pas réussi l'intégration de sa sociologie et de son économie, avec les résultats que l'on sait).

nomie et l'autre du politique : *Power and Money* [28], *States and Markets* [38], *States or Markets* [11], *States against Markets* [7], *Rival States, Rival Firms* [36], *Passions and Interests* [21], *Markets and Politics* [13], etc.

Les études de l'EPI se sont centrées sur des thèmes qu'évitait l'économie pure : les conflits internationaux d'origine économique et/ou politique ; les coopérations internationales et interétatiques hors marché ; les institutions et les administrations économiques internationales ; les processus politiques de négociations économiques internationales ; les inégalités internationales de revenus et de pouvoirs ; les liens de domination, de dépendance, et d'interdépendance ; la formation, l'emprise et les violations des règles du jeu monétaires ; la naissance de normes dans la concurrence internationale et dans les relations monétaires ; les restrictions politiques au libre jeu des flux économiques (protection commerciale, ouverture et fermeture aux migrations, contrôles de mouvements de capitaux), les relations entre États et marchés financiers internationaux et le nationalisme économique.

La complexité des interactions entre économie et politique internationales

Le problème de l'économique n'est pas d'être trop complexe mais d'être « beaucoup trop simple » (A.O. Hirschman). Et l'EPI est un des chemins par lesquels on retrouve la complexité des faits sociaux. Mais cette complexité qui frappe à la lecture des travaux concrets de l'EPI est assez souvent absente de ses présentations générales. Il est vrai que présenter brièvement la complexité est une entreprise paradoxale. On devra se borner à n'en montrer que quelques exemples.

Au fur et à mesure qu'elle s'éloigne des explications monistes (« tout est politique » ou « tout est économique »), l'EPI est amenée progressivement à rendre compte d'un enchevêtrement des relations de causalité.

À l'origine ont été parfois supposées des relations de causalité univoque entre un fait économique et une conséquence politique (explication de l'impérialisme par la baisse du taux de profit) ou un fait politique et une conséquence économique (explication de la répartition de l'aide au développement par les objectifs stratégiques). Puis les rétroactions positives amplificatrices sont apparues dans la « causalité circulaire » [34] entraînant des cercles vicieux de dépendance politique et d'inégalité économique internationale (exposées, non sans excès, dans les années soixante-soixante-dix) puis des cercles vertueux (définis, avec peut-être autant d'excès, dans les *success stories* de l'ajustement). Les rétroactions négatives ont été introduites pour étudier des stabilisations de flux, des corrections de désexternalités et des freinages volontaires de croissance par les politiques [32]. Ont été aussi décrits ou espérés des processus dialectiques tels que la reconstruction du pouvoir des États menacé par les transnationales ou la lutte contre la dépendance des sursauts nationalistes ou identitaires suscités par les déstructurations de la mondialisation.

Sans avoir des relations de cause à effet, des faits économiques et politiques internationaux peuvent être corrélés parce qu'ils sont des effets conjoints d'une cause extérieure. Effets de même sens comme la marginalisation économique et la marginalisation politique de l'Afrique subsaharienne après chaque choc extérieur. Effets de sens opposé comme le gain économique et la dépendance politique que crée simultanément tout acte d'échange international [20]. Simple constat qui contraint à rectifier le calcul des gains à l'échange présenté dans tous les manuels d'économie pure.

L'instrumentalisation mutuelle du politique
et de l'économique dans la vie internationale

Les relations entre économie et politique ont souvent été pensées en termes d'objectif et d'instrument par les économistes. C'est un paradigme qui leur est habituel. Et ils espéraient parfois ainsi limiter leur rôle à la définition des instruments et de laisser à l'acteur politique le soin de définir les objectifs. Ont été ainsi construites des théories de l'économie de guerre, de l'économie d'armement, des embargos, de la répartition de l'aide internationale... Réciproquement, les responsables politiques peuvent se voir imposer des objectifs économiques (obtenir, par l'intégration régionale, des économies de dimension et un pouvoir accru dans les négociations commerciales avec l'extérieur) et chargés d'en assurer la réalisation politique. Or la relation d'instrumentalité (instrument/objectif) s'avère instable dans l'histoire des relations économiques et politiques internationales (REPI). À long terme, on l'a vu, il y a eu autonomisation de la croissance économique qui avait été d'abord un instrument de la puissance des États et qui est devenu un objectif en soi. Plus récemment, l'UE est née de la création d'un instrument économique (le pool charbon acier) au service de l'objectif politique de la réconciliation franco-allemande, mais elle est devenue peu après un objectif, principalement un objectif économique.

L'évolution ne s'arrête pas là. L'histoire des REPI est même caractérisée par ce que l'on pourrait appeler les permutations de l'instrumentalité. Sans cesse les instruments deviennent objectifs et les objectifs, instruments.

Pour reprendre l'exemple de l'UE, l'économicisation de ses objectifs n'a pas été la fin de l'histoire. L'UE a connu des périodes de repolitisation de l'économique en transformant ce qui était un choix économique – la monnaie européenne – en un objectif politique (traduisant, ce faisant, ce qui était une proposition rationnellement discutable en un symbole politique mais gardant de son origine économique une réputation de scientificité). Alors que l'économiste pur formalise, à chaque étape, une relation instrumentale précise, les analyses d'EPI s'intéressent aussi à l'histoire des permutations d'objectifs et d'instruments [1].

Les acteurs politiques et économiques internationaux sont, eux aussi, conscients de ces permutations et habiles à les provoquer. Dans le cas de l'UE, les permutations ont été accélérées consciemment par les acteurs sociaux désireux d'en hâter l'avènement (y compris par les analystes qui cherchaient à influer sur les décisions). De même, les stratégies de compétition économique sont-elles aujourd'hui instrumentalisées, réellement ou verbalement, par les rivalités de puissance des États, tandis que les États sont instrumentalisés par les compétiteurs privés. Une aide au développement décidée à des fins économiques et sociales peut se voir instrumentalisée à des fins politiques tant par le donateur que par les receveurs d'aide ; puis l'aide accrue pour ces fins politiques peut être à nouveau affectée à des fonctions économiques, publiques ou privées. Le rôle d'un travail d'EPI sera de dérouler l'écheveau de ces instrumentalisations, de détecter celles qui ne sont pas explicitées et peut-être

---

1. Ces permutations ne sont pas seulement dans le temps mais au sein même d'une situation historique donnée : l'économicisation de l'UE n'empêchait pas que la recherche d'une économie européenne forte était d'abord déterminée par la relation politique de la guerre froide (il y avait des emboîtements de relations d'ordre inverse).

d'identifier, *ex post*, les instrumentalisations qui se sont avérées efficaces en mesurant *ex post* les effets d'intentions indéchiffrables et peut-être indissociables *ex ante*. Les firmes transnationales ont toujours instrumentalisé les États et les États tentent d'instrumentaliser les firmes.

L'EPI et l'hégémonie actuelle du néo-libéralisme

À cette complexité croissante de l'EPI, la « contre-révolution libérale » [39] est venue récemment opposer une simplification drastique de la théorie et de l'objet de l'EPI.

En premier lieu, la théorie libérale a réussi, pour un temps, à restreindre le débat théorique. Elle a contribué à une éclipse du marxisme qui est observable dans la plupart des textes d'EPI. Elle cantonne le « réalisme » dans le champ des politologues. Elle critique toute légitimation, keynésienne, social-démocrate ou nationaliste, de politique extérieure autre que d'ouverture [1]. Elle s'attaque à toute politique, même interne, propre à entraîner des conflits internationaux (elle interdit, par exemple, de remplacer les protections par des subventions aux entreprises exportatrices). Elle suppose et soutient le respect des incitations et des sanctions du marché mondial [2]. Elle suppose et appuie l'universalisation des

---

1. La macroéconomie, créée pour légitimer des politiques nationales autonomes de déficit budgétaires, s'est vu utilisée, tant dans l'Union européenne que dans les ajustements structurels des pays non industrialisés, comme instrument de contrôle international de la réduction du rôle de l'État et de suppression des déficits publics.

2. L'apogée de cette tendance est la construction de modèles de « petits pays » qui n'ont, par définition, pas d'influence sur l'économie mondiale. Toute politique extérieure se voit condamnée comme inefficace et toute politique interne est coûteuse si elle éloigne de la structure des prix internationaux. Ces modèles dits d'« économie dépendante » procèdent donc d'une approche totalement opposée aux théories « dépendantistes » qui supposaient l'incompatibilité des inté-

gestions publiques et l'homogénéisation des formes de concurrence privée.

En second lieu, l'analyse néo-classique s'est, après un siècle de désintérêt, dotée d'une économie politique, la « nouvelle économie politique » (NEP) [8, 12, 31]. Celle-ci utilise les récents progrès de l'analyse politique de la vie économique et de l'analyse économique de la vie politique [17]. Elle ne saurait donc être réduite à une critique libérale des interventions de l'État [1]. Mais elle a, sous l'influence du libéralisme ambiant, particulièrement développé les analyses qui dévalorisent les politiques économiques en les expliquant par des intérêts économiques (hypothèse « utilitariste »), par le poids des lobbies (analyse de la société en termes d'intérêts sectoriels), par une logique de défense du pouvoir de l'État et par une logique administrative de maximisation du pouvoir de la fonction publique et parfois de l'enrichissement des fonctionnaires.

En particulier, la NEP a orienté l'EPI vers une économie politique dévalorisant tout freinage, par les États, du processus de mondialisation libérale. Il a suffi d'appliquer les grilles critiques et dévalorisantes de la NEP aux décisions ou aux aspirations politiques hostiles à la mondialisation. Il y a eu développement d'une économie

---

rêts des pays industrialisés et non industrialisés qui préconisaient des politiques nationalistes d'isolement de l'économie mondiale. L'évolution du sens de mot dépendance est un condensé de l'évolution survenue en quelques années.

1. Elle a même emprunté à la théorie postkeynésienne : la théorie des biens collectifs (Samuelson) qui permet de réintroduire l'État dans ses fonctions de défense ; les mesures du *welfare* par agrégation des surplus des consommateurs qui a donné naissance à un calcul implicitement nationaliste (l'État se voyant chargé de préférer toute situation où les gains individuels sont supérieurs aux pertes individuelles, définition contraire d'ailleurs aux premières positions parétiennes).

politique du protectionnisme plus que d'une économie politique de la déprotection (pourtant le fait majeur de l'époque). On a eu une économie politique de la défense des avantages acquis en réponse à la délocalisation des emplois (qui était, lui aussi, le fait majeur). L'EPI libérale s'est aussi intéressée aux freinages de la flexibilité exigée par la mondialisation, à la survie des obstacles non tarifaires et des contrôles, aux contestations politiques limitant la « faisabilité politique » des réformes libérales, aux contournements et aux détournements des programmes d'ajustement structurel, à la montée de la corruption... Dès lors que l'on pose que l'acceptation de la mondialisation libérale est la conduite rationnelle, ce n'est plus au raisonnement économique mais à la NEP que l'on recourt pour expliquer les comportements hostiles à cette mondialisation. Ces comportements sont ceux d'acteurs sociaux qui n'agissent qu'en fonction de leurs seuls intérêts particuliers et qui ont su masquer leurs véritables objectifs par des références inexactes à des intérêts nationaux. L'exemple le plus achevé de cette NEP est la théorie des « chercheurs de rente » [31] qui a mis en évidence que des contrôles administratifs pouvaient être décidés non pas malgré les rentes créées par ces contrôles mais pour créer ces rentes et participer ensuite à leur partage.

Ce faisant, la NEP est une économie politique qui conforte l'économie pure. Elle en accepte les démonstrations (la libéralisation est rationnelle) et elle retrouve la tendance parétienne à déprécier *a priori* le politique dans ses études économiques. L'économie pure et la NEP sont complémentaires dans la dénonciation du politique. Ce qui oriente l'EPI vers une analyse non pas des évolutions dominantes de la société (but traditionnel des sciences sociales) mais des faits qui peuvent retarder ces évolutions. Ce n'est plus la norme que l'on critique mais les déviances à cette norme. Et cette critique, si elle a mené à bien des démystifications des politiques rentières, ne résiste pas toujours à la tentation du « matérialisme vulgaire », et à une vue réductrice du politique dont elle ignore les rationalités propres, le contenu symbolique, les valeurs sociales et l'aptitude à traiter conflits et des problèmes collectifs.

Si la NEP ne tourne pas sa critique vers les tendances dominantes de l'économie mondiale, c'est que la mondialisation lui semble en voie de réaliser le projet libéral. Les acteurs privés ont pris l'initiative au détriment des acteurs étatiques. Les économies se sont ouvertes. La régulation internationale est confiée au marché. La transnationalisation des entreprises productives érode les nations et limite le pouvoir des États. La financiarisation de l'économie mondiale permet aux capitaux de tourner les réglementations et d'exiger la déréglementation. Les prix internationaux sont libérés, les protections réduites et les prix internes rapprochés. Les anticipations néoclassiques sur les effets de la libéralisation (égalisation internationale des revenus, spécialisation conforme aux avantages comparatifs, ineffectivité et inefficacité des politiques économiques) paraissent partiellement auto-réalisatrices. Les États se voient dépouillés de leurs fonctions économiques et même de leurs pouvoirs régaliens traditionnels (comme la gestion de la monnaie et la gestion des finances publiques). Les politiques internes de revenus sont attaquées, la force des syndicats réduite. Les libéraux y voient une dépolitisation de l'économie internationale et des économies internes.

En conséquence, la réalité paraît se rapprocher de l'utopie néo-classique en approfondissant la dissociation de l'économique et du politique sous plusieurs influences interdépendantes mais distinctes.

Les projets alternatifs ont connu des échecs : effondrement de l'Est, difficultés de la substitution aux importations, crise des politiques économiques africaines et échecs de pays rentiers. La pensée néo-classique a fait des diagnostics exacts et des progrès analytiques incontestables. Le thème de l'harmonie des intérêts économiques internationaux et de la démocratisation a créé une atmosphère favorable. Le libéralisme a su créer, par ses recommandations simples, une idéologie intériorisée par nombre d'acteurs et d'auteurs politiques. Enfin, le libéralisme a su mobiliser des intérêts en sa faveur et ce sera une tâche de l'EPI que d'appliquer (en en évitant les excès) les hypothèses et les méthodes de la NEP pour faire une économie politique de l'antiprotectionnisme, une économie politique de la libéralisation financière, une économie politique de la privatisation des entreprises publiques, une économie politique de l'accueil des transnationales par les États, une économie politique de l'antinationalisme...

Mais des relations d'hégémonie et même de puissance, aussi, ont été mobilisées pour imposer la libéralisation. La crise de l'endettement a permis aux bailleurs de fonds d'imposer la libéralisation en Amérique latine, en Afrique et, désormais, en Asie. Le pouvoir de négociation des États-Unis leur a permis d'obtenir les négociations multilatérales où les effets de puissance ont été non négligeables. Les pays libéraux dominants sont parvenus à infiltrer les régions économiques en formation et à les réorienter vers un régionalisme ouvert.

Enfin, les néo-classiques ont su construire une auto-représentation de leur rôle dans une vision de la mondialisation qui ne va pas sans mythologie. Est présentée en termes de concurrence parfaite une économie libérale qui se développe par une concurrence oligopolistique. L'alignement sur les positions des organismes internationaux est perçu comme un triomphe de la raison et non comme le résultat de pressions financières extrêmement précises. Les politiques indépendantes sont traitées comme une « intériorisation » défectueuse des recommandations des organismes internationaux et non comme des choix différents que les dirigeants occultent par crainte de sanctions. Les succès des politiques économiques du Japon et des pays asiatiques, qui réhabilitaient partiellement le mercantilisme, ont été longtemps présentés comme un succès du marché [1].

Nouveaux thèmes et nouveaux débats

La dynamique nouvelle créée par la mondialisation libérale ne doit être réduite ni à sa représentation normative ni à la critique de cette représentation. De nouveaux débats émergent notamment sur la montée de nouveaux acteurs, sur la dépossession des États et sur l'avenir de la régulation internationale.

L'internationalisation des grandes entreprises, les investissements privés directs et la circulation des capitaux de placement se sont accélérés. Sur ce point précis les anticipations des analyses de gestion, des analyses marxistes et des analyses dépendantistes ne se sont pas trompées. Elles sont utilisables, alors que la représentation microéconomique conventionnelle de l'économie internationale n'y consacrait que des développements

---

1. Cette mythologie a dû, on le sait, être abandonnée sous l'influence des analyses historiques qui ont mis en évidence la présence constante du rôle des États et il a fallu construire une nouvelle interprétation qui montre que l'État était resté « amical au marché » [43]. Et l'on voit aujourd'hui ressurgir une explication libérale de l'histoire asiatique. Mais il ne s'agit plus, depuis quelques mois, d'expliquer des succès par le respect du marché mais des échecs par le non-respect du marché, la corruption et l'interpénétration du public et du privé...

marginaux (et que le rapport de la Banque mondiale sur l'État n'y accorde aucune place). Mais si la dépendance s'est, sur certains points, accrue, elle n'est plus refusée, dans son principe, par les pays pauvres. La plupart des États ne sont plus en conflit avec les transnationales, mais essayent de les attirer et de devenir « crédibles » aux yeux des investisseurs. Les consommateurs appuient la libéralisation pour maximiser leur *welfare*. Il existe même, entre les transnationales et les consommateurs, une alliance très connue mais peu étudiée qui a un poids considérable dans l'érosion de la marge de manœuvre des États [1]. Les consommateurs participent à l'affaiblissement des conflits internationaux et à la critique des contrôles frontaliers. Ils s'opposent au nationalisme traditionnel mais suscitent un nationalisme de frustrations.

La croissance des relations internationales entre acteurs privés a été amplifiée par la montée des relations directes entre acteurs microéconomiques : petites entreprises, migrants, diasporas, contrebandiers, dealers de drogue, fonctionnaires corrompus. Que leur petite dimension les entraîne vers une logique microéconomique concurrentielle ou vers des réseaux hiérarchisés et structurés, ces micro-acteurs contribuent à l'érosion des activités officielles des États (et parfois au développement de leurs activités inavouées). Ils créent des zones d'infraction et parfois de résistance à la politique des États. Ils activent des coalitions transfrontalières qui

---

1. Sur ce point, la représentation néo-classique des gains à l'échange comme une maximisation de la satisfaction d'un consommateur souverain souligne un fait important. Mais elle ignore que les préférences du consommateur ne sont pas autonomes et qu'elles sont construites au moins partiellement par l'offre internationale de produits. Dans la dynamique internationale d'aujourd'hui, la représentation des gains à l'échange est un peu une mythologie (au sens d'explication partiellement vraie, mais erronée et embellie, de la genèse d'un fait).

peuvent freiner ou amplifier les conflits interétatiques. Elles instrumentalisent les États qui peuvent eux-mêmes les instrumentaliser (États contrebandiers, États refuges de capitaux, États producteurs ou trafiquants de drogues).

La régulation de l'économie est-elle, de ce fait, en train d'échapper à l'État ? Celui-ci a déjà incontestablement perdu une partie de cette régulation sous la pression de la concurrence internationale, des normes libérales, des sorties et des entrées de capitaux et des pressions des organisations internationales en faveur de la privatisation. Mais à qui ont été transmises ces fonctions et, en particulier, la régulation de l'économie interne et la participation à la régulation de l'économie internationale ?

Deux réponses extrêmes sont proposées. Pour l'utopie néo-classique, reprise récemment par les organisations internationales, la régulation par les États va céder la place à l'autorégulation par le marché mondial, autorégulation qui dépolitisera les REI, effacera des conflits interétatiques, affaiblira les nationalismes et réduira les fonctions des États au minimum, c'est-à-dire à leurs fonctions régaliennes. Pour les adversaires du néo-classicisme, le retrait des États peut laisser la régulation en déshérence, le marché ne pouvant, à lui seul, éviter une instabilité économique accrue, une exclusion sociale accélérée, des défaillances des États dans leurs fonctions régaliennes, des crises financières périodiques (S. Strange) et peut-être une crise systémique [1].

Pour le moment, les fonctions économiques assumées par les États avant la mondialisation ont des sorts très divers. Certaines fonctions sont privatisées, mais elles ne sont pas assumées par un marché anonyme autorégulateur mais par des acteurs privés qui croient de leur domaine d'assurer consciemment la régulation : monopoles, oligopoles, ou institutions professionnelles (régulation des banques, des établissements financiers ou de la concurrence interentreprises), ce qui accroît le rôle des conventions privées. D'autres fonctions ont été, en fait, transférées aux organisations internationales (FMI, BM, OCDE, OMC, BIT ; Banque centrale...) et aux bailleurs de fonds des pays pauvres par le biais des conditionnalités des programmes d'ajustement structurel et par l'octroi de financements à des objets précis (éducation, santé, dépenses sociales). Des fonctions ont été dévolues aux ONG notamment pour l'environnement, le caritatif et l'humanitaire. La réalité et l'efficacité de ces dévolutions sont une incertitude majeure de l'EPI dans l'avenir.

Toutes les fonctions économiques de l'État ne sont pas transférées. Certaines fonctions risquent effectivement de ne pas être assurées soit qu'elles n'aient pas été reprises, soit que cette reprise ait échoué. La régulation internationale privée des banques montre ses faiblesses à chaque décennie ; la lutte contre la pauvreté redevient une fonction de l'État ; le développement des pays marginalisés n'est pas tenté par les capitaux privés, etc. On sait que, conformément à une vieille tradition, l'État est appelé, en cas d'échec de la régulation privée *ex ante*, pour assurer une régulation *ex post*. Celle-ci n'intervient qu'après les désordres des fluctuations. Elle entraîne des coûts financiers que l'on transfère au public et à l'État (socialisation des pertes). Le danger d'encourager ainsi les prises de risque (*moral hasard*) redevient actuellement un thème de discussion. Et les crises financières créent, par-delà l'angélisme de la vision libérale de privatisation, de nouvelles frictions entre nations et de nouvelles négociations conflictuelles entre États.

La redéfinition des fonctions des États n'est ni achevée ni prévisible. L'État, s'il se voit déchargé des fonctions de protection contre la concurrence internationale, se voit assigner le rôle d'assurer la compétitivité de ses entreprises. La tentation de subventionner les exportations pour maintenir, après la déprotection, une politique stratégique crée des conflits internationaux nouveaux et suscite, en réaction, des redéfinitions plus précises des règles du jeu. De façon plus orthodoxe, l'État se voit imposer de nouvelles fonctions macroéconomiques (gestion équilibrée des finances publiques, respect des grands équilibres, politique anti-inflationniste, freinage des salaires, hausse de la productivité) qui créent des tensions sociales internes et des conflits de normes internationales. En revanche, l'État se voit amené à ne plus assumer même ses fonctions régaliennes : abandon du pouvoir de battre monnaie, abandon de fonctions sociales, acceptation de la marginalisation sociale et géographique ou privatisation de la sécurité. Cette privatisation n'étant d'ailleurs qu'un cas particulier de ce qui a été dénommé la privatisation de l'État [19].

Dans ces mutations, la régionalisation de l'économie mondiale, après avoir suscité un espoir de régulation pluri-nationale (et une protection commune), est peut-être en train de devenir un lieu supplémentaire de dérégulation. Les choix nationaux sont, conformément aux méthodes de la NEP, dévalorisés en faisant de la région un moyen de contourner les lobbies nationaux [14]. Puis la régulation régionale tend à être démembrée par un « régionalisme ouvert » qui risque fort de reproduire, au niveau régional, le démantèlement des instruments de protection nationale et de protection sociale. Les régions tendent même à devenir des institutions politiques qui – au nom d'impératifs politiques, de besoins de sécurité, de risques de trafics illicites et d'aménagement des relations avec des voisins pauvres – se concentrent sur la sécurité, la lutte antidrogue et les migrations. Ainsi se construit un monde où le terme de politique est utilisé pour dévaloriser tout freinage des flux de capitaux et de marchandises mais où il est aussi utilisé pour présenter, au contraire, comme une contrainte non discutable le freinage de la mobilité des hommes (la pensée néo-classique étant brusquement abandonnée sur ce point).

La régionalisation pourrait, par ailleurs, participer au freinage de l'universalisation des structures, des comportements et des idées économiques, qui était généralement attendue de la mondialisation. Déjà se multiplient les signes d'une persistance ou d'un renouvellement des différences : capitalisme rhénan et capitalisme anglo-saxon [2], trajectoires nationales [33], modes nationaux de gestion des entreprises [15], formes multiples de réinvention du capitalisme [6], non-universalité de l'État-nation [4]. Ceci ne sera pas nécessairement conflictuel car, faut-il le souligner, les avantages comparatifs qui sont à la base de la division libérale du travail sont aussi le fait de différences anthropologiques qui créent aussi bien des complémentarités que des conflits : les balances de paiement entre les États-Unis et l'Asie – qui ont joué un rôle majeur dans la régulation de l'économie mondiale – viennent d'une complémentarité entre les comportements d'épargne (ainsi que des différences dans la pyramide des âges). Peut-être même pourrait-on – en utilisant la classification de Huntington [25] sur les formes d'États post-modernes, modernes et pré-modernes – construire une interprétation nouvelle des complémentarités de l'économie mondiale. Mais, simultanément, ces différences créent des récriminations et des incompréhensions qui peuvent, sans cesse, déraper vers des conflits.

Jean COUSSY

BIBLIOGRAPHIE

1. Aglietta (M.), Brender (A.), Coudert (V.), *Globalisation financière. L'aventure obligée*, Paris, Economica, 1990.
2. Albert (M.), *Capitalisme contre capitalisme,* Paris, Seuil, 1991.
3. Amsden (A.H.), *Asia's Next Giant : South Korea and Late Industrialization,* Oxford, Oxford University Press, 1989.
4. Badie (B.), Smouts (M.-C.), *Le retournement du monde,* Paris, Presses de Sciences Po, 2ᵉ éd., 1995.
5. Badie (B.), Smouts (M.-C.) (dir.), « L'International sans territoire », *Cultures et conflits*, 21-22, printemps-été 1996.
6. Bayart (J.-F.) (dir.), *La réinvention du capitalisme,* Paris, Karthala, 1994.
7. Boyer (R.), Drache (D.) (ed.), *States Against Markets*, Londres, Routledge, 1996.
8. Buchanan (J.M.), Tollison (R.T.), Tullock (G.) (eds), *Toward a Theory or Rent-Seeking Society*, Texas, A & M. University Press, 1980.
9. Cardoso (F.H.), Faletto (E.), *Dépendance et développement en Amérique latine*, Paris, PUF, 1969.
10. Chavagneux (Ch.), « Théoriser la mondialisation : une introduction aux approches d'économie politique internationale », *Économies et Sociétés,* série P, 34, 1998.
11. Colclough (Ch.), Manor (J.) (eds), *States or Markets ? Neo-liberalism and the Development Policy Debate*, Oxford, Oxford University Press, 1991.
12. Collander (D.) (ed.), *Neoclassical Political Economy : An Analysis of Rent-Seeking Society and DUP Activities,* Cambridge (Mass.), Ballinger, 1984.
13. Cohen (B.J.), « The Political Economy of International Trade », *International Organization*, 44 (2), printemps 1990, p. 261-281.
14. De Melo (J.), Panaryaga (A.) (ed.), *New Dimensions in Regional Integration,* Cambridge, Center for Economic Policy Research, 1993.

15. Iribarne (Ph. d'), *La logique de l'honneur,* Paris, Seuil, 1989.
16. Frieden (Jeffry A.), Lake (David A.), *International political Economy,* New York, St Martin's Press, 1995.
17. Généreux (J.), *L'économie politique. Analyse économique des choix publics et de la vie politique,* Paris, Larousse, 1996.
18. Gilpin (Robert), *The Political Economy of International Relations,* Princeton (N.J.), Princeton University Press, 1987.
19. Hibou (B.) (dir.), *La privatisation de l'État* (à paraître, 1998).
20. Hirschman (Albert O.), *National Power and the Structure of Foreign Trade*, Berkeley, University of California Press, 1945.
21. Hirschman (Albert O.), *The Passions and the Interests : Political Arguments for Capitalism before its Triumph,* Princeton (N.J.), Princeton University Press, 1977.
22. Hirschman (Albert O.), *Essays in Trespassing : Economics to Politics and Beyond,* Cambridge (Mass.), Cambridge University Press, 1981.
23. Hirschman (Albert O.), *Shifting Involvements : Private Interest and Public Action*, Oxford, Martin Robertson, 1982.
24. Hugon (Ph.), *Économie politique internationale et Mondialisation*, Paris, Economica, 1997.
25. Huntington (S.P.), « The Clash of Civilizations », *Foreign Affairs*, 72 (3), 1993.
26. Keohane (R.O.), « Problematic Lucidity. Stephen Krasner's State Power and the Structure of International Trade », *World Politics,* 50, octobre, 1997.
27. Keohane (R.O.), Nye (J.) (eds), *Transnational Relations and World Politics,* Cambridge (Mass.), Harvard University Press, 1977.
28. Kindleberger (Ch. P.), *Power and Money ; The Politics of International Economics and the Economics of International Politics*, New York, Basic Books, 1970.

29. Kindleberger (Ch. P.), *The World in Depression 1818-1939,* Londres, Allen Lane, 1973.
30. Krasner (S.D.), « State Power and the Structure of International Trade », *World Politics,* 28, avril 1976.
31. Krueger (A.O.), « The Political Economy of The Rent-Seeking Society », *American Economic Review,* 64, juin 1974.
32. Meadows (D.L.) et al., *Dynamique de la croisssance dans un monde fini,* Paris, Economica, 1977.
33. Mistral (J.), « Régime international et trajectoires nationales », dans Boyer (R.) (dir.), *Capitalismes fin de siècle,* Paris, PUF, 1986.
34. Myrdal (G.), *Une économie internationale,* Paris, PUF, 1958.
35. Perroux (F.), *L'économie du XXe siècle,* Paris, PUF, 3e éd., 1969.
36. Stopford (J.), Strange (S.), Henley (J.S.), *Rival States, Rival Firms. Competition for World Market Shares,* Cambridge, Cambridge University Press, 1991.
37. Strange (Susan), *States and Markets. An Introduction to International Political Economy,* Londres, Pinter Publishers, 1988.
38. Strange (Susan) (ed.), *Paths to International Political Economy,* Londres, Allen and Unwin, 1984.
39. Toye (John), *Dilemmas of Development,* Oxford, Blackwell, 2e éd., 1993.
40. Wade (R.), *Governing the Market : Economic Theory and the Role of the Government in East Asian Industrialization,* Princeton (N.J.), Princeton University Press, 1990.
41. Wallerstein (I.), *Capitalisme et économie-monde, 1450-1640,* Flammarion, Paris, 1980.
42. Weiller (J.), *Problèmes d'économie internationale,* PUF, Paris, 2 vol., 1946 et 1950.
43. World Bank, *The East Asian Miracle. East Asian Growth and Public Policy,* Oxford, Oxford University Press, 1993.
44. World Bank, *The State in a Changing World,* World Development Report, Oxford, Oxford University Press, 1997.

TROISIÈME PARTIE

LES NOUVELLES PROBLÉMATIQUES
DE LA GUERRE ET DE LA PAIX

Chapitre 11

Les guerres
de l'après-guerre froide

Faudrait-il donc, ayant déjà pris acte de la « fin de la bipolarité », la « fin de l'histoire », la « fin de l'État-nation », la « fin de la géographie », la « fin des territoires » ou la « fin de l'ordre militaire », que nous ayons le courage d'annoncer, aussi, la fin de notre discipline, les « relations internationales » ? Tout nous y pousserait : le processus de mondialisation, d'abord, qui remet en cause notre objet même puisqu'il ne s'agit plus d'étudier des « relations » entre acteurs prédéfinis mais leur participation commune – ou leur marginalisation accrue – dans un mouvement qui les dépasserait. Les soubresauts identitaires, ensuite, qui nous détournent des « nations », supposées, dans leur interaction, être nos acteurs privilégiés. Le « trans- » semble enfin l'emporter sur l'« inter- » comme interface entre des acteurs plus nombreux, plus complexes, plus insaisissables. Ce n'est donc pas telle ou telle théorie des relations internationales qu'il faudrait « revisiter », comme nous y invitent constamment les révisions d'outre-Atlantique, le néo-réalisme parce qu'il n'a pas su prévoir la fin de la guerre froide, l'institutionnalisme parce que l'ordre ne règne guère sur la planète Terre ou encore le libéralisme parce qu'il est atteint de la maladie infantile d'idéalisme, mais bien la discipline elle-même, dont les présupposés fondamentaux sont vigoureusement malmenés par les évolutions en cours.

Rien ne rend légitime une telle interrogation autant que le spectacle des cadavres dont est jonchée cette fin de siècle. Guerre froide ou non, nouvel ordre mondial ou pas, triomphe du marché ou expansion de la démocratie, on ne peut que constater combien sanglante est notre époque : les hommes tombent par milliers, des montagnes du Tadjikistan aux jungles rwandaises, des piémonts des Aurès aux hameaux du Chiapas. Il serait trop facile d'exclure ce spectacle des écrans de notre discipline en baptisant ces conflits, ces massacres, ces génocides de « guerres civiles » relevant de la compétence des anthropologues et autres spécialistes régionaux et en constatant, non sans raison, que les grandes puissances, elles, ont plus de réticence que jamais à recourir à la force dans leurs relations mutuelles ou même dans leurs relations avec les plus petits [30] même si certains pensent qu'un conflit entre grandes puissances reste probable [5]. Un tel confort intellectuel nous permettrait de vaquer à nos ratiocinations de chapelle, mais il nous mettrait aussi face à d'insolubles contradictions, s'il ne stérilisait pas la substance même de notre métier.

Car comment oserions-nous parler de mondialisation et constater la prévalence accrue du transnational lorsque de larges tranches de l'opinion publique se posent des questions sur ces conflits plus ou moins proches et poussent parfois leurs gouvernements au « devoir d'ingérence » ? Comment exclure ce spectacle de notre champ lorsque nous affirmons l'intrusion de la discipline dans des domaines qui sont dorénavant les siens comme la démocratisation à l'échelle mondiale, la défense des droits de l'homme, la protection mondiale de l'environnement ? Si le territoire national est moins omniprésent comme paramètre [2], la planète entière, souvent dans ce qu'elle a de plus local, est devenue, abstraction faite des frontières, le domaine de notre étude, tant on ne peut plus se contenter du relationnel alors même que nous en constatons, tous les jours, l'usure. « Seul le particulier est universel », disait un grand poète.

Or, à part quelques incidents militaires limités qui relèvent clairement de la logique inter-étatique classique, tel le conflit frontalier opposant le Pérou et l'Équateur, qui fit près de 300 morts en janvier 1995, la bataille éry-thréo-yéménite pour la possession des îles Hanish en mer Rouge (décembre 1995) ou, dans une combinaison déjà teintée d'ethnicité, la guerre entre l'Arménie et l'Azer-baïdjan pour le contrôle du Nagorno-Karabagh, la tren-taine de conflits majeurs de cette fin de siècle relèvent clairement des guerres civiles, et elles peuvent être par-ticulièrement meurtrières (des dizaines de milliers de victimes en Algérie ou au Tadjikistan, des centaines de milliers au Rwanda). Certes, des conflits plus « clas-siques » restent-ils possibles et on n'en est jamais trop loin, en mer Égée, dans le détroit de Taïwan ou dans le Caucase, mais ils paraissent dorénavant être l'exception plutôt que la règle.

Les effets contrastés de la fin de la guerre froide

C'est que la fin de la guerre froide, contemporaine de l'intensification de la mondialisation, n'a guère produit des effets uniformes sur les nombreux conflits en cours. Parfois, la fin de la bipolarité globale a rendu plus aisée la résolution des conflits locaux : le régime de l'apartheid et sa contestation, le cycle de rébellions et de répression en Amérique centrale ont été largement dé-internationalisés avec la fin de la bipolarité et leur issue est devenue plus simple pour les protagonistes, parce que redimensionnée à la baisse. Dans d'autres cas, tout au contraire, la fin de la guerre froide a incité à l'explosion de nouveaux conflits ou à la réouverture de conflits dormants comme ce fut le cas de l'ex-Yougoslavie, des guerres du Caucase, du Tadjikistan et sans doute de la guerre du Koweït. Dans d'autres cas encore, et notamment en Asie, les effets de la fin de la guerre froide sur les situations intérieures ou régionales se sont longtemps fait attendre quand ils n'ont pas été marginaux ou décevants, voire réversibles (comme ce peut être le cas pour le conflit israélo-arabe).

Mais dans la plus grande partie des conflits qui ont proliféré ces dernières années, la fin de la guerre froide a principalement servi à dévoiler la nature profonde des conflits en cours ou à en altérer substantiellement la signification. D'où la légitimité de toute interrogation sur la connexion entre l'évolution de notre discipline et le fait qu'elle soit née et se soit développée principalement en Occident, particulièrement aux États-Unis, au cœur d'un des deux pôles de la guerre froide, et qui va finir par y triompher. Ce ne serait pas avouer un travers incorrigible que de constater combien l'enracinement américain de la discipline a été influencé par l'engagement des États-Unis dans la guerre froide jusqu'à conditionner démesurément l'évolution de la discipline (ainsi que le triomphe de l'école réaliste et/ou néo-réaliste sur les autres écoles tout au long de la guerre froide) par cet engagement. Certains collègues d'outre-Atlantique sont d'ailleurs prêts à le reconnaître avec candeur : « La science politique a été moins intéressée par la guerre en et pour elle-même que par les conflits cataclysmiques entre grandes puissances, conflits qui frapperaient non seulement des populations plongées dans l'ignorance dans des contrées lointaines, mais des gens comme nous. » ([5], p. 7.)

Un large voile était ainsi descendu qui avait conduit à ne voir, des guerres afghane ou angolaise, pourtant si marquées par les clivages identitaires, qu'un « *jihad* des Combattants de la liberté » contre l'envahisseur soviétique et ses clients afghans ou des massacres de la Corne de l'Afrique, où la rupture des appareils d'État était pourtant patente, qu'un reflet supplémentaire, exotique, de la bipolarité. « Les chercheurs en stratégie ont-ils été trop fixés sur la politique ou trop absorbés dans l'activité de conseil aux gouvernements pour savoir garder l'équilibre entre les demandes contradictoires du pouvoir et de la vérité ? », se demande Betts ([5], p. 30). Aujourd'hui, la guerre froide est close et le défi est là : ou nous considérons ces guerres, qui ne reflètent plus une rivalité idéologique et stratégique « centrale », comme hors de notre champ, ou nous les y incorporons et tentons de leur trouver des explications.

C'est, bien entendu, la seconde de ces options qui est la nôtre, non par quelque incurable humanisme ou par un tiers-mondisme attardé mais d'abord parce que l'articulation entre l'interne et l'externe (on dirait plutôt aujourd'hui entre le local et le mondial) est au cœur de notre discipline. La bipolarisation à ambition universelle, de part et d'autre du clivage idéologique d'hier, en avait donné une version simple, voire simpliste : les guerres peuvent éclater dans le monde mais elles ne sont pertinentes pour l'internationaliste que lorsqu'elles sont interétatiques ou lorsqu'elles suscitent l'ingérence des puissances (quand celles-ci n'ont pas été à leur origine). Nous sommes dorénavant face à un défi plus lourd, celui de définir cette interaction alors même que les conflits internes se multiplient et que le système international est en mutation. Comment donc s'arrêter aux frontières des États où les institutions se sont effondrées, où les guerres civiles font rage, où la retribalisation est endémique tout en affirmant, par constat analytique ou par engagement humanitaire, que les frontières des États ne sont plus des seuils à ne pas franchir ?

Le système post-bipolaire et l'avenir de la guerre

On ne saurait, pour cela, se contenter de constater que le processus de mondialisation et la fin de la guerre froide ont produit, jusqu'ici, des effets hétérogènes sur les situations locales et régionales. La courte période qui nous sépare encore de la chute du Mur autant que l'accélération de la mondialisation devraient, certes, nous apprendre la prudence : elles contredisent souvent les généralisations des chercheurs, parfois au lendemain même de leur élaboration. Il n'y a qu'à voir la crise profonde des économies asiatiques, les retournements constants des positions concernant l'avenir de l'OTAN et ses missions, la progression par à-coups de la construction européenne ou les contorsions du processus de paix au Proche-Orient pour conclure à la fragilité de nos hypothèses en apparence les plus solides. Les paradigmes les plus brillants sont rapidement remis en cause, flétris, voire entièrement abandonnés : du « nouvel ordre mondial » à l'« ingérence humanitaire », de la « fin de l'histoire » au « choc des cultures », du « retour de l'État » à sa « crise fatale », la discipline est déjà saturée de concepts aussi attrayants qu'insuffisants. Cela n'interdit pas d'essayer à nouveau et de reprendre les traits les plus marquants du système international présent pour tenter d'en déduire les effets sur les conflits, réels ou

286

potentiels. La relation n'est d'ailleurs pas nécessairement celle de la simple causalité (tel système est, par définition, producteur de tels effets) mais d'une combinatoire autrement complexe.

Une unipolarité pacificatrice ?

L'école dite réaliste a déjà pensé l'unipolarité et en a tiré au moins deux leçons de base : toute puissance qui a la chance d'y accéder tentera de faire durer son « moment unipolaire », alors que les autres puissances chercheront à se coaliser pour en accélérer la fin. Les États-Unis, sortis vainqueurs de la guerre froide, ressemblent largement à ce modèle : leur territoire n'est la cible d'aucune menace réelle d'un État rival ou d'une coalition hostile, leur puissance militaire est telle que leur budget consomme à lui seul plus du tiers des dépenses militaires dans le monde, leur économie est solide et connaît même une enviable embellie, leurs « valeurs » politiques et économiques suscitent un engouement certain et un large mimétisme de par le monde, consolidant ainsi leur *soft power* (Nye). Ils devraient se conformer à ce comportement « réaliste » en confortant leur prépondérance sur le système et en interdisant la formation d'un pôle (ou d'une coalition) hostile. Ils devraient aussi être de fermes partisans du *statu quo* et n'en permettre la rupture que sur des champs et dans des lieux marginaux. La guerre, pour eux, n'est envisageable que comme mesure de maintien de ce qui est (notamment pour contenir ou punir ceux qui remettraient en cause le *statu quo*, tel l'Irak envahissant et annexant le Koweït) et ils n'hésitent pas alors à recourir à la force ; ou parce qu'elle se fait et se déroule autour d'enjeux secondaires qui n'entament pas la prépondérance de l'*hegemon* (telle la guerre d'Algérie ou celle de

Tchéchénie) et ils se cantonnent alors sur une position de réserve.

Certains comportements de ces dernières années confortent cette hypothèse. Washington ne serait intervenue en Bosnie que pour « sauver l'OTAN », structure essentielle pour la projection et l'institutionnalisation de sa prééminence sur le système global, alors que sa réserve est patente sur des conflits comme ceux de l'Algérie, du Caucase ou du Zaïre. En face, des relents de résistance à l'unipolarité peuvent être décelés dans tel communiqué commun sino-russe du printemps 1997 défiant l'emprise unipolaire des États-Unis ou prédisant sa fin prochaine, comme dans certaines déclarations françaises (voir, par exemple, l'entretien de Jacques Chirac au *Monde* du 27 février 1998). Mais, dans l'ensemble, cette hypothèse tient difficilement la route : l'*hegemon* intervient parfois sur des conflits marginaux (Somalie), tente avec plus ou moins de conviction d'altérer un *statu quo* jugé dangereux (conflit israélo-arabe) et paraît plutôt favorable à la construction européenne. En face, le discours épisodique sur la nécessité de rééquilibrer les forces sonne creux, et plusieurs candidats à initier une coalition de contrepoids, tels le Japon ou l'Allemagne, cherchent au contraire à resserrer davantage leurs liens avec Washington. La prépondérance américaine, loin de se complaire dans une auto-affirmation quotidienne, cherche à se draper du manteau du multilatéralisme [26] : contrairement à une puissance impériale qui chercherait l'amplification de ses gains, elle fait tout pour amener les autres puissances à contribuer au maintien du *statu quo*, en ne tirant pas avantage des difficultés d'Eltsine en Tchétchénie, en « engageant » la Chine plutôt qu'en la défiant même après l'incident du détroit de Taïwan ou en rassurant le Japon grâce aux tentatives de dénucléarisation de la Corée du Nord.

Cela n'élimine pas toute nostalgie pour la bipolarité : Yalta était peut-être insuffisamment attrayant pour l'un comme pour l'autre des deux pôles, mais les avantages de ce *statu quo* insatisfaisant l'emportaient largement sur le prix prévisible de sa remise en cause par des puissances dorénavant armées du nucléaire [31]. Deux équilibres s'étaient installés, celui des forces et celui de la menace, également stabilisants. Si nous sommes entrés depuis, et pour une période probablement longue, dans un monde changeant et contradictoire certes, mais, en termes néo-réalistes du moins, plus proche de l'unipolarité que de toute autre configuration imaginable, on peut craindre de voir cette stabilité rompue, en particulier sur l'« ex-théâtre central » qu'est l'Europe. D'où l'appel de certains, pour éviter les conflits à venir, à faire entrer l'Allemagne [27] ou même l'Ukraine [28] dans le club nucléaire. Car s'il n'est pas vraiment établi que l'arme nucléaire rende obsolète la guerre, elle rend impossible la conquête du territoire d'un pays qui en est vraiment doté, c'est-à-dire qui disposerait d'une capacité de seconde frappe [21, 40]. L'unipolarité s'épanouirait alors sans risque de guerre majeure : les pays qui comptent disposant d'une immunité radicale et les États-Unis jouant simplement le rôle d'un arbitre de dernière instance.

Dans cette logique, la possession de l'arme nucléaire est devenue le *sine qua non* du statut de « puissance ». « La guerre nucléaire a tout particulièrement poussé à la théorisation parce que son usage est lui-même théorique. » ([5], p. 14.) A-t-elle été à l'origine de la stabilité du secteur central de la confrontation de la guerre froide ? Ni cause de paix ni source de menaces cataclysmiques, ces armes [29] seraient marginales à la question de guerre et de paix. D'autres affirment que le nucléaire s'est imposé comme une défense si probante du territoire qu'il a rendu les armes conventionnelles inutiles et les stratégies offensives sans objet. Le problème, c'est que le nucléaire, par la gravité liée à son usage, est inopérationnel : des forces conventionnelles ont pu défier des puissances nucléaires à plusieurs reprises depuis 1945 [31]. La prolifération des armes de destruction massive, et en particulier du nucléaire, est en tout cas généralement perçue comme la menace la plus sérieuse de cette fin de siècle d'abord parce qu'elle immuniserait davantage de pays qui peuvent être hostiles à l'ordre post-bipolaire, les pressions constantes sur l'Irak et l'Iran à partir de 1990 en étant l'illustration la plus claire. Les politiques parfois musclées du pôle dominant en matière de non- voire de contre-prolifération sont l'exemple le plus net d'un comportement unipolaire visant à la préservation du *statu quo*. Ce qui n'élimine pas le risque posé par des « groupes sans adresse » (acteurs non étatiques) dotés de ce genre d'armements [38].

L'unipolarité continuerait ainsi de garantir la paix, mais de loin, dans les zones « centrales » où la guerre froide avait stabilisé les fronts, certains [13] allant jusqu'à recommander un retrait pur et simple des troupes américaines encore déployées en Europe et en Asie (100 000 hommes dans chaque cas) et même un démantèlement de l'OTAN. Ailleurs, il faudra résister à la tentation des interventions tous azimuts (y compris en Bosnie), faire confiance aux Alliés pour se défendre tout seuls (Japon, Israël, Taïwan) car ils en ont largement les moyens, et laisser les belligérants des « petites guerres » de la périphérie à leur œuvre destructrice certes, mais marginale pour le système global, la seule exception étant le Golfe où « deux centaines d'avions de combat américains sur quelque base isolée au cœur du désert d'Arabie » suffiraient à dissuader l'Irak et l'Iran de cher-

cher à mettre la main sur les précieuses ressources pétro-
lières de cette région. Si la recherche des moyens de
prévenir les conflits de la périphérie semble refleurir,
notamment en Scandinavie, le pôle dominant paraît plus
préoccupé d'établir cet ordre mondial à deux vitesses
que de revitaliser le Conseil de sécurité de l'ONU ou de
redonner vie au chapitre VII de la Charte, efforts qui réin-
troduiraient une dose, inacceptable pour lui, de multilatéralisme.

Une mondialisation belligène ?

Mais, à l'âge de la mondialisation (dont les néo-réalistes ont généralement tendance à réduire les effets
quand ils ne l'ignorent pas tout à fait), le système global
n'est plus réductible à l'équilibre des forces entre
grandes puissances, hier sur le mode bipolaire et aujour-
d'hui dans une unipolarité *sui generis* (celle d'une « nouvelle Rome » post-moderne). Les échanges entre pays
croissent à un rythme largement supérieur à leur production ; les gouvernements perdent de larges pans de
leurs fonctions régulatrices ; les réseaux transnationaux
se multiplient, notamment par l'intermédiaire des diasporas ; l'information, le capital, sinon les hommes eux-
mêmes traversent allégrement les frontières, et le temps
mondial s'accélère dans les médias, les bourses, les
moyens de déplacement. Sans être le monstre décrié par
les thuriféraires arc-boutés des États-nations, la mondialisation n'en suscite pas moins des effets déstabilisants
en amplifiant l'inclusion de certains et l'exclusion
d'autres, en aggravant l'emprise de ceux qui maîtrisent
l'information, autant pour la collecter que pour la diffuser, en intensifiant la compétition des économies en
manque d'investissements extérieurs et d'accès aux flux,
en multipliant les voies de contournement ouvertes à des

acteurs non étatiques et parfois ouvertement antiéta-
tiques.

Pour qu'elle ne soit pas obérée par d'inévitables effets
pervers, la mondialisation a manifestement besoin de
s'appuyer sur des structures nationales fortes et non pas
rachitiques ou amoindries [11]. Tel est bien le paradoxe
de ce processus et telle est aussi la source du « malaise »
qu'il peut produire : « Au fur et à mesure que la mondialisation fabrique de la proximité, elle sécrète symé-
triquement et parfois violemment de la différence et de
la distance » [16]. Mais s'il est un auteur qui croit fer-
mement que la mondialisation est porteuse de guerre,
c'est bien Samuel P. Huntington, qui constate une césure
entre la modernisation et l'occidentalisation, la première
allant dorénavant sans et, dans de nombreux cas, contre
la seconde. Son essai sur le « choc des cultures » [20],
développé, nuancé, voire amendé par la suite, part de la
crainte de voir l'Occident pénalisé par un processus qu'il
aurait lui-même engagé. La mondialisation serait ainsi
belligène parce que les interactions devenues plus fré-
quentes entre individus nourrissent un sens encore
plus aigu des différences culturelles qui les séparent, que
l'État n'est plus assez fort pour fixer l'identité politique
– la religion ayant tendance à le remplacer dans ce rôle
de cristallisateur – et, enfin, parce que la régionalisation
des échanges économiques favorise une sorte de nationalisme aux dimensions des grandes aires culturelles du
monde. Le choc entre civilisations devient donc inévitable tant au niveau macro (Occident contre islam ou
islam contre hindouisme) qu'au niveau micro, comme
les batailles de Sarajevo, du Nagorno-Karabagh ou du
Sud-Soudan devraient nous en convaincre.

Des innombrables réfutations que cette thèse a soulevées, une des plus convaincantes est celle qui rappelle
qu'épistémologiquement Huntington ne fait que décrire,

dans une veine réaliste éculée, le schéma hobbesien, en remplaçant simplement les États par les civilisations. Mais cela ne résout pas pour autant la question centrale des effets de la mondialisation sur le recours à la force : les médias, en transmettant dorénavant en temps réel des catastrophes humanitaires, ne poussent pas à plus d'interventionnisme militaire pour secourir des populations en danger ? Les amples flux d'investissements ne conduisent-ils pas les entreprises qui s'y risquent à appeler à la rescousse leurs pays d'origine pour rétablir des situations menacées par une guerre civile ou un chaos généralisé ? Plus en amont, des groupes hostiles à « la pensée unique », qui se considèrent exclus des flux d'aide ou d'investissement et/ou privés de la protection de la communauté internationale – ou de ce qui en tient lieu – ne sont-ils pas amenés à se cramponner avec plus de force, sinon d'agressivité, sur des identités communautaires, ethniques ou religieuses revitalisées ou, plus souvent, réinventées ? (pour de plus amples développements sur les appels à l'intervention au Sud comme au Nord, voir Salamé [35]).

Car si le droit et l'ordre en viennent à signifier, plus que par le passé, la libre circulation des flux de capitaux, de touristes, de nouvelles, d'idées, tout exclu se définira d'abord par sa capacité à freiner ces flux ou même à les bloquer en condamnant à mort un écrivain expatrié, en brouillant une station de télévision, en détournant un avion, en enlevant un groupe de touristes, en commettant un attentat contre un des multiples symboles de la mondialisation ou de l'ingérence : une multinationale opérant sous les Tropiques, une mission archéologique, une ONG humanitaire. La censure ou, mieux encore, le détournement deviennent les armes de combat de tout déçu de la mondialisation, quitte à subir les sanctions des Occidentaux (affaire Rushdie) ou leur intervention musclée au secours de nationaux en danger sur une terre étrangère (comme y préparent les manœuvres récentes de l'OTAN ou de l'Eurofor en Méditerranée). Car si la mondialisation est déstabilisante, voire belligène, en l'absence d'institutions étatiques solides, force est de constater combien de nombreux appareils étatiques de la périphérie sont impuissants à jouer ce rôle de relais local aux instruments de régulation et de canalisation des flux et combien les grandes puissances peuvent être amenées, souvent à contrecœur, à aller jouer elles-mêmes ce rôle en se substituant, au moins quand le jeu en vaut la chandelle, aux États locaux, rachitiques ou effondrés, de la périphérie.

États effondrés et « guerres moléculaires »

C'est que, pendant que le processus de mondialisation poussait les États de la périphérie (qui, par de nombreux aspects, commence là où s'arrêtait la frontière à l'Ouest de l'URSS) à jouer leur rôle de relais, la fin de la bipolarité leur soustrayait de substantiels moyens d'action, voire de survie. La bipolarité avait, en effet, été un précieux fournisseur de ressources aux États faibles : en s'alignant sur telle ou telle puissance, ils pouvaient compter sur son appui diplomatique et surtout sur son soutien militaire et financier. Que ces ressources aient été principalement utilisées, non pour combattre le voisin aligné sur le pôle rival, ni pour les besoins de la guerre froide, mais pour assurer le maintien des régimes en place, ne faisait guère de doute. Mais on préférait fermer l'œil sur ce détournement pour des besoins de prestige, sinon de stratégie : ni Washington ni Moscou, ni Londres ni Paris, n'aimaient voir s'effondrer des régimes amis, ce qui aurait indiqué un déclin de leur influence planétaire.

La fin de la guerre froide a induit un tarissement net de ces ressources : Gorbatchev « lâchera » le régime client que Brejnev avait installé à Kaboul, les sandinistes du Nicaragua, le Yémen-Sud converti au marxisme, Fidel Castro, avant de « lâcher » le parti frère de la RDA et Ceausescu. En face, le pôle occidental réduira, quoique avec moins d'empressement, ses investissements politiques dérivés de la guerre froide : les États-Unis iront ainsi jusqu'à aider la prise de pouvoir d'un groupe marxiste à Addis-Abeba, tout en « lâchant » l'UNITA angolaise et les Khmers rouges cambodgiens, pourtant promus, pendant la phase reaganienne, « combattants de la liberté », pendant que Paris invitait ses clients africains à plus d'autosuffisance financière sinon, encore, militaire. Sur place, ces « lâchages » accélèrent souvent un effondrement total de l'appareil d'État, tant ce dernier avait été, au long de la guerre froide, otage et instrument des clans qui s'en étaient assuré la maîtrise [35]. Le surarmement des pays du Tiers Monde pendant les années de guerre froide n'a fait qu'aggraver leur dilemme actuel. Il a été démontré [3] que les effets prétendus positifs de l'acquisition des armes sur leur développement économique, l'industrialisation, la modernisation sociale n'avaient été que des illusions propagées par les régimes dictatoriaux de la périphérie et par les grandes puissances qui les soutenaient.

Ainsi se propage ce que Richard Haas [16] appelle une vague de « dérégulation internationale », suscitée par la diffusion du pouvoir des Grands du fait de la décomposition des blocs, la montée du nationalisme ethnicisé et l'affaiblissement de l'État-nation. Dans de nombreux lieux, cela se fait dans le sang, les déplacements forcés de population, la guerre à la fois *totale* (visant à l'annihilation de l'autre plutôt qu'à sa défaite) et *locale* (même si les belligérants cherchent désespérément des soutiens dans le monde, auprès de leurs diasporas, de groupes partageant leur discours, d'États compréhensifs ou habités par les mêmes animosités tribales). Le paradoxe de cette fin de siècle est que les armes de destruction massive, les plus coûteuses, les plus sophistiquées sont rangées, voire réduites par les traités d'*arms control* et par la réduction drastique des budgets militaires, alors que les hommes tombent massivement dans des guerres où des kalachnikovs de seconde main, des pièces d'artillerie d'un autre siècle, de la dynamite subtilisée aux chantiers de construction, des voitures artisanalement piégées ou de simples machettes font des ravages inouïs.

« Pannes d'État », « guerres moléculaires » et autres « guerres de troisième type » prolifèrent, et la théorie ne pouvait plus les ignorer ou continuer à les caser, comme le faisaient les stratèges de la guerre froide (tout absorbés par la supputation des risques de déclenchement d'une troisième guerre mondiale), dans la catégorie difforme et non théorisable des « conflits à basse intensité ». Notable est, par exemple, l'évolution de Kalevi Holsti. Dans son ouvrage de référence [17], il présente une vision classique, excessivement inter-étatique, de la guerre, dont le champ chronologique commence – ce n'est pas un hasard – avec la paix de Westphalie et dont la thèse reflète la peur conventionnelle qu'inspirent des États trop forts. Aujourd'hui [18], Holsti plaide, au contraire, pour des États forts comme boucliers à la guerre, forts non de leurs moyens militaires ou technologiques mais de leur légitimité auprès de ceux qu'ils sont censés gouverner et de leur efficacité : « Des États forts sont un ingrédient essentiel à la paix au sein et entre les sociétés humaines... L'alternative à l'État peut ne pas être une société universelle en harmonie mais une fragmentation en féodalités, un gouvernement de gangs, des massacres communautaires et le nettoyage ethnique. »

([18], p. 12.) Gurr et Harff ([15], p. 13) y voient la poursuite d'une tendance entamée au début des années soixante, « la manifestation d'une tension continue entre des États qui veulent consolider leur emprise et étendre leur pouvoir et des groupes ethniques qui cherchent à se défendre et à promouvoir leur identité collective et leurs intérêts ». On peut aller plus loin et observer que, dans ces guerres civiles qui prolifèrent, l'État est, au mieux, un témoin impuissant et, au pis, le masque transparent d'une des factions en conflit.

Les processus de paix (*peace process*) ou de reconstruction d'appareils d'État défaillants (*state rebuilding*) et, en particulier, la contribution militaire, diplomatique ou humanitaire des grandes puissances et des organisations internationales dans leur lancement et/ou gestion sont ainsi devenus un chapitre substantiel de la discipline, même si le descriptif, le comparatif et, surtout, le prescriptif l'y emportent largement sur le théorique. Ainsi distingue-t-on les « bons » qui s'engagent dans ces processus et les « mauvais » qui cherchent à les gâcher [39]. Zartman [42] rappelle que l'effondrement d'un État est un phénomène bien plus grave qu'une simple rébellion. « C'est une situation où la structure, l'autorité, le droit et l'ordre politique se sont émiettés et ont besoin d'être recomposés » et, pour ce faire, l'émergence d'un leadership indigène lui paraît bien plus essentielle que toute assistance extérieure. Pour les puissances extérieures, le recours à la force pour aider dans cette entreprise reste handicapé par l'absence d'une véritable doctrine sur l'intervention dans les conflits de la périphérie. Quelle est la règle et où est l'exception : l'intervention en Bosnie, si clairement liée à la stabilisation du continent européen et à l'affirmation de la puissance américaine ou le retrait de Somalie après un engagement précipité et des déboires inattendus ? (voir entre autres [1,

6, 7, 9, 16, 23, 35] pour de multiples et – encore – indécises réponses).

Ambivalente démocratisation

Si la proposition kantienne selon laquelle les démocraties ne se font pas la guerre semble, ces dernières années, avoir bien résisté aux assauts d'une légion de sceptiques, l'internationalisme libéral, qui joue le rôle de paradigme fondateur à l'action de construction de la paix dans les guerres civiles et qui a longtemps dominé la pratique et la théorie, est dorénavant sérieusement malmené et pour de bonnes raisons. On reproche au paradigme de faire des élections et de l'établissement d'une économie de marché une espèce de panacée censée remédier à toutes les situations conflictuelles, alors même que la poursuite de ces deux objectifs peut, au contraire, produire des effets pervers, en minant la paix qu'on est censé établir dans ces contrées ensanglantées [33], les pays divisés par les conflits civils ne disposant guère des mécanismes institutionnels, de la culture adéquate et surtout des modes de régulation de la compétition politique nécessaires dans tout processus de libéralisation politique ou d'ouverture à une économie de marché.

En fait, les démocraties vont en guerre aussi souvent que d'autres régimes, mais elles ont tendance à les gagner, elles sont plus rapides à tirer les conclusions d'une surextension de leur force et évitent généralement des guerres gratuites à but supposé préventif [25]. Mansfield et Snyder ramènent cette prudence avérée des démocraties à l'influence freinante de la politique de masse propre aux vieilles démocraties. Mais, ajoutent-ils, celle-ci ne produit pas des effets aussi apaisants dans les États en cours de démocratisation en l'absence de partis fort bien établis, de tribunaux indépendants, de techniques électorales au-dessus de tout soupçon. Dans ces régimes en mutation, « plusieurs des groupes qui ont intérêt à retarder le processus de démocratisation ont concurremment intérêt dans la guerre, les préparatifs militaires, la conquête impériale ou le protectionnisme » ([25], p. 25). Les tendances belligènes viendraient, dans ces États en transition, non d'un État excessivement fort, mais d'un État affaibli et la conclusion qu'ils en tirent est qu'il serait proprement naïf de croire que la promotion de la démocratie équivaudrait automatiquement à limiter les risques de guerre. Snyder et Ballantyne [37] compléteront cette note sceptique en contestant aussi l'idée que les risques de guerre seraient amoindris par une soudaine libéralisation du marché des idées et notamment des médias au cours des transitions démocratiques : la liberté d'expression, affirment-ils, aurait un tel effet uniquement quand ce marché est régulé par des institutions vraiment démocratiques, ce qui n'est pas le cas des fraîches démocraties où, en l'absence de ces mécanismes, le nationalisme et la propagande à base ethnique peuvent s'épanouir en toute liberté et produire ainsi l'illusion d'un pluralisme d'opinion qui, en réalité, n'est que le reflet, dans le monde des idées, des divisions communautaires en cours d'approfondissement. Zakaria [41] reprendra, dans la même veine désenchantée, ce questionnement sur le comportement effectif des nouvelles « démocraties illibérales ».

L'hypothèse de base de ce nouveau scepticisme est que les régimes en cours de mutation, pour passer de la dictature à la démocratie ou, inversement, d'un régime démocratique à de l'autoritarisme, ont davantage tendance à s'engager dans la guerre que des démocraties *ou* des dictatures stabilisées, le nationalisme étant un langage de référence face à l'inévitable redistribution de ressources, de pouvoir et de statut dans une phase de transition. Les élections, dans ce contexte, peuvent sur-légitimer les plus extrémistes, comme ce fut le cas dans les ex-provinces de la Yougoslavie, et les amener à se faire la guerre ou, au niveau intérieur, conduire, comme en Algérie, à une impasse totale, puis à une guerre civile effrayante quand les résultats des élections ont par trop inquiété une institution aussi centrale que l'armée sur son avenir au lendemain des élections.

La discipline, on le voit donc, ne reste pas insensible à la grande multiplication ni à la croissante diversification des démocraties, qui interdisent dorénavant d'utiliser le mot sans lui adjoindre un adjectif pour le spécifier [8]. Le réconfort de la proposition kantienne (dont Fukuyama [12] donnera une nouvelle version mondialisante dans son essai célèbre sur la fin de l'histoire) n'est donc plus possible : quand on parle de démocratie, on ne dit plus nécessairement la même chose. Qu'une nostalgie pour les États forts d'hier, sinon pour les solides dictatures alliées de la guerre froide, traverse cette révision de l'équation démocratie-paix, n'est pas impossible. La politique de masse ne conduit automatiquement ni à moins de revendications nationalistes, ni à une prédisposition supplémentaire à la soumission aux oukases des puissants. Elle peut aussi accélérer la ruine des appareils [18]. Mais la théorie, en devenant si sceptique sur les effets de l'ouverture démocratique, ne suit-elle pas, encore une fois, des gouvernements qui ont mis un net bémol à leur « croisade pour la démocratie » et au conditionnement de leur aide et assistance au nom du maintien de la stabilité et de l'évitement des extrémistes ethniques et/ou religieux ?

Guerre et économie de marché

Un désenchantement similaire entoure la thèse selon laquelle la prévalence de l'« État marchand » rendrait, en elle-même, obsolète la guerre : les inconvénients (et pertes) liés au conflit armé ne seraient plus suffisants pour compenser les gains prévisibles d'un recours à la force [24, 34]. Il est vrai que les matières premières contribuent dorénavant pour une part trop réduite à la valeur ajoutée des produits (qui plus est, contrairement aux prévisions du club de Rome, les prix de la plupart des matières premières n'ont cessé de baisser depuis 1970), alors que la guerre « ne paie plus, non seulement parce que le prix de la conquête d'un territoire est devenu trop élevé mais aussi parce que les avantages qui découlent d'une telle conquête sont devenus trop modestes » [34]. On peut même dire que « le tout économique » est allé de pair avec une culture si individualiste qu'elle s'est imposée comme obstacle aux programmes de projection de force et a même donné naissance à cette aberration de fin de siècle qu'est la doctrine du « zéro mort », induite du développement « missiles intelligents » et du leurre des « guerres propres ».

Dans une veine presque malthusienne, on peut cependant penser que les ressources ne sont pas infinies et qu'un mélange de croissance accélérée de la population et d'une industrialisation de la périphérie auront pour effet, à l'horizon de 2030 ou de 2050, de rendre la guerre de nouveau attrayante pour acquérir des ressources devenues plus précieuses [5, 10, 31]. La guerre pour le Koweït, si fortement teintée de la volonté d'acquérir la maîtrise sur une région exceptionnellement dotée en pétrole comme l'est le Golfe, indique qu'en cette fin de siècle les échanges de produits n'ont pas définitivement remplacé ceux des missiles.

On peut également penser que le scepticisme qui est de nouveau dominant quant à l'efficacité des sanctions économiques comme éventuelle alternative à la guerre, redonne à celle-ci une pertinence hier menacée. Si, pendant longtemps, on avait considéré les sanctions comme une alternative peu crédible à l'usage de la force pour changer le comportement d'un État, celles-ci ont repris un certain lustre à partir de 1985 parce que ONU et gouvernements y ont eu plus souvent recours alors qu'un groupe d'internationalistes « revisitait » les doutes anciens sur leur efficacité. Un livre [19], fondé sur l'examen d'une centaine de cas, a ainsi conclu qu'une fois sur deux les sanctions économiques avaient atteint leur objectif. Cet engouement allait de pair avec la démonétisation de la force militaire, du fait de l'implosion de l'URSS, de la fin étonnamment pacifique de la bipolarité et avec la recherche de moyens plus « humains » pour atteindre les objectifs de politique étrangère.

L'échec des projets pour imposer des nouvelles sanctions en Conseil de sécurité, la campagne contre les sanctions imposées à l'Irak ou contre Cuba par différents organes, tel le Vatican, ont fait leur effet, d'autant que, dans le cas contemporain le plus aigu, la preuve a été faite que les sanctions économiques ont pu être bien plus désastreuses sur la population civile que la guerre elle-même, puisque si 5 000 à 10 000 Irakiens civils avaient péri pendant la guerre de 1991, des centaines de milliers d'enfants irakiens ont très probablement connu une mort prématurée du fait des sanctions. La nature présumée plus « humaine » des sanctions était d'autant plus suspecte que l'on constatait en Irak ce que l'on avait déjà repéré dans le cas de la Rhodésie pendant les années soixante, à savoir que ce sont les couches les plus démunies de la population (les Noirs dans un cas, les politiquement exclus dans l'autre) qui sont les principales victimes des sanctions.

Exit, du coup, l'argument humanitaire. C'est l'argument d'efficacité qui sera ensuite remis en cause. Un examen approfondi du livre de référence a pu démontrer que les données empiriques étaient souvent inexactes [32]. Qui plus est, il est apparu, notamment dans le cas de l'Irak, que l'emprise du gouvernement a été renforcée plutôt qu'affaiblie par les sanctions à travers une revitalisation du sentiment nationaliste dirigé contre les puissances favorables au maintien des sanctions plutôt que contre le régime en place, l'établissement d'une plus grande dépendance de la population sur le régime pour la satisfaction de ses besoins de base par les coupons de rationnement ou des phénomènes divers de substitution et de contrebande qui ont permis au régime irakien de subir pendant de longues années les effets néfastes des sanctions sans pour autant faiblir.

Sanctions et guerres économiques allaient difficilement de pair avec l'intronisation de l'économie de marché comme « pensée unique » : on ne pouvait à la fois pousser vers le libre-échange et faire l'éloge de la mondialisation, tout en utilisant l'économie comme instrument dans de vieilles applications de la logique des rapports de forces. Tel n'est pas la moindre des contradictions au sein du pôle dominant autant d'ailleurs que dans la discipline, marquée, plus que jamais, par la polémique qui continue d'opposer les chantres parfois naïfs de la mondialisation et les scrutateurs, toujours obsédés par les rapports de forces, de l'école néo-réaliste.

Un pari pascalien

« Si la guerre devient obsolète, l'effort intellectuel qu'on aurait dilapidé en continuant à l'étudier est un bien trop modeste prix. Si elle ne le devient pas, les générations futures seront bien contentes que nous ayons gardé notre vigilance intellectuelle face à ce phénomène. » Il est difficile de réfuter cette conclusion de Betts ([5], p. 33), mais de quelles guerres parle-t-on ? Si la définition générale de Clausewitz reste valide (« la guerre est un acte de violence destiné à contraindre l'adversaire à exécuter notre volonté »), le phénomène nous interpelle, en tant que chercheurs, en et pour lui-même, même s'il nous menace moins comme citoyens. C'est bien un des défis d'une discipline qui a, jusque-là, largement étudié les guerres impossibles et virtuelles et s'est trop peu penchée sur les guerres réelles, les laissant, dans un geste de mépris et d'ignorance, aux comparativistes et autres anthropologues. Cela devrait valoir autant pour les réalistes qui pensent, comme Gilpin ([14], p. 7), que « la nature fondamentale des relations internationales n'a guère changé à travers les millénaires. Elles demeurent une lutte pour la richesse et le pouvoir entre des acteurs indépendants dans un état d'anarchie » et, plus encore, pour les novateurs – qui ont nos faveurs – tel Holsti pour qui « la guerre aujourd'hui n'est plus le même phénomène qu'il était au XVIIᵉ siècle, ni même dans les années trente. Elle a à présent d'autres sources et prend des traits substantiellement différents » ([18], p. 11).

Ghassan SALAMÉ

304

BIBLIOGRAPHIE

1. Aspen Institute, *Managing Conflict in the Post-Cold War Era : the Role of Intervention*, 1996.
2. Badie (Bertrand), *La fin des territoires : essai sur le désordre international et sur l'utilité sociale du respect*, Paris, Fayard, 1995.
3. Ball (Nicole), *Security and Economy in the Third World*, Princeton, Princeton University Press, 1988.
4. Bertrand (Maurice), *La fin de l'ordre militaire*, Paris, Presses de Sciences Po, 1996.
5. Betts (Richard K.), « Should Strategic Studies Survive ? », *World Politics*, octobre 1997.
6. Brown, Schraub (eds), *Resolving Third World Conflict*, US Institute of Peace, 1992.
7. Charters (David) (ed.), *Peacekeeping and the Challenge of Civil Conflict Resolution*, University of New Brunswick, 1994.
8. Collier (David), Levitsky (Steven), « Democracy With Adjectives : Conceptual Innovation in Comparative Research », *World Politics*, avril 1997, p. 430-451.
9. Damrosch (L.) (ed.), *Enforcing Restraint : Collective Intervention in Internal Conflicts*, New York, Council for Foreign Relations Press, 1994.
10. Delmas (Philippe), *Le bel avenir de la guerre*, Paris, Gallimard, 1995.
11. Evans (Peter), « The Eclipse of the State ? Reflections on Stateness in an Era of Globalization », *World Politics*, octobre 1997.
12. Fukuyama (Francis), *The End of History and the Last Man*, New York, Avon, 1992.
13. Gholz (Eugene), Press (Daryl G.), Sapolsky (Harvey M.), « Come Home, America : The Strategy of Restraint in the Face of Temptation », *International Security*, printemps 1997, p. 5-48.
14. Gilpin (Robert), *War and Change in World Politics*, Cambridge, Cambridge University Press, 1981.

15. Gurr (T. R), Harff (B.), *Ethnic Conflict in World Politics*, Boulder (Col.), Westview Press, 1994.
16. Haas (Richard), *Intervention*, Washington, Carnegie Endowment, 1994.
17. Holsti (Kalevi J.), *Peace and War : Armed conflicts and International Order 1648-1989*, Cambridge, Cambridge University Press, 1991.
18. Holsti (Kalevi J.), *The State, War and the State of War*, Cambridge, Cambridge University Press, 1996.
19. Hufbauer et al., *Economic Sanctions Reconsidered : History and Current Policy*, Washington, Institute for International Economics, 1990.
20. Huntington (Samuel P.), « The Clash of Civilizations ? », *Foreign Affairs*, mai-juin 1993.
21. Jervis (Robert), *The Meaning of the Nuclear Revolution,* Ithaca, Cornell University Press, 1989.
22. Laïdi (Zaki), *Malaise dans la mondialisation*, Paris, Textuel, 1997.
23. Levite (Ariel E.) et al., *Foreign Military Intervention*, New York, Columbia University Press, 1992.
24. Luard (Evan), *The Blunted Sword : The Erosion of Military Power in Modern World Politics*, New York, New Amsterdam, 1988.
25. Mansfield (Edward), Snyder (Jack), « Democratization and the Danger of War », *International Security*, été 1995.
26. Mastanduno (Michael), « Preserving the Unipolar Moment : Realist Theories and US Grand Strategy after the Cold War », *International Security*, printemps 1997.
27. Mearsheimer (John J.), « Back to the Future : Instability in Europe After the Cold War », *International Security*, été 1990.
28. Mearsheimer (John J.), « The Case for a Ukrainain Nuclear Deterrent », *Foreign Affairs*, mai-juin 1993.
29. Mueller (John), « The Essential Irrelevance of Nuclear Weapons : Stability in the Postwar World », *International Security*, 13 (2), automne 1988.
30. Mueller John, *Retreat from Doomsday : The Obsolescence of Major War*, New York, Basic Books, 1989.

31. Orme (John), « The Utility of Force in a World of Scarcity », *International Security*, 22 (3), hiver 1997-1998.
32. Pape (Robert A.), « Why Economic Sanctions Do Not Work ? », *International Security*, automne 1997.
33. Paris (Roland), « Peacebuilding and the Limits of International Liberalism », *International Security*, automne 1997.
34. Rosecrance (Richard), *The Rise of the Trading State : Commerce and Conquest in the Modern World*, New York, Basic Books, 1986.
35. Salamé (Ghassan), *Appels d'empire : ingérences et résistances à l'âge de la mondialisation*, Paris, Fayard, 1996.
36. Schraeder (ed.), *Intervention into the 1990's*, Boulder (Col.), Lynne Rienner, 1992.
37. Snyder (Jack), Ballantine (Karen), « Nationalism in the Marketplace of Ideas », *International Security*, automne 1996.
38. Sopko (John), « The Changing Proliferation Threat », *Foreign Policy*, 105, hiver 1996-1997.
39. Stedman (Stephen John), « Spoiler Problems in Peace Processes », *International Security*, automne 1997.
40. Van (Evera), « Why Europe Matters, Why the Third World Doesn't : American Grand Strategy After the Cold War », *Journal of Strategic Studies*, juin 1990.
41. Zakaria (Fareed), « Illeberal Democracy », *Foreign Affairs*, novembre-décembre 1997.
42. Zartman (William I.), *Collapsed States : The Disintegration and Restoration of Legitimate Authority*, Boulder (Col.), Lynne Rienner, 1995.

Chapitre 12

Nouveaux regards
sur les conflits ?

Pendant une longue période, les conflits dits locaux, périphériques, indirects n'intéressaient guère les stratèges et les hommes politiques. L'étude de la guerre était avant tout celle de la « non-guerre », de la dissuasion et des risques d'affrontement classique en Europe. Les ouvrages sur les conflits locaux, les guérillas, la violence politique étaient rares. Si l'on excepte les monographies et les articles sur les conflits locaux et le terrorisme, dérivant de la stratégie indirecte des grandes puissances, les seules grandes études portaient sur les relations entre conflit, diplomatie, développement et régime politique. Elles ne s'interrogeaient guère sur le sens des mots conflit, guerre, violence.

Au contraire, depuis la fin de la bipolarité, les études et publications sur ce type de phénomènes se multiplient [79]. Guerre du Golfe et surtout conflit yougoslave expliquent ce retour d'intérêt vers les « vraies guerres ». Les opérations diverses de l'ONU, l'ère de l'humanitaire viennent en seconde position. Loin derrière, un pré carré d'auteurs continue à travailler sur la dissuasion après la bipolarité, mais ils sont de moins en moins nombreux. Presque tous ces travaux plaident pour un renouveau théorique des études sur la guerre, pour un nouveau paradigme de la violence, mais ils sont loin de poser les mêmes questions. Une immense majorité d'articles et d'ouvrages discute principalement de la relation entre conflit et ordre international après la bipolarité, et seule une petite minorité met l'accent sur le fait que si les conflits, les guerres, la violence se transforment, c'est parce qu'émerge un nouveau rapport des individus à l'espace et aux solidarités sociales.

Au sein du premier courant, deux grandes tendances se dessinent. Aurons-nous, avec l'ère nouvelle, une mort de la guerre [94], une fin des conflits et de l'Histoire [57, 58], une civilisation de l'international dont les conditions de fonctionnement se rapprocheraient de l'interne avec l'émergence de l'humanitaire et de solidarités globales tissant une société mondiale [35, 152] ou, à l'inverse, un bel avenir de la guerre [42], une amplification des conflits due à la fin de la stabilité bipolaire [93, 99, 106...], au retour du religieux, des haines ethniques, et un ensauvagement de l'interne dont le terrorisme ou les révoltes urbaines seraient les prolégomènes ?

Si chaque auteur combine plus ou moins ces deux tendances (optimiste ou pessimiste), et si les dialecticiens sont à cet égard les plus à l'aise, l'essentiel du débat tourne autour de l'avenir de la guerre après la bipolarité et donc, quelle que soit leur position, tous ces auteurs croient que le changement de structure du système international provoqué par la chute du mur de Berlin et l'effondrement du pacte de Varsovie est le principal responsable de la modification des formes contemporaines de la violence.

Ceci est contesté par un petit nombre d'auteurs (une quarantaine d'articles environ) qui soutiennent *a contrario* que les deux phénomènes sont relativement indépendants et que les métamorphoses de la conflictualité tiennent plus à des modifications microsociologiques, liées elles-mêmes à la transformation des États, à la « clôture de l'ère westphalienne » ou au phénomène de la privatisation de la violence qu'à la fin de la bipolarité. Ce serait moins le système international qui serait en cause que la difficulté de l'État contemporain à remplir les fonctions que lui assigne la tradition philosophique, et en particulier celle du monopole de la violence sur son territoire. Ce seraient les mutations des sociétés, les dynamiques de solidarités et d'exclusion qui les traversent et qui se projettent souvent au-delà des frontières, qui seraient alors au cœur des modifications contemporaines de la violence [6, 12, 23, 51, 66, 67, 95, 149].

Il est difficile de trancher entre ces thèses car l'analyse est compliquée par le fait que les changements dans les types de pratiques sociales de la violence et dans les types de regard portés sur elle ne se produisent pas au même moment. Pour le premier courant d'auteurs, souvent d'origine américaine (optimistes et pessimistes réunis), on peut parler de nouveauté car les transformations constatées tiennent au changement de cadre stratégique. La fin de la bipolarité est l'explication majeure des modifications des conflits. Ce qui est central, c'est la fin des soutiens des grandes puissances à leurs alliés locaux, c'est la recherche d'autres ressources pour l'économie de guerre, c'est le retour des haines ethniques et religieuses et la fin du primat du politique. La dissuasion ne joue plus, les puissances locales retrouvent leurs ambitions, les gouvernements faibles ne sont plus soutenus de l'extérieur pour réprimer leur population et s'effondrent par manque de légitimité. Selon le deuxième courant, les transformations des conflits ont vingt, trente ou cinquante ans. Elles existaient déjà, mais comme elles gênaient la vision de la stabilité bipolaire, on refusait d'en parler, on les ignorait. Ces modifications des conflits tiennent à l'impossible généralisation d'un système westphalien à l'échelle planétaire, à la transnationalisation croissante du monde, à la modification des rapports entre territoire et identités. Si l'on note des transformations dans les pratiques sociales de la conflictualité, la période charnière est celle des années soixante-dix, celle de l'invention de nouveaux répertoires d'action par les combattants, utilisant la médiatisation, l'implication des tiers au niveau de leurs sociétés dans le conflit, les pratiques de violence délocalisée... Bref, ce qui est perçu comme une nouveauté post-bipolaire par certains auteurs à succès est, en fait, bien plus ancien. Le rapport de cause à effet entre changement du cadre international et modification des conflits est éminemment discutable.

Dans ce chapitre, nous voudrions rendre compte aussi synthétiquement que possible des principales thèses qui sont entrées en concurrence pour le « monopole de l'explication légitime » de la période post-bipolaire : fin de l'histoire, unipolarité, turbulences et chaos, clash entre civilisations, etc. Ces thèses sont largement popularisées au-delà de la sphère universitaire et constituent la manière dont le débat est présenté par les hommes politiques et les journalistes. Il est impossible de les ignorer. Elles prédominent non seulement en termes de publications mais aussi en termes d'influence sur les conduites politico-diplomatiques. Nous proposerons, néanmoins, dans une deuxième partie, une grille de lecture alternative des conflits contemporains qui tienne compte des transformations affectant le système westphalien, et du rapport à la subjectivation de la violence.

Stabilité bipolaire :
fait historique ou croyance nécessaire ?

La fin de la guerre froide a fait l'objet de multiples commentaires. Seulement elle a été beaucoup plus analysée comme un fait marquant que comme une question à résoudre [95]. On a eu très vite tendance à résumer les transformations courant sur une bonne dizaine d'années à la seule journée de la chute du mur de Berlin. On a créé une coupure, un Avant et un Après bien distincts et devant relever de cadres interprétatifs différents. Cette sacralisation de la chute du mur a l'« avantage », pour les internationalistes, d'éviter de s'interroger sur les signes avant-coureurs, non perçus par la majorité des auteurs. D'une certaine manière, elle permet de continuer avec les mêmes thèses en affirmant la soi-disant pertinence de la stabilité bipolaire de la période de guerre froide [90, 99].

Or, comme le signale John Mueller, les thèses actuelles inspirées du réalisme, du néo-réalisme (ou ralliées à lui) nous font oublier l'histoire de la guerre froide, et nous exagérons largement, depuis que la menace soviétique a disparu, la stabilité de cette époque [111]. Ceux qui se souviennent maintenant des *happy days* des années cinquante oublient le maccarthisme, la guerre meurtrière en Corée, ou encore le malaise profond suscité par la menace apparemment sérieuse du communisme, avec sa volonté d'« enterrer » économiquement l'Ouest en dix ou vingt ans [118]. Ils oublient aussi que « la grande menace du péril nucléaire n'empêchait nullement les autres menaces (terrorisme, drogue, révoltes...) d'exister déjà à l'époque, et ils exagèrent grandement leur nouveauté ». Bref, une « nostalgie » de la guerre froide est apparue chez ceux qui ne cessaient de brandir le péril communiste. De manière extraordinaire, par cette évocation de l'âge d'or, les auteurs néo-réalistes réussissent ce coup de force de transformer leur « imprévision » en victoire. Et ils ont finalement réussi à faire clore le débat sur la période bipolaire, en faisant passer leur thèse de la stabilité pour une évidence confirmée par le changement actuel, alors que celle-ci était âprement discutée et combattue par les behaviouristes qui insistaient sur les risques d'escalade [131, 132], et par les théoriciens de l'interdépendance qui insistaient sur un monde multipolaire que les grandes puissances ne maîtrisaient nullement [85].

Seule cette vision de la stabilité bipolaire, largement partagée par les réalistes, les néo-réalistes et certains culturalistes, leur permet ensuite d'entretenir, entre eux, un débat très animé sur le monde « post-bipolaire ». Mais, comme beaucoup de « grands débats », il repose ainsi sur un fonds commun partagé par un « tout petit monde » [13]. Fonds commun que l'on se doit d'interroger dans une perspective critique. Ce grand débat sur les orientations du monde post-bipolaire se pare en effet des termes de « nouveaux paradigmes ». Chacun présente ces thèses comme une nouvelle vision du monde, un peu à la manière d'un architecte visionnaire voulant que son bâtiment soit la quintessence du monde à venir. Plus l'article est court et percutant, plus son titre est accrocheur, plus il a de chance d'attirer l'attention dans la « foire aux idées », organisée autour de *Foreign Affairs*, *International Security*, *The National Interest* et *American Political Science Review*. Les stratégies de différenciation sont donc très grandes entre les auteurs mais, *in fine*, on peut distinguer deux types de discours sur l'après-bipolarité. Ces deux discours correspondent plus ou moins à deux périodes, comme l'ont signalé Ned Lebow aux États-Unis et Zaki Laïdi en France. Ils ne font le plus souvent que retracer des « états émotion-

314

nels » des analystes, des sentiments divers à l'égard des transformations sociales certes, mais surtout à l'égard de leurs certitudes concernant leurs instruments d'analyse de cette réalité sociale et internationale. C'est pourquoi on peut les classer en fonction de l'optimisme ou du pessimisme qui les caractérise, car souvent ils ne sont guère plus que la rationalisation discursive d'un *ethos* lié à des positions sociales et l'on cherche souvent désespérément la moindre innovation théorique. Bref, qu'ils cherchent à rassurer ou à inquiéter, ces discours visent à créer un lien de causalité entre les transformations des conflits et le changement de cadre international et ils ne peuvent le faire qu'en croyant à la période de l'Avant comme une période limpide, qui a duré sans changement, et qu'une théorie simple peut résumer : la stabilité bipolaire.

Le discours sur la fin des conflits

Un premier type de discours (fin de l'Histoire, unipolarité) est fondé sur un optimisme lié à la disparition imprévue de l'adversaire. Dans un premier temps, la chronique annoncée de la défaite soviétique est lue comme une victoire de l'Occident et, au-delà comme une victoire de la « paix » sur la « guerre ». On joue avec l'idée d'une pacification possible des conflits régionaux. Certains voient poindre l'aube d'un gouvernement mondial. À défaut de son organisation immédiate, *via* l'ONU, l'idée démocratique, portée par le marché et la communication de masse (les trois piliers du libéralisme), a détruit les fondements autoritaires des régimes. Le sens de l'Histoire est connu, les conflits continueront, certes, mais ils s'épuiseront car il n'y a plus d'autre alternative pensable que la démocratie de marché [68]. Un temps mondial de la démocratie de marché se mettra en place et obligera tous les acteurs à se repositionner par rapport à lui, y compris l'islam « qui n'exerce aucun attrait en dehors des contrées culturellement islamiques à leur début » ([58], p. 71). Un courant institutionnaliste mettant l'accent sur les normes, contraignantes pour les États, des organisations internationales place ses espoirs dans l'ONU et dans l'émergence d'une « gouvernance globale ». Les « idéalistes » néo-wilsoniens et les juristes internationalistes plaident pour cet effort « d'aller vers l'universel ». Le thème de l'humanité, comme celui de l'humanitaire, devient à la mode. Le thème de la société mondiale resurgit une fois de plus. Cette société mondiale a néanmoins des tuteurs, des élites. Tout le monde n'est pas prêt. Un certain messianisme américain refait surface.

Dans ce nouveau monde, la place des États-Unis est claire. Ils assurent la stabilité unipolaire qui, à la différence de la stabilité bipolaire, est certes plus déterminée par le comportement d'un acteur responsable que par la structure elle-même, mais est aussi le résultat d'une « avancée » mettant fin à la coercition massive des populations de l'Est. L'éditorialiste Krauthammer reprendra le flambeau de cette ligne de pensée après la guerre du Golfe, lorsqu'il ne sera plus de bon ton de vanter la fin des conflits et lorsqu'il faudra lutter plus âprement qu'auparavant pour obtenir des budgets pour les armées [90]. La pacification n'empêche pas le déploiement des armes, l'ONU reste souvent paralysée et inefficace, l'OTAN n'a pas à disparaître, le monde a besoin d'être régulé, non par un gendarme mais par une coalition de « sages ». Les États-Unis agiront de concert avec les autres puissances pour l'intérêt de tous. Charles-Philippe David, tout comme Valladao, est encore plus direct que Fukuyama ou Krauthammer : les puissances européennes tout comme le reste du monde ont besoin de la *pax ame-*

ricana [38]. Une stabilité hégémonique unipolaire est possible. Le monde va s'homogénéiser progressivement à l'horizon 2020, il faut juste l'aider à « accoucher » (programme de Harvard University sur les États-Unis à l'horizon 2020). Une combinaison plus ou moins harmonieuse des critères de l'intérêt des États, de la culture occidentale et de la mondialisation se met en place [27, 58]. Graham Allison, commentant ces visions des conflits et de la sécurité, notait ironiquement que *life, liberty and the pursuit of happiness* aurait pu servir de devise à cette nouvelle vision de l'époque, si la devise n'avait pas déjà été utilisée plusieurs siècles auparavant par les pères fondateurs [3]. Les universitaires américains et canadiens appartenant à ce courant regroupant néo-libéraux, néo-institutionnalistes et quelques vieux wilsoniens trouveront un appui auprès de tous ceux qui ont intérêt, au sein des armées et des sociétés d'armement ou de nouvelles technologies, à ouvrir de nouveaux espaces de possibilité pour les « savoirs sécuritaires » vers d'autres domaines (écologie, économie, société...). On verra de nombreux ouvrages fleurir sur la sécurité globale, environnementale. On plaidera pour un élargissement de la notion de sécurité au-delà du militaire. Quelques fondations encourageront les réflexions sur le nouveau rôle des États-Unis, « ni gendarme, ni isolationniste », et sur les formes de conflits et de sécurité qui en dériveront. Elles encourageront une réflexion sur les opérations dites humanitaires, sur la prévention des conflits, sur la sécurité globale (Soros, Rockfeller, Usip). Les travaux sur les opérations armées humanitaires prendront une tournure très différente de la « geste "héroïque" des french doctors et seront intégrés dans une stratégie de *power politics* » [51, 127] où l'humanitaire est un mode de l'hégémonie. Ce courant « optimiste » s'appuyant aussi sur les entreprises, l'économie, et parfois sur les écologistes, sera repris en Europe (surtout dans les pays scandinaves par prolongation de la *peace research*) et en France, mais là, de manière limitée. Thierry de Montbrial, dans le *Ramsès*, André Fontaine, dans des éditoriaux du journal *Le Monde*, s'en feront les échos. Une large partie des « libéraux » s'y retrouvera avant que certains d'entre eux ne s'alignent sur Huntington, Guy Sorman et la peur des barbares. Sans doute le débat sur l'immigration, l'intégration et les liens entre cette question et la vision de l'ordre international joueront-ils en faveur de ce retournement de conjoncture.

Abandonné par l'*establishment* politique et sécuritaire, pendant deux ou trois ans, ce discours est loin d'être dépassé. Il reprend une certaine vigueur à un niveau plus théorique et est développé par les chercheurs influencés par le renouveau des thèses de Norbert Elias et par les thèses de l'International Political Economy. Pour ceux-ci, la globalisation peut se lire comme une configuration mondiale des chaînes d'interdépendance qui a tendance à contraindre de plus en plus les comportements des acteurs étatiques et subétatiques. Dès lors, constatant la diminution des conflits interétatiques, ils concluent à l'obsolescence de la guerre traditionnelle et pensent que l'existence de normes internationales soutenues par l'ensemble des grandes puissances limite les possibilités de conquête et de modification des frontières à l'avantage de l'agresseur, comme l'aurait montré l'échec de l'Irak dans son invasion du Koweït : la guerre perd alors de son intérêt comme moyen de mener une politique de puissance. La guerre interétatique est alors limitée par l'existence d'un ordre international émergent fondé sur une culture économique, sur le rôle du droit, sur la dévalorisation de la violence par la démocratie [64]. La guerre ne serait donc plus le choc armé entre des États. En cela elle serait morte [50, 94]. Nous assisterions à la

318

fin de l'ordre militaire [11]. Tous les développements des auteurs transnationalistes sont mobilisés pour promouvoir l'idée que les normes internationales finissent par contraindre les États et que le Droit (même sans force) prime la force (lorsqu'elle est sans droit) [84].

À l'inverse de cette approche mettant l'accent sur les dynamiques d'intégration, nombre de commentateurs se lamentent sur l'augmentation du nombre de conflits ouverts et de leur « barbarie » [116, 151]. Ils ne voient à l'œuvre que des dynamiques de fragmentation où les empires capitulent sous les coups des nationalismes, où les États nationaux cèdent sous les ravages des rivalités ethniques, où les groupes ethniques se clivent en fonction de haines religieuses ou irrationnelles et où chacun finit par lutter contre chacun.

Le discours sur le désordre et le chaos

Un second type de discours (désordre international, clash civilisationnel) est fondé, lui, sur un pessimisme lié à la peur d'un retour à l'âge de nature hobbesien. Il va émerger en croyant retrouver dans les conflits du Liberia, de la Somalie puis de la Bosnie, le cas limite de l'anarchie de tous contre tous. Il triomphera, un moment (1992-1995), du discours optimiste à partir de la guerre du Golfe et surtout de la guerre en ex-Yougoslavie et créera une forte attraction pour les vieilles thèses déclinistes et les auteurs les plus pessimistes sur la nature humaine. Les réalistes s'émeuvent : la stabilisation bipolaire s'écroule, l'anarchie règne, l'unipolarité est un leurre. L'intérêt national sans frein des puissances moyennes se fait jour. Pis, les intérêts d'acteurs subétatiques profitent de la faiblesse momentanée de l'ordre international et des dirigeants internes pour relancer des conflits éteints, allumer des haines ethniques... Le contrat social interne disparaît. Les dynamiques de fragmentation ont fait glisser l'anarchie de la scène interétatique vers les scènes nationales. Les trois niveaux distingués par Waltz s'effondrent comme un château de cartes. La fin de la bipolarité détruit l'équilibre international. L'anarchie règne entre les États, la volonté de puissance n'est plus stabilisée, la nature humaine belliqueuse refait surface [148]. Dans ce cadre discursif de l'anarchie internationale, l'horizon *a priori* inatteignable de la guerre de tous contre tous (à l'extérieur et à l'intérieur) est brusquement pris pour une description de toutes les pratiques de violence (étatiques, minoritaires, individuelles).

On décrit les conflits les plus cohérents et souvent les plus cyniques (Afghanistan, Liban, Liberia, Bosnie, Algérie) comme un univers anomique, inexplicable, irrationnel peuplé d'individus livrés à leurs pulsions meurtrières premières. Les articles sur ces conflits mélangent articles de presse, CNN, Internet et réflexion néo-philosophique brodant autour de Hobbes. Rares sont ceux qui vont sur le terrain. On ne dira jamais assez ce qui résulte de telles pratiques d'écriture et la facilité avec laquelle ethnocentrisme et racisme peuvent s'y déployer [16, 28]. Pour tous ces auteurs, le thème de l'ethnicité devient un sujet de lamentation. Ignorants de l'anthropologie et de la sociologie des mobilisations, ils renvoient ces conflits à une nature humaine d'autant plus sauvage qu'elle habite au Sud. Selon eux, le désordre international guette derrière l'apparence d'homogénéisation dans les institutions internationales. Celles-ci sont incapables de gérer les crises internes des États. Même les États-Unis et les coalitions qu'ils mènent n'y arriveront pas. Les guerres ne sont plus celles des États entre eux (malgré le Golfe) mais des guerres (in)civiles. À partir de 1992, pas un éditorialiste n'échappe à des considérations sur le nouveau désordre mondial. Tout est désordre, irrationnel, comportement erratique. « À l'ordre bipolaire a succédé un monde disparate, éclaté, désarticulé... » [55] On ne cesse, à tort, d'évoquer une augmentation des conflits dans le monde. Philippe Moreau Defarges, de manière pondérée et synthétisant ces types de discours, écrit : « Depuis la fin des années quarante, l'antagonisme Est/ Ouest a créé un ordre mondial aux règles à peu près stables. L'évanouissement de cet ordre permet aux virtualités anarchiques de s'épanouir. Le formidable reflux de l'opposition américano-soviétique laisse d'immenses régions dans le bourbier de leurs difficultés et de leurs conflits. Même si l'ONU envoie parfois des forces de police, il reste la réalité de vastes espaces de la terre, non plus manipulés par Washington et Moscou, mais abandonnés à la confusion, attirant les trafics d'armes, de drogue, de déchets... » [110].

Mearsheimer, dans son article « Back to the Future », se fait l'interprète de cette pensée pessimiste qui se développera dans presque tous les articles de la revue *International Security*. On évoquera le désordre mondial, « le nouveau Moyen Âge » ou le retour au *Dark Ages* [9, 64, 108]. Brutalité des massacres, retour du religieux et des haines ethniques, terrorisme, régression vers la barbarie seront des leitmotivs fréquents. Le Sud est peuplé de barbares qui s'entre-tuent et qui parfois viennent semer le trouble en Occident. Arménie, Liberia, Bosnie, Rwanda, Algérie sont des « conflits de fin de la civilisation ». Ils marquent la différence entre les civilisés et les barbares, les laïcs et les fanatiques. On compare la situation post-bipolaire à celle de Rome après la destruction de Carthage, c'est-à-dire à un empire sans ennemi préoccupé par un Sud chaotique et incontrôlable, nouvelle image du barbare [123]. Des débats ont lieu entre les auteurs. Jusqu'où cette image du chaos est-elle pertinente ? Décrit-elle la réalité ou est-elle une idéolo-

gie en voie de constitution et restructurant une hégémonie « prédatrice » ? Jusqu'où la dialectique du
bourgeois et du barbare peut-elle se déployer [66] ? Faut-
il élargir la sécurité et la renforcer car les menaces dif-
fuses sont pires que la menace soviétique ? Faut-il intégrer les considérations migratoires et les atteintes aux
identités sociétales à la sécurité pour contrer les barbares,
d'où qu'ils viennent ? N'est-ce pas là au contraire ce
qu'il faut éviter ? [16, 145] Ne faut-il pas admettre que
risque et liberté vont de pair et que la sécurisation absolue, globale, est impossible ?

Les attitudes et les réponses varient. La liberté recon-
quise à l'Est est souvent oubliée ou relativisée, la peur
du nucléaire aussi. L'équilibre sécurité-liberté est remis
en cause. Beaucoup favorisent la sécurité dans une
société du risque soumise à la globalisation. Les hommes
politiques et une partie de l'opinion s'inquiètent des
conflits locaux qui produisent des réfugiés et surtout des
réfugiés qui s'enfuient vers les pays occidentaux. Pour
le *Spiegel*, la peur de l'immigration massive des Russes
remplace celle des chars. Les médias jouent un rôle clé
en transformant les incertitudes en danger, les risques en
menaces, les transformations de structures en responsabilités de certains groupes défavorisés. Dans ce contexte,
la disparition de la menace soviétique rend, paradoxalement, plus « craintifs » les professionnels de la sécurité. Sans focalisation particulière sur une figure précise
de l'ennemi, ils ont tendance à lire, eux aussi, tout événement du monde social comme une insécurité potentielle, comme une menace « diffuse ». Leur lecture du
monde n'a plus de boussole, de point fixe. Elle s'affole.
L'Ordre n'est plus. Le téléspectateur découvre une planète complexe et incompréhensible à la place d'un
monde simplifié depuis des années en deux blocs (dont
un « rouge ») par les géopoliticiens. C'est là où le bât

blesse. La lecture en termes de chaos est problématique auprès de l'opinion. La métaphore du désordre tend à décrédibiliser celui qui parle et explique : l'homme politique, l'expert, le journaliste. Aussi le chaos doit-il être orienté, on doit retrouver un ordre sous-jacent sous l'apparence de désordre. Ce sera une nouvelle bipolarité, un nouveau clivage. Les jeux politique et bureaucratique l'exigent pour « rassurer » une opinion soi-disant « déboussolée » [53].

Très vite, on propose donc une nouvelle carte du monde, aussi simple que la précédente mais différente. Le chaos est « géopolitisé » et on retrouve une nouvelle bipolarité : les États de l'Ouest face aux autres ; ou le chaos est « géoculturalisé », ethnicisé ou transnationalisé : les populations de souche contre les autres. L'énoncé The West and the Rest (of the world) triomphe dans les éditoriaux américains sans doute parce qu'il joue de l'effet d'assonance [100]. En Europe, on préfère (parce que moins à l'Ouest ?) l'image de l'affrontement Nord/Sud par inversion brutale du « dialogue Nord/Sud ». Régis Debray, toujours en pointe, écrit ainsi dès 1989 : « Habitué jadis à une grande peur bien rassurante, l'esprit public n'est guère préparé à l'enchaînement des petites menaces, minorées comme périphériques... La fin de la dyarchie USA/URSS nous fait passer d'un monde où le risque (programmé) de guerre mondiale dérivait en conflits régionaux, à un monde de conflits régionaux risquant de dériver en guerre mondiale non programmée... Le Nord nucléaire et rationnel dissuade le Nord rationnel et nucléaire, non un Sud conventionnel et mystique. » [40]. Samuel Huntington n'innove donc en rien dans son article « The Clash of the Civilisation » qui a fait couler beaucoup d'encre. Il prolonge simplement l'idée de Debray d'une opposition entre un Nord rationnel et un Sud mystique en y ajoutant un adversaire à la taille des

États-Unis, la Chine [75]. Et même là, il ne fait que reprendre les idées du Pentagone sur le nouvel ennemi (la Chine), ainsi que l'idée de Buzan que l'élargissement de la sécurité s'enracine dans des valeurs culturelles qui entreront en collision [26, 27]. Mais sa synthèse « fait mouche ». Il refabrique un ennemi à la fois géographique et transnational, à la fois nommable et toujours invisible, infiltré. La connexion « confuciano-islamique » s'attaquant à l'Occident est en effet suffisamment floue pour qu'avec elle on ait une « explication toute faite » des problèmes du Moyen-Orient, d'Asie ou/et du multiculturalisme aux États-Unis, de l'immigration en Europe. Dans son article, puis dans son livre, Huntington polarise l'attention de ses collègues et du monde de la sécurité en affirmant que l'État est dépassé, que les civilisations sont les nouveaux acteurs, mais il les rassure aussitôt : les civilisations se comportent selon les critères bien connus de l'intérêt. La matrice du réalisme se prolonge donc avec de nouveaux acteurs plus « globaux » : les civilisations. Les civilisations ne nient donc pas les États mais structurent les jeux d'alliance entre eux. Huntington fait ainsi « beaucoup de bruit pour rien (ou presque) » dans le monde académique. Mais, en parallèle, il réinvente des lignes de fracture, des frontières à fonction sécuritaire légitimant à la fois les regroupements régionaux entre armées occidentales au sens large (UEO, extension de l'OTAN) et participe à la création d'un vieil ennemi sous une peau neuve : l'Orient. Edward Saïd, ironiquement, parlera à l'égard de sa thèse de *clash of definitions*. Wang Jisi s'interrogera sur le glissement de statut de la Chine communiste à un État confucianiste pour les besoins de l'argumentation, et Jocelyne Césari expliquera comment l'islamisme de Huntington est typique des confusions produites par des visions essentialistes des cultures et des religions [32, 97, 126]. Hayward Alker rappellera d'ailleurs que la dialectique des civilisations bien effective ne conduit pas au clash mais au mélange [2]. Pierre Hassner montrera que le « nouveau paradigme d'Huntington » est pour beaucoup redevable au « vieux Spengler » [65]. Nous-mêmes avons insisté sur le fait que la thèse de Huntington fonctionnait sur les mêmes bases schmittiennes du politique qu'auparavant la géopolitique de Ratzel : l'ennemi crée l'identité et la différence, les frontières entre eux et nous [14]. On ne distingue nullement différence, altérité, adversaire et ennemi. Dès lors, tout ce qui est différent est forcément ennemi et cet ennemi est ce qui nous définit politiquement. Ainsi, puisque l'islam, parce que différent, est l'ennemi, il nous reconfigure en monde chrétien (même si nous sommes laïcs). Huntington est prisonnier des mêmes contradictions logiques que Carl Schmitt. Mais son célèbre prédécesseur ne se reconnaîtrait sans doute pas dans les simplifications outrancières de l'ouvrage de Huntington, car il prenait soin de distinguer l'ennemi privé de l'ennemi public. Huntington n'invente donc aucun paradigme, contrairement à ce qu'il prétend. Il reprend la bonne vieille matrice du maccarthysme et de l'ennemi infiltré, bien connus des milieux de ces militaires nostalgiques de la bipolarité. Et si son article et son livre ont eu ce succès auprès d'eux, c'est sans doute que ce vieux paradigme populaire et simple répond à la socialisation de nombre de personnes et à la montée de la xénophobie. En outre, il légitime une surveillance accrue, et le maintien de certains budgets, au nom de la préservation de la sécurité intérieure menacée par les atteintes aux identités sociétales [16]. En effet, si les exemples de Huntington sont caricaturaux et montrent son ignorance des réalités de terrain de l'islam, comme de la Chine, le thème des « frontières sanglantes de l'islam » a pour avantage de redonner à certains généraux et hommes politiques ultraconservateurs des arguments pour lutter contre la diminution des crédits et pour crier à l'inconséquence coupable des gouvernants.

La force de ces discours tient à leur ambiguïté, à ce qu'ils ne sont pas de purs mensonges. Ils décrivent des pratiques effectives d'invisibilisation, de réseaux d'acteurs clandestins qu'un discours institutionnel et diplomatique cherche à masquer. Ils apparaissent donc comme des discours de dénonciation, comme des discours vrais s'opposant au « mensonge d'État » sur le nouvel ordre international. Ils mobilisent les déçus, les inquiets et jouent à l'échelle internationale une fonction similaire à celle des partis d'extrême droite à l'échelle nationale. Seulement, comme eux, ils fabriquent des amalgames inconsidérés confondant victimes et bourreaux, ils créent des boucs émissaires et fabriquent des causalités fictives en voulant trouver absolument un ennemi derrière chaque transformation sociale désagréable (dénatalité, chômage, crise de la sécurité sociale, quartiers difficiles des villes...). L'étude des termes sémantiques toujours plus évasifs et indéfinissables de ces discours (narco-terrorisme, crime organisé, zone grise...) montre à quel point ils n'ont pas pour but la description des phénomènes mais l'accusation. Caractéristique de leur dimension internationale, il leur faut retrouver un ennemi à taille « crédible » (pour le maintien des budgets des administrations coercitives), suffisamment vague pour que chacun retrouve son ennemi privé dans cet ennemi public (le voisin immigré d'à-côté, celui qui a du travail...) et attaquant à la fois l'État, les valeurs, l'individu (d'où le thème de la globalisation – du marché, de la mafia... – et de la figure qui l'incarne : l'immigré). Aussi, pour le constituer, ne mettent-ils l'accent que sur les alliances entre les micro-acteurs transnationaux sans évoquer leurs conflits d'intérêts, et ils fantasment une gigantesque « chaîne » de micro-ennemis qui se convertirait en un seul macro-ennemi.

Ainsi, pour ne prendre qu'un exemple, la fin de la bipolarité ne débouche pas sur ce que tous ces auteurs ont appelé une « criminalisation du politique » ou une dissolution du politique (thème bien connu de la corruption des élites et de la démocratie chères à certains extrémistes). Il existe effectivement une transformation du rapport au politique mais qui renvoie à trois phénomènes différents : premièrement, dans les pays dits du Sud on assiste encore plus qu'avant à une sorte d'accumulation primitive du capital par la violence et les trafics dont Marx et Tilly avaient déjà donné les clés [10]. Deuxièmement, au Sud comme au Nord, on constate la transformation des rapports de forces en termes de pouvoir symbolique dans les arènes internationales, et la fin de l'hégémonie de certaines croyances sur le légal et l'illégal, le légitime et l'illégitime, croyances fondées sur un certain rapport à l'État comme producteur d'un droit (légitime) ; les normes occidentales ne s'universalisent certainement pas [112] ; troisièmement au Nord, on voit la mise en question du rôle des élites politiques et de leur rapport à l'argent, ce qui équivaut à un plus de la démocratie [41].

Pour chaque thème évoqué par ces discours – terrorisme, drogue, mafias, crime organisé et plus généralement sécurité intérieure – on peut montrer que leurs incohérences logiques se répètent et tiennent à leur fonction politique de propagande. Ils nient toujours en bloc le caractère politique de ces phénomènes. Ils refusent d'analyser le rôle des services secrets, alors même que les travaux de James Der Derian sur l'antidiplomatie ont bien montré les jeux complexes de « l'entre-deux » entre diplomatie et guerre, et l'impossible simplification entre les mauvais trafiquants et les gentils États démocratiques

[45]. Ils refusent d'analyser les mécanismes de domination des gouvernements *via* le renseignement, les services secrets, et les jeux politiques qui structurent la criminalité organisée (avec parfois un intérêt à la favoriser) [109] durant et après la guerre froide. Bref, ils dualisent entre les bons (États occidentaux) et les mauvais (États, mafias, immigrés infiltrés), et visent plus à troubler et à inquiéter les populations afin de justifier une sécurisation globale qu'à expliquer ces phénomènes. Ainsi, il semble que la perte de référence liée à la disparition de la menace soviétique joue dans le domaine de la sécurité le même rôle que la disparition de l'étalon-or pour le système monétaire international. Nous sommes alors dans une théorie des taux de change flottants concernant les menaces depuis la disparition du point fixe de la menace soviétique. L'incertitude devient autoréférentielle, la bourse des peurs et des fantasmes s'alimente seule et se détache des référents du réel.

Aussi prégnants que soient ces discours sur le chaos, les turbulences post-bipolaires, ou l'inéluctable marche vers la société mondiale, ils nous renseignent donc peu sur les transformations des conflits et même de l'ordre international. Ils sont avant tout des discours essentialistes qui ne peuvent s'ouvrir à des perspectives historiques relativisant leurs fondements théoriques (souveraineté, territoire, frontière, différence eux/nous, ethnie, État). Ils sont encryptés dans leurs prescriptions normatives et ne peuvent s'en dégager. Ils traduisent surtout des peurs, des inquiétudes qui surgissent d'une perte des repères routiniers et sont des tentatives de rassurer à tout prix, de réduire l'incertitude. Dans ce cadre, les intérêts politiques et bureaucratiques ont pris le pas, est-ce étonnant, sur les intérêts académiques et sur la réponse à la question initiale des causes de transformation des conflits. Quel est l'impact de la bipolarité sur les conflits ? La réponse à cette question est loin d'être évidente car la bipolarité n'a jamais été une période de stabilité et la période actuelle n'est absolument pas le chaos que l'on nous décrit, pas plus qu'elle n'est une marche triomphale vers la raison et la civilisation. L'impact sur les conflits de la fin de la bipolarité a donc été beaucoup plus limité qu'on ne l'imagine bien qu'il ait existé [12]. L'étude de la transformation des conflits est alors à mettre en regard avec d'autres causes plus importantes qui jouent sur les trois niveaux simultanément : la clôture du système westphalien, la transformation du rôle de l'État, la subjectivation de la violence à l'échelle individuelle, et qui sont à renvoyer à la question de l'indistinction croissante des délimitations entre interne et externe [146, 147].

Conflits, États et individus : onde ou corpuscule ?

Pour nous, la transformation des conflits est le résultat de l'épuisement du modèle westphalien : à la fois, bien sûr, sous l'angle pratique avec l'indistinction croissante des frontières (globalisation, transnationalisation, réseaux de micro-acteurs), mais aussi sous l'angle symbolique avec la fin de la pertinence de la différence entre l'État et les autres acteurs (subjectivation de la violence, nouveau rapport entre territoire et identité). Elle est donc enracinée dans le long terme et a peu à voir avec la fin de la bipolarité.

La clôture du système westphalien et le monde post-international

Holsti, Tilly, Thomson, Vasquez et Mansbach ont depuis longtemps montré que l'État, dépeint comme monopolisant les ressources coercitives, tant à l'intérieur qu'à l'extérieur, est finalement une création moderne, restreinte à une ère géographique limitée, celle de l'Occident et de quelques pays d'Asie, et que son universalité présumée existe plus dans les manuels de théorie politique que dans les pratiques sociales-historiques.

Nous redécouvrons donc actuellement la multiplicité des acteurs, à la fois parce que l'État occidental lui-même s'érode sous les coups de la globalisation, de l'émergence du transnational, de la multiplication des interdépendances, mais aussi parce que notre regard change. Ce dernier point est crucial mais souvent moins souligné. Si les thèses du désordre et du chaos se réfugient dans les visions apocalyptiques du futur, c'est qu'elles ont naturalisé le système westphalien et dès lors sont incapables d'échapper aux catégories de ce dernier (souveraineté, loi, État). Or, l'impératif contemporain est d'échapper à l'aporie selon laquelle l'État ne peut que se transformer, changer, mais ne peut pas mourir puisqu'il est une « essence » dont seules les formes varient [144]. Les « défenseurs de l'État ne cessent d'invoquer cet argument d'un État changé mais toujours là, même s'il est changé de fond en comble. Peut-être qu'en dessentialisant l'État, en rappelant son caractère de construit social historique, en essayant de penser l'État au lieu de se laisser penser par lui » [19], on pourra pourtant échapper à la circularité du raisonnement justifiant sa permanence à travers tous ces changements. En effet, les catégories essentialistes qui servaient à analyser l'État sont en fait celles qui produisent sa légitimation et son pouvoir symbolique. Souveraineté, loi ne sont pas des catégories d'analyse de science politique sur le pouvoir mais des armes du pouvoir, et c'est parce que l'État souverain westphalien assurait « la tâche vitale de légitimer, de limiter, d'encadrer et de réguler la violence collective, qu'elle soit interne ou externe... à travers ces catégories que ce qui est en jeu, au-delà de la fin de la bipolarité, avec leur remise en cause, c'est l'épuisement du modèle historique de l'État et l'entrée dans un monde post-international » [102]. Le système westphalien comme construit social-historique a fonctionné comme moyen de délimiter les communautés, parce qu'il a mis en place une circularité faisant que la contestation de l'État passe par l'État et toujours plus d'État. L'invention des frontières et du corps collectif de la souveraineté hante toujours notre imaginaire et fait que nous ne pouvons nous déprendre de l'idée d'un pouvoir qui ne soit pas d'État. Ce n'est pourtant qu'en mettant fin à une vision en termes d'objets naturels et en essayant d'éviter de ramener l'Histoire à une détermination ontologique de type spatial que l'on pourra penser la conflictualité indépendamment de la pensée d'État. C'est à cette déconstruction de ce que Rob Walker appelle « les coordonnées cartésiennes de la souveraineté » qu'il faut parvenir.

Nous n'y réussirons que si l'on peut conceptualiser le monde contemporain et les transformations des conflits, de l'État et des relations sociales, en tenant compte à la fois des pratiques engendrées par ces transformations sociales globales liées à la transnationalisation et en brisant une fois pour toutes les prisons intellectuelles dont les murs sont constitués par ces différences de « nature » entre l'interne et l'externe, la société et l'État, la violence physique et le langage, les faits et les représentations [122]. Le premier point a été largement développé. Le second est beaucoup plus difficile.

Les États sont loin d'être les seuls acteurs en conflit sur la scène internationale, y compris dans les guerres interétatiques [35]. Et ceci, bien sûr, n'est pas une conséquence de la fin de la bipolarité comme l'affirment avec outrecuidance certains des auteurs contemporains, cela a commencé dès la fin du XVIIIe siècle, soit moins de cent ans après la formation du système des États. Les « guérillas » furent, dès l'époque napoléonienne, des conflits à ramifications internationales, et elles eurent des réseaux de soutien dans le monde entier, des sanctuaires hors de leur territoire, des bases arrière. Elles prélevèrent économiquement sur les populations de quoi s'armer et furent aussi associées aux bandits. La transnationalité et la multiplication de micro-acteurs ne sont pas neuves. Les luttes politiques internationalistes pour l'idée nationale et laïque, et pour l'idée révolutionnaire, en sont une autre preuve. Le nationalisme est une idée qui s'est propagée transnationalement. Ce furent des sociétés qui entrèrent en lutte le plus souvent et non les seuls États. Il n'y a pas de différenciation puissante au XVIIIe siècle des processus politiques selon les arènes politiques stato-nationales. Le processus d'institutionnalisation de l'État et le renforcement de ses capacités à maîtriser les passages aux frontières ainsi qu'à assurer une pacification interne qui soit de son fait ne débutent réellement qu'au XIXe siècle et on sait qu'auparavant les gouvernants hésitent à exercer leur contrôle sur les formes de violence non étatique [140, 141]. Des marges sont toujours consenties, les gouvernants ne visent nullement un contrôle total (tolérance de certains illégalismes, existence de particularismes régionaux, patronage politique, existence de mafias avec la bénédiction du pouvoir central...) [23, 30]. La construction des nationalismes et de la citoyenneté au XIXe siècle a fortement joué sur l'homogénéisation des identités et sur la hiérarchisation en faveur des identités nationales, renforçant la différence frontalière en la chargeant d'un sens qu'elle n'avait pas autrefois et qu'elle perd de nouveau aujourd'hui. Et c'est le XIXe siècle qui continue de structurer nos systèmes de représentations du politique [139]. Le XXe siècle découvre l'ambition du contrôle totalitaire et la croyance que l'on peut surveiller, contrôler et même réformer tout un peuple. Les victimes en seront innombrables, mais les régimes tomberont. Le contrôle absolu d'un gouvernement, même à l'époque stalinienne ou maoïste, n'a jamais pu devenir une réalité. Il a toujours été programmatique. Ainsi, somme toute, l'ère de la monopolisation de la guerre par les États ainsi que celle de leur croyance en un contrôle absolu de l'interne sont une longue parenthèse (mais néanmoins une parenthèse) à l'égard de la longue durée. Sur le long terme, la normalité statistique est la concurrence sur les ressources de violence et de coercition et non le monopole. La concurrence existait avant l'ère westphalienne, tout comme maintenant elle renaît avec la clôture de la période westphalienne. Si la notion de nouveau Moyen Âge a un sens, c'est en ce qu'elle insiste sur la pluralité des acteurs, sur l'enchevêtrement des frontières identitaires, et sur les concurrences des allégeances possibles. Mais le Moyen Âge n'était pas forcément *un Dark Age* [24, 119]. Il n'est pas synonyme de déclin de la civilisation. Si le « postmoderne » rejoint le « pré-moderne », il n'est pas retour en arrière, décivilisation, bien qu'il puisse choquer par le retour de la cruauté et de la mise en scène de la violence que les gouvernants avaient largement appris à masquer pour pouvoir l'appliquer industriellement.

Il est vrai que les combats en Sierra Leone, au Liberia, au Rwanda, au Zaïre, pour n'en citer que quelques-uns, ont plus à voir avec les formes pré-modernes de conflits qu'avec les guerres entre États du système westphalien. Martin Van Creveld rappelle l'enchevêtrement des raisons politiques, économiques et religieuses dans les conflits avant le XVIIe siècle et le fait que les civils n'avaient pas de statuts, qu'ils subissaient les horreurs des combats sans prendre parti, qu'ils étaient éliminables à merci et que les « bonshommes étaient difficilement reconnus comme des êtres humains ». Il souligne aussi le caractère mercenaire et privé de ces guerres d'avant l'État westphalien qui sont maintenant, dans le post-westphalien, sous-traitées à des entreprises privées de « mercenaires » sous contrat gouvernemental (Icar, Executive Outcomes...) qui allient la haute technologie, la guerre psychologique et le « sale travail ». A-t-on alors un épuisement du modèle clausewitzien de la guerre ? Va-t-on vers un retour aux guerres mercenaires ? Assiste-t-on à la fin de la montée aux extrêmes et de la polarisation duelle au profit d'un modèle florentin d'éclatement des acteurs et des enjeux ? Les guerres de l'après-Westphalie combineront-elles haute technologie et barbarie ? Les mercenaires sont de plus en plus des sociétés privées fières de leurs technologies en termes de *command and control* et de moins en moins des chiens de guerre [130]. Les gouvernements occidentaux ont bien envie de leur déléguer leurs capacités d'intervention au loin. Les combattants, quant à eux, sont de plus en plus sans uniformes et ressemblent à des « civils enragés ». Mais cela ne signifie pas plus d'irrationnel et de désordre. Les diverses guérillas (de Somalie, du Soudan, d'Afghanistan...) sont au contraire de plus en plus organisées et ont des représentations internationales à l'étranger qui émettent des visas pour les étrangers, font payer des droits de passage [80, 103]. Certains gouvernants n'ont d'ailleurs, pour se différencier des groupes organisés, guère que le droit de parler à l'ONU ou devant CNN en priorité. Les tiers intervenants humanitaires sont de plus en plus des acteurs directs et des politiques, et les journalistes sont de moins en moins correspondants de guerre et de plus en plus coproducteurs d'une mise en scène théâtrale faite parfois à coup d'images de synthèse et en studio. Les femmes et les enfants sont de plus en plus partie prenante de ces « affaires d'hommes », contre ou de leur plein gré. Bref, les caractéristiques morphologiques des guerres changent. Les conflits locaux ne sont plus jamais totalement locaux. Les formes de solidarité entre les individus évoluent. Territoire et identités ne sont plus autant liés. Le voisin n'est pas la communauté. Celle-ci peut être dispersée sur la planète mais néanmoins exister. La subjectivation des identités produit un autre rapport au voisin et aux formes de violence.

Subjectivation des identités et violence

Michel Wieviorka et son équipe viennent de publier un ouvrage qui met l'accent sur ce rapport crucial entre identités et violence en analysant à travers le monde (Palestine, Somalie, Japon, Russie, Iran, Irlande, Brésil) des cas de figure où les identités liées à l'hypermodernité restructurent autrement les rapports à la violence. En mettant l'accent sur la crise de la modernité, ces auteurs vont sans doute encore plus loin dans l'explication que les approches sur le cadre international ou la clôture du système westphalien. Michel Wieviorka estime que la crise de la modernité est telle que, désormais, les conflits systémiques de l'ère antérieure ont perdu leur rôle structurant et, en cela, il rejoint les critiques des schémas des internationalistes néo-réalistes. Mais il écarte les explications par la structuration politique et met en avant l'infrapolitique et le métapolitique de la violence contemporaine en insistant sur l'impossibilité de l'acteur de structurer sa pratique dans une relation d'échange plus ou moins conflictuelle. La violence renvoie alors soit à une subjectivité niée, cassée de soi ou de l'autre, soit à une signification non négociable de portée religieuse, idéologique ou éthique [150].

Cette approche nous semble particulièrement éclairante et retrouve, nous semble-t-il, des éléments mis en avant par les auteurs de l'ouvrage collectif sur l'international sans territoire, en particulier dans le rapport à l'infrapolitique [8]. Mais la subjectivation des identités et la modification des solidarités sont à mettre, à notre avis, plus en relation avec le territoire et le politique que ne le fait Michel Wieviorka. Elle n'est pas qu'infrapolitique et n'est pas du tout chaotique. Elle est en relation avec la négation, la hantise de la mort dans l'âge postmoderne du néo-libéralisme et de la consommation (Nietzsche) [45]. Elle est en relation avec une privatisation de la violence empêchant de parler d'organisations combattantes [22, 69]. Nous avons essayé ailleurs de corréler ces deux thèmes de la subjectivation et de la territorialité politique, en insistant sur la capillarisation de la violence, la transnationalité et la contiguïté virtuelle des territoires, la multiplicité des acteurs et leur relative invisibilité, la transformation des rapports de « voisinage » et le jeu des réseaux qui modifient les enjeux du conflit où la lutte pour la reconnaissance s'articule de manière différente avec le rapport au territoire [14]. De nombreuses recherches restent à faire, mais quelques conclusions très provisoires peuvent être tirées de la combinaison de cette subjectivation des rapports de forces et de la microphysique de ces rapports de pouvoir et d'obéissance qui découle de la clôture du système westphalien.

La multiplicité d'acteurs, qui, tout en ayant des distributions de capacités fondamentalement différentes, sont à même de lutter symboliquement et médiatiquement selon un simulacre d'égalité, avec les gouvernements, change le principe de l'affrontement singulier entre deux adversaires de même nature. Bien qu'infimes, ces acteurs « libres de souveraineté » agressent dans leurs fondements les États en remettant en cause leur prétention à être les seules sources de pouvoir légitime sur un territoire délimité par des frontières. Cette attaque plus symbolique que militaire est souvent mal analysée. En effet, ces acteurs ont des capacités souvent fondamentalement différentes et ne peuvent pas s'engager dans un combat militaire sur une base territoriale, d'autant que le déplacement des frontières n'est plus un moyen de terminer une guerre comme le présumaient le concert des puissances et la conception réaliste d'un monde westphalien. Ils doivent donc jouer avec leur faible visibilité, avec une certaine clandestinité pour ne pas être éradiqués. Leurs objectifs sont autres que ceux des gouvernants. Ils ne visent pas la conquête territoriale et l'accès au pouvoir, mais souvent la perturbation et l'accès aux négociations. Ils visent moins l'Avoir que la Reconnaissance. Ils recherchent la dimension symbolique du politique. Le rapport violence et politique n'est donc pas identique à celui qui existe au sein d'un projet de gouvernementalité. Dès lors, les perceptions des acteurs non gouvernementaux sur les enjeux des conflits ne sont pas (et n'ont sans doute jamais été, même pendant la période bipolaire) analysables au sein du même univers social et stratégique que celui des acteurs étatiques dits centraux. Les logiques d'actions des acteurs sont différentes et ne fusionnent pas nécessairement dans l'acte mimétique de tuer. La violence doit être déconstruite en violences [113, 114] et chacune d'entre elles doit être analysée avec minutie, en la regardant au même titre que les autres actes, au sein d'un répertoire d'action possible. Ainsi, si l'on tente une recomposition des significations, le territoire est parfois secondaire aux yeux des organisations non étatiques et c'est avant tout une lutte pour la reconnaissance qui détermine l'enjeu du conflit. Même la victoire militaire ne semble pas déterminante dans certains cas, où, paradoxalement, la défaite militaire peut être une ressource utile au sein d'une stratégie sacrificielle, plus intéressée par la mobilisation symbolique que par la conquête territoriale [112]. Paradoxalement, ces acteurs font moins de mal parfois aux gouvernants directement qu'aux principes de légitimité dont ces derniers disent tirer la justification de l'obéissance des populations. Si, face aux gouvernants d'États, dits en situation d'échec, ils peuvent s'imposer dans les démocraties occidentales, l'effet du combat est souvent inverse et il est raisonnable de penser que la lutte contre les brigades rouges et la mafia a davantage renforcé un État italien évanescent qu'elle n'a affaibli ce dernier [29, 41]. En revanche, la crise de légitimité constatée, y compris dans ces démocraties, leur doit sans doute quelque chose. En amont de la violence se trouve la question de l'obéissance, comme le dit La Boétie.

La multiplicité des acteurs n'est pas tendanciellement réductible à une polarisation en deux groupes alliés. Maintenant, depuis les années soixante-dix, les concurrences entre les acteurs non gouvernementaux peuvent parfois être aussi déterminantes que leur relation au gouvernement pour comprendre leurs modalités d'action violente. Les alliances sont rares, le quotidien est celui des luttes pour la prééminence sur un objet référence parfois réduit concrètement à quelques sites (quartiers d'une ville, campus universitaire, parfois de simples squats). Il y a là une question d'échelle empêchant de parler d'une polarisation duelle. La lutte pour le pouvoir central peut être marginale, au regard d'objectifs beaucoup plus limités, même si leurs discours affirment le contraire. Survivre comme groupe combattant, exister en soi sont des objectifs qui priment sur la conquête du pouvoir. Même lorsque la cause est perdue, voire oubliée, on continuera à se battre pour exister face aux autres micro-acteurs. Peu importe le gouvernement dans ce cas. C'est une microphysique des rapports de forces qui s'instaure *de facto* et ruine la montée aux extrêmes, l'escalade, la réduction duelle.

De plus, maintenant, un certain nombre de conflits se passent entre des réseaux d'acteurs en concurrence qui possèdent chacun des moyens de lutte et des ressources dépassant la plupart du temps le strict cadre « territorial-national-étatique » revendiqué, à travers le biais de technologies qui n'existaient pas auparavant et qui jouent sur cette capacité qui a toujours existé d'agir en réseau. L'échelle locale ou minoritaire se conjugue très souvent avec un espace au-delà du territoire national, qu'il s'agisse de diasporas venant du même pays, de la présence d'un groupe dans de grandes métropoles où existent des minorités subissant le même sort, de rencontres dans l'immigration, de projets idéologiques proches, de solidarités reconstruites à travers la religion. Certains de ces réseaux d'acteurs comme les réseaux palestiniens ont d'ailleurs innové en matière de répertoire d'action avec les détournements d'avion, les prises d'otages... Les groupes combattants diasporisés, ou qui avaient perdu un ancrage territorial, ont vu dans ces pratiques de violence déconnectées d'objectifs militaires leur seule chance de modifier en leur faveur le rapport de forces, les opposant à un ou plusieurs adversaires gouvernementaux en jouant sur le symbolique et la délocalisation. Et, à cet égard, le Liban, comme l'a montré Élisabeth Picard, a été une matrice « locale » d'apprentissage de ces formes de répertoires d'actions transnationaux des Palestiniens par les autres groupes (arméniens, kurdes, mais aussi parfois allemands ou italiens d'extrême gauche ou groupes fondamentalistes) : jeu sur les médias, sur les gouvernements tiers, sur les ONG... De proche en proche, des modalités d'actions différentes vont être apprises dans les années quatre-vingt. Au local patronné, puis au « central-national », décrit par Charles Tilly succéderait alors un troisième répertoire d'action à la fois délocalisé et transnational à l'échelle mondiale [139]. Ce répertoire transnational d'action est sans doute le trait le plus significatif de ce que certains sociologues ont appelé la post-modernité, post-modernité qui est loin d'être uniquement occidentale. Il s'institue comme mode d'expression d'un rejet global d'un système de gouvernement et d'une forme de société. Il est un mode de subjectivation du politique qui « démilitarise » la violence dans certaines de ses formes en lui retirant son caractère organisé et « mobilisateur » de masse. La violence devient affirmation identitaire, singularité de petits groupes, défi lancé par certains acteurs individuels en dehors de toute possibilité de gagner dans un rapport de forces avec les gouvernants ou leurs autres adversaires.

Les acteurs de ces conflits « démassifiés » (tantôt organisations clandestines, milices, minorités combattantes, factions politiques) sont alors dépendants des structures de jeux politiques internes qui clivent les usages de la force, et les empêchent d'espérer de réels changements d'autant que l'eschatologie révolutionnaire s'épuise. La politisation du religieux en terres d'islam ne prendra pas la relève. Hors de celles-ci, les mobilisations n'ont guère les mêmes significations, malgré les amalgames des discours sécuritaires. En revanche, ces jeux politiques transnationaux qui se prolongent au-delà du territoire créent une géographie des sentiments, des solidarités et non une géographie de voisinage [18]. Fondamentalement, comme le souligne François Constantin, la transnationalisation et l'informel internationalisé « démodent » le territoire, et la chronopolitique tend à remplacer la géopolitique. Les mobilisations collectives sont limitées, les assises territoriales aussi. Les réseaux concurrents s'enchevêtrent et l'on se bat contre son voisin. La proximité n'a plus le même sens ; elle ne signifie plus proche en termes de distance, mais proche en termes d'identité, de reconnaissance. On se bat à proximité, contre l'autre, fût-il son voisin, et non contre l'étranger au-delà des frontières. Inversement, on s'allie à des proches distants de milliers de kilomètres contre ces voisins qui sont si autres et distants [129]. Ce processus que l'on appela en son temps balkanisation puis libanisation est un de ceux qui affectent le plus les formes contemporaines de conflit et modifie ce que l'on appelait auparavant des guerres civiles. Non que ces dernières aient disparu (Afghanistan, ou Rwanda), mais même ces guerres civiles sont difficilement polarisées sur un mode binaire, du moins comme elles avaient pu l'être lorsque les nationalismes jouaient à plein. Elles sont de plus en plus immédiatement fractionnées en multiples groupes qui refusent les alliances et cherchent à préserver une certaine autonomie, même là, où, *a priori*, ils ont un sigle commun (Liberia, Bosnie, Kurdistan ou Algérie). Cela explique peut-être l'« ensauvagement » constaté dans certains conflits car le voisin territorial a moins de sens qu'auparavant. La distinction entre un nous et un eux considérés comme l'ennemi ne fonctionne plus sur des bases territoriales. Les ennemis sont multiples et peuvent redevenir à tout moment des adversaires reconnus, voire des alliés, en fonction de l'évolution des rapports de forces. Les alliés d'hier ou les groupes indifférents peuvent en revanche être jugés à tout moment comme des ennemis, même s'ils ne sont pas armés. Les rapports entre les Bosniaques et les Croates, ou les relations des combattants aux civils en Algérie sont des exemples de ces transformations.

Bernard Lepetit évoque les variations d'échelle qui permettent aux acteurs de jouer de registres différents selon les formes de violence dont ils usent au même moment et il met en garde contre la tentation d'unifier le sens de la violence trop rapidement, retrouvant, en des termes plus précis, la notion d'enchevêtrement des conflits développée à l'Institut français de polémologie. Ces variations d'échelle, qui sont tout autant le lot des acteurs que du chercheur, permettent d'aller sans doute un peu plus loin dans cette microphysique des rapports de forces. Les travaux de Rob Walker peuvent nous aider, par une réflexion « swiftienne » remettant en cause nos « perspectives », à aller plus loin dans l'analyse des variations d'échelle [146, 147]. L'espace n'est pas une coordonnée absolue comme l'affirment Euclide, Newton ou Kant, il peut être relatif (Leibnitz, Einstein ou Lao Tseu). Il est loin d'être toujours homogène et territorialisé, borné et « frontaliérisé » [21, 22] ; il peut être hétérogène, polymorphe, multidimensionnel, enchevêtré et parfois même non borné (*Moebius*). Le temps lui aussi n'est pas forcément absolu et linéaire dans son déroulement. Il est sujet à contraction, accélération, réflexivité. Tout est question d'échelle, de regard, de focale. La physique cosmologique n'obéit pas aux mêmes règles que la physique quantique. Les coordonnées espace-temps des États ne sont pas forcément celles des autres acteurs. Comment lire ces dernières ? Comment passer d'une échelle à l'autre, en utilisant des concepts qui n'ont pas les mêmes significations dans les deux registres ? Pouvoir, rationalité, souveraineté, espace, frontière sont-ils, selon les moments et les approches, comme la lumière, parfois onde et parfois corpuscule ?

Didier Bigo

BIBLIOGRAPHIE

1. Alker (Hayward R.), « The Dialectics of World Order », *International Studies Quarterly*, juin 1984.
2. Alker (Hayward R.), « Pour qui sont ces civilisations ? », *Cultures et conflits*, 19-20, automne-hiver 1995.
3. Allison (Graham), Treverton (Gregory F.), *Rethinking America's Security*, New York, Norton et Company, 1992.
4. Aron (Raymond), *Leçons sur l'histoire*, cours du Collège de France, établissement du texte, présentation et notes par Sylvie Mesure, Paris, Éditions de Fallois, 1989.
5. Badie (Bertrand), Wihtol de Wenden (Catherine), *Le défi migratoire. Questions de relations internationales*, Paris, Presses de Sciences Po, 1994.
6. Badie (Bertrand), Smouts (Marie-Claude), *Le retournement du monde. Sociologie de la scène internationale*, Paris, Presses de Sciences Po-Dalloz, 1995, 2ᵉ éd., 251 p.
7. Badie (Bertrand), *La fin des territoires. Essai sur le désordre international et l'utilité sociale du respect*, Paris, Fayard, 1995.
8. Badie (Bertrand), Smouts (Marie-Claude), « L'International sans territoire », Paris, *Cultures et conflits*, 21-22, printemps-été 1996.
9. Barber (Benjamin R.), *Djihad versus McWorld. Mondialisation et intégrisme contre la démocratie*, Paris, Desclée de Brouwer, 1996, 303 p.
10. Bayart (Jean-François), Ellis (Stephen), Hibou (Béatrice), *La criminalisation de l'État en Afrique*, Bruxelles, Complexe, 1997, 167 p.
11. Bertrand (Maurice), *La fin de l'ordre militaire*, Paris, Presses de Sciences Po, 1996.
12. Bigo (Didier), « Les conflits post-bipolaires, dynamiques et caractéristiques », *Cultures et conflits*, 8, hiver 1992.
13. Bigo (Didier), « Mafia, globalisation et fragmentation », *Les Nouvelles littéraires*, numéro sur « La globalisation », 1993.

14. Bigo (Didier), « Grands débats dans un petit monde », *Cultures et conflits*, « Troubler et inquiéter. Les discours du désordre international », 19-20, automne-hiver 1995.

15. Bigo (Didier), « Conflit, guerre et territoire », dans Badie (B.), Smouts (M.-C.) (dir.), « L'International sans territoire », *Cultures et conflits*, 21-22, printemps-été 1996.

16. Bigo (Didier), « L'Europe de la sécurité intérieure : penser autrement la sécurité », dans Le Gloannec (Anne-Marie) (dir.), *Entre Union et nations : l'État en Europe*, Paris, Presses de Sciences Po, 1998, 296 p.

17. Bigo (Didier), « The Moebius Ribbon » ISA, 1997, Toronto, à paraître.

18. Bougarel (Xavier), « État et communautarisme en Bosnie-Herzégovine », Paris, *Cultures et conflits*, « Communautarisme et État », 15-16, hiver 1994, suite à la table ronde de *Cultures et conflits* sur « la géographie des sentiments », Paris, octobre 1993.

19. Bourdieu (Pierre), *Raisons pratiques : sur la théorie de l'action*, Paris, Le Seuil, 1994.

20. Bozarslan (Hamit), « Kurds States Marginality and Security », dans Nolutshungu (Sam C.) (ed.), *Margins of Insecurity, Minorities and International Security*, Rochester, University of Rochester Press, 1996.

21. Bozarslan (Hamit), *La question kurde*, Paris, Presses de Sciences Po, 1997.

22. Bozarslan (Hamit), *La violence et le Moyen Orient*, manuscrit, 1998.

23. Braud (Philippe) (dir.), *La violence politique dans les démocraties européennes occidentales*, Paris, L'Harmattan, 1993, coll. « Cultures et conflits », 415 p.

24. Bull (Hedley), *The Anarchical Society*, New York, Columbia University Press, 1977.

25. Buzan (Barry), *People, State and Fear. The National Security Problem in International Relations*, Brighton, Harvester, 1983.

26. Buzan (Barry), « People, States and Fear, an Agenda for International Security Studies », dans Buzan (Barry), *The*

Post-Cold War Era, 2ᵉ éd., Boulder (Col.), Lynne Rienner, 1991.

27. Buzan (Barry), « New Patterns of Global Security in the Twenty-First Century », *International Affairs*, 67 (3), juillet 1991, p. 431-451.

28. Campbell (David), *Writing Security, United States Foreign Policy and the Politics of Identity*, Minneapolis, University of Minnesota Press, 1992.

29. Catanzaro (Raimondo), « La régulation sociale par la violence. Le rôle de la criminalité organisée dans l'Italie méridionale », dans « La violence politique dans les démocraties européennes occidentales », *Cultures et conflits*, 9-10, printemps-été 1993 (numéro spécial).

30. Catanzaro (Raimondo), « Cosche-Cosa nostra, les structures organisationnelles de la criminalité mafieuse en Sicile », *Cultures et conflits*, 3, automne 1991, p. 9-23.

31. Catanzaro (Raimondo), « La "mafia" et les recherches sur la "mafia" en Italie », *Déviance et société*, 19 (2), juin 1995, p. 201-213.

32. Césari (Jocelyne), *Faut-il avoir peur de l'islam ?*, Paris, Presses de Sciences Po, 1997.

33. Chernoff (Fred), *After Bipolarity, the Vanishing Threat, Theories of Cooperation, and the Future of the Atlantic Alliance*, Ann Arbor (Mich.), University of Michigan Press, 1995, XII-303 p. ; « Troubler et inquiéter, les discours du désordre international », *Cultures et conflits*, 19-20, automne-hiver 1995 ; « Le choc des civilisations à l'heure de la mondialisation », *Esprit*, avril 1996.

34. Czempiel (Ernst Otto) (ed.), *Governance without Government, Order and Change in World Politics*, Cambridge (Mass.), Cambridge University Press, 1994.

35. Czempiel (Ernst Otto), Rosenau (James N.) (eds), *Global Changes and Theoretical Challenges, Approaches to World Politics for the 1990's*, Lexington (Mass.), Lexington Books, 1989, VIII-318 p.

36. Czempiel (Ernst Otto), « *Pax Universalis*, Variationen ber

das Thema der Neuen Weltordnung », *Merkur*, 46 (521), août 1992, p. 680-693.

37. Daudet (Yves), Morillon (Philippe), Smouts (Marie-Claude), *La vision française des opérations de maintien de la paix*, Paris, Montchrestien, Université des Nations unies, Tokyo, 1997, 196 p.

38. David (Charles-Philippe) (dir.), *La fin de la guerre froide*, Paris, Centre québécois de relations internationales, FEDN, 1990.

39. Montbrial (Thierry de), *Ramsès 1991*, Paris, IFRI, 1992.

40. Debray (Régis), *Tous azimuts*, Paris, Odile Jacob, 1989.

41. Della Porta (Donatella), Mény (Yves) (eds), *Democracy and Corruption in Europe*, Londres, Pinter, 1997, VIII-208 p.

42. Delmas (Philippe), *Le bel avenir de la guerre*, Paris, Gallimard, 1995, 281 p.

43. Der Derian (James) (ed.), *International Theory, Critical Investigations*, Basingstoke, Macmillan, 1995, XXII – 407 p.

44. Der Derian (James), *Antidiplomacy, Spies, Terror, Speed and War*, Oxford, Blackwell, 1992, IX-215 p.

45. Der Derian (James), *Virtual Violence : Mimesis in Theory, Politics and War*, manuscrit, Copenhague, 1997.

46. Dillon (Michael), *Politics of Security, Towards a Political Philosophy of Continental Thought*, Londres, Routledge, 1996.

47. Downs (George W.) (ed.), *Collective Security beyond the Cold War*, Ann Arbor (Mich.), University of Michigan Press, 1994, VII-275 p.

48. Duchacek (Ivo D.), *The Territorial Dimension of Politics, Within Among and Across Nations*, Boulder (Col.), Westview Press, 1986.

49. Duclos (Denis), « Les déplacements de la menace », *Cultures et conflits*, 2, printemps 1991.

50. Dufour (Jean-Louis), *Les vraies guerres*, Grenoble, La Manufacture, 1990.

51. Eberwein (Wolf-Dieter), « The Future of International Warfare, toward a Gobal Security Community ? », *Inter-*

national Political Science Review, 16 (4), octobre 1995, 16 (4), p. 341-360.

52. Edelman (Murray Jacob), *The Symbolic uses of Politics*, Urbana (Ill.), University of Illinois Press, 1985, 221 p., first ed. 1964.

53. Edelman (Murray Jacob), *Pièces et règles du jeu politique*, Paris, Le Seuil, 1991, 249 p. (*La couleur des idées*, trad. de *Constructing the Political Spectacle*).

54. Ferguson (Yale H.), Mansbach (Richard W.) (eds), *The State, Conceptual Chaos, and the Future of International Relations Theory*, Boulder (Col.), Lynne Rienner, 1989, VII-127 p.

55. Flory (Maurice), « Ordre et désordre dans le monde », *Cahiers français*, 263, décembre 1993.

56. Fontaine (André), *L'un sans l'autre*, Paris, Fayard, 1991, 372 p.

57. Fukuyama (Francis), « The End of History ? », *The National Interest*, 6, 1989, p. 3-17.

58. Fukuyama (Francis), *The End of History and the Last Man*, New York, Free Press 1992.

59. Geller (Daniel S.), Singer (Joel David) (eds), *Nations at War, a Scientific Study of International Conflict*, Cambridge, Cambridge University Press, 1998.

60. Giddens (Anthony), *Modernity and Self-Identity*, Cambridge Polity Press, 1991.

61. Giddens (Anthony), *The Nation State and Violence*, Cambridge, Polity Press, 1985.

62. Haimson (Leopold II.), Tilly (Charles) (eds), *Strikes, Wars, and Revolutions in an International Perspective. Strike Waves in the Late Nineteenth and Early Twentieth Century*, Cambridge, Cambridge University Press, Paris, Éditions de la Maison des sciences de l'homme, 1989.

63. Halliday (Fred), *Islam and the Myth of Confrontation*, Londres, Tauris, 1995.

64. Hassner (Pierre), « Par-delà le national et l'international, la dérision et l'espoir », dans *La violence et la paix*, Paris, *Esprit*, 1995.

65. Hassner (Pierre), « Les intrus, théorie et pratique des relations internationales », *Esprit*, février 1995.

66. Hassner (Pierre), « Par-delà la guerre et la paix, violence et intervention après la guerre froide », *Études*, 385 (3), septembre 1996, p. 149-158.

67. Hassner (Pierre), « Ni sang ni sol ? Crise de l'Europe et dialectique de la territorialité », *Cultures et conflits*, 21-22, printemps-été 1996.

68. Hermet (Guy), *Le peuple contre la démocratie*, Paris, Fayard, 1989.

69. Héritier (Françoise), *De la violence*, Paris, Odile Jacob, 1995.

70. Holsti (Kalevi J.), « Governance without Government, Polyarchy in Nineteenth-Century European International Politics », dans Rosenau (J.N.), Czempiel (E.O.) (eds), *Governance without Government, Order and Change in World Politics*, Cambridge (Mass.), Cambridge University Press, 1994.

71. Holsti (Kalevi J.), *The State, War, and the State of War*, Cambridge, Cambridge University Press, 1996, XIV-254 p.

72. Holsti (Kalevi J.), *Peace and War, Armed Conflicts and International Order 1648-1989*, Cambridge, Cambridge University Press, 1991.

73. Horshem, « Terrorisme 2000 » traduit par la *Lettre d'information sur le terrorisme* IEPS, Galvez Cantero, décembre 1992.

74. Horshem, « The New Mass Migrations and Internal Security », *Democracy and Security*, 1, avril 1995, GIRIS.

75. Huntington (Samuel P.), « The Clash of Civilizations ? The Debate », avec réponse de Fouad Ajami, *Foreign Affairs*, 72 (4), 1993, p. 11 ; Huntington (Samuel P.), « The Clash of Civilizations », *Foreign Affairs*, 72 (3), 1993, p. 22-49.

76. Huntington (Samuel P.), *Le choc des civilisations*, Paris, Odile Jacob, 1997, 402 p., trad. de *The Clash of Civilizations and the Remaking of World Order*.

77. Huysmans (Jeff), *Making Unmaking the European Disorder*, thèse pour l'université de Leuven, 1996.

78. Hermant (Daniel), Bigo (Didier) (dir.), *Approches polémologiques, conflits et violence politique dans le monde au tournant des années quatre-vingt-dix*, Paris, Institut français de polémologie, FEDN, 1991, 557 p.

79. International Political Science Association (IPSA), base de données et Library of Congress, 460 articles et ouvrages sont consacrés aux relations conflit et bipolarité.

80. Jean (François), *Populations en danger*, Paris, La Découverte, 1995, et « Les acteurs non étatiques dans les conflits », 1998 (manuscrit).

81. Joenniemi (Perti), *Wild Zones, Black Holes and Struggles Void of Purpose, Has War Lost its Name ?* (manuscrit, IPSA, Séoul 1997).

82. Joxe (Alain), *Le cycle de la dissuasion « 1945-1990 ». Essai de stratégie critique*, Paris, La Découverte, 1990.

83. Katzenstein (Peter), Keohane (Robert O.), Goldstein (Judith), *Ideas and Foreign Policy, Beliefs, Institutions, and Political Change*, Ithaca, Cornell University Press, 1993.

84. Katzenstein (Peter J.) (ed.), *The Culture of National Security, Norms and Identity in World Politics*, New York, Columbia University Press, 1996, XV-562 p.

85. Keohane (Robert O.), *Transnational Relations and World Politics*, Cambridge (Mass.), Harvard University Press, 1972.

86. Keohane (Robert O.), Levy (Marc A.) (eds), *Institutions for Environmental Aid, Pitfalls and Promise*, Cambridge (Mass.), MIT Press, 1996, XII-419 p.

87. Klare (Michael T.), « Le sens des priorités », *Le Monde diplomatique*, octobre 1991.

88. Klare (Michael T.), Yogesh (Chandrani) (eds), *World Security. Challenges for a New Century*, New York, St Martin's Press, 1998.

89. Klare (Michael T.), Kornbluh (Peter) (eds), *Low-intensity Warfare, Counterinsurgency, Proinsurgency, and Antiterrorism in the Eighties*, New York, Pantheon, 1988.

90. Krauthammer (Charles), « The Unipolar Moment », dans Lynn-Jones (ed.), *The Cold War and After, Prospects for Peace*, Cambridge (Mass.), MIT Press, 1991.

91. Laïdi (Zaki) (dir.), *L'ordre mondial relâché*, Paris, Presses de Sciences Po, 1992.

92. Laïdi (Zaki), *Un monde privé de sens*, Paris, Fayard, 1994.

93. Lake (David A.), Morgan (Patrick M.) (eds), *Regional Orders, Building Security in the New World*, Pennsylvania State University Press, University Park, 1997.

94. Le Borgne (Claude), « Le désordre stratégique », *Défense nationale*, 1991, 47, mars 1991, p. 51-59.

95. Lebow (Richard N.) (ed.), « Transitions and Transformations, Building International Cooperation », *Security Studies*, 6 (3), printemps 1997, p. 154-179.

96. Lepetit (Bernard) (dir.), *Les formes de l'expérience. Une autre histoire sociale*, Albin Michel, Paris, 1995, 337 p.

97. Leveau (Rémy), « Migrations et imaginaires sociaux : l'épreuve de la guerre du Golfe », dans Badie (B.), Wihtol De Wenden (Catherine) (dir.), *Le défi migratoire. Questions de relations internationales*, Paris, Presses de Sciences Po, 1994.

98. Lieber (Robert J.), « Existential Realism after the Cold War », *Washington Quarterly*, 16 (1), hiver 1993, p. 155-168.

99. Lynn-Jones (Sean M.) (ed.), *The Cold War and After, Prospects for Peace*, Cambridge (Mass.), MIT Press, 1991, XVII-251 p. (International security readers).

100. Mabhubani (Kishore), « The West and the Rest », *The National Interest*, été 1992.

101. Mansbach (Richard W.), « The World Turned Upside Down », *Journal of East Asian Affairs*, 7 (2), été-automne 1993, p. 451-497.

102. Mansbach (Richard W.), Wilmer (Frank), « War and the Westphalian State of Mind », Minneapolis, *ISA Working Paper*, 1998.

103. Marchal (Roland), intervention lors de la Journée d'études *La criminalisation du politique*, Paris, CERI, 1996.

104. McCoy (Alfred W.), *The Politics of Heroin CIA Complicity in the Global Drug Trade*, New York, Lawrence Hill Books, 1991.
105. McCoy (Alfred W.), Block (Alan), *Studies in the Failure of US Narcotics Policy*, Oxford, Westview Press, 1992.
106. Mearsheimer (John J.), « Back to the Future, Instability in Europe after Cold War », *International Security*, 1990.
107. Mearsheimer (John J.), « The False Promise of International Institutions », *International Security*, 19 (3), hiver 1994-1995.
108. Minc (Alain), *La vengeance des nations*, Paris, Grasset, 1991, p. 135-252.
109. Minc (Alain), « Penser l'après-guerre froide », *Trimestre du monde*, 1994.
110. Moreau Defarges (Philippe), « Ordre et désordre dans le monde », *Cahiers français*, 263, décembre 1993.
111. Mueller (John), « Scénarios catastrophes », dans Bigo (D.), Haine (J. Y.), « Troubler et inquiéter, les discours du désordre international », *Cultures et conflits*, 19-20, 1995.
112. Nicolas (Guy), « De l'usage des victimes dans les stratégies politiques, contemporaines », *Cultures et conflits*, 8, hiver 1992-1993, p. 129-163.
113. Pécaut (Daniel), *L'ordre et la violence, évolution socio-politique de la Colombie, entre 1930 et 1953*, Paris, Éditions de l'EHESS, 1987, 486 p.
114. Pécaut (Daniel), « Violence et politique, quatre éléments de réflexion à propos de la Colombie », *Cultures et conflits*, 13-14, printemps-été 1994, p. 155-166.
115. Picard (Élisabeth), dans Apter (David) (ed.), « Pour l'État, contre l'État », *Economica*, 1988.
116. Schmid (Alex P.) (ed.), « World Conflict Map », *PIOOM Newsletter*, hiver 1997.
117. Ravenel (Bernard), « Guerres du Tiers Monde, guerre au Tiers Monde », *Cultures et conflits*, 2, printemps 1991.
118. Reeves (R.), *President Kennedy, Profile of Power*, New York, Simon et Schuster, 1993.
119. Rengger (N.J.), *A Multidinous Influx of Fairy ? Ethics*

and Community in a Neo-Medieval World Order, manuscrit, Copenhague, 1997.

120. Rey (Henri), La peur des banlieues, Paris, Presses de Sciences Po, 1996.

121. Rosenau (James N.), « New Dimensions of Security, the Interactions of Globalizing and Localizing Dynamics », Security Dialogue, 1994.

122. Rosenau (James N.), Turbulence in World politics, a Theory of Change and Continuity, Princeton (N.J.), Princeton University Press, 1990, XVIII-480 p.

123. Rufin (Jean-Claude), L'empire et les nouveaux barbares, Paris, Jean-Claude Lattès, 1991.

124. Saïd (Edward W.), « Clash of Definitions », Working Paper, Harvard, 1997.

125. Saïd (Edward W.), Covering Islam, How the Media and the Experts Determine How we See the Rest of the World, Londres, Vintage, 1997.

126. Saïd (Edward W.), Orientalism, Harmondsworth, Penguin, 1995, nouvelle éd., XI-396 p.

127. Salamé (Ghassan), Appels d'empire, Fayard, Paris, 1996.

128. Schmitt (Carl), La notion de politique et théorie, Paris, Flammarion, coll. « Champs », 1972.

129. Serres (Michel), L'interférence, Paris, Minuit, 1972 ; Feux et signaux de brume : Zola, Paris, Grasset, 1975, ainsi que son dernier ouvrage, Atlas, en particulier sur le « Horlà ».

130. Silverstein (Ken), Privatizing War, http ://www.thenation.com/issue/970728/0728sil.

131. Singer (Joel David), Diehl (Paul Francis) (eds), Measuring the Correlates of War, Ann Arbor (Mich.), University of Michigan Press, 1990, XVIII-285 p.

132. Small (Melvin), Singer (J. David.), Resort to Arms, International and Civil Wars, 1816-1980, Beverly Hills (Cal.), Sage, (1982), p. 21-100.

133. Smouts (Marie-Claude) (ed.), L'ONU et la guerre. La diplomatie en kaki, Bruxelles, Complexe, 1994.

134. Sorman (Guy), En attendant les barbares, Paris, Fayard, 1992.

135. Sterling (Claire), *The Terror Network*, New York, Readers'Digest Press, 1981 ; *La pieuvre, la mafia à la conquête du monde 1945-1989*, Paris, Laffont, 1990, réédité partiellement sous le titre de *Pax mafiosa*.

136. Thomson (Janice E.), *Mercenaries, Pirates, and Sovereigns, State-Building and Extraterritorial Violence in Early Modern Europe*, Princeton (N.J.), Princeton University Press, 1994, X-219 p.

137. Tilly (Charles), *Big Structures, Large Processes, Huge Comparisons*, Nottingham, Russell Press, 1984, XII-176 p.

138. Tilly (Charles), *Contrainte et capital dans la formation de l'Europe, 990-1990*, Aubier, Paris, 1992, 431 p., trad. de *Coercicion, Capital and European States*, Oxford, Blackwell, 1990.

139. Tilly (Charles), « Réclamer *viva voce* », *Cultures et conflits*, 5, printemps 1992.

140. Tilly (Charles), *Les révolutions européennes, 1492-1992*, Seuil, Paris, 1993, 403 p.

141. Torpey (John), *Coming and Going : On the State Monopolization of the Legitimate Means of « Movement »*, à paraître, 1998.

142. Vasquez (John A.), *The Power of Power Politics. A Critique*, Londres, Pinter, 1983.

143. Vasquez (John A.), « Why do Neighbors Fight ? Proximity, Interaction of Territoriality », *Journal of Peace Research*, 32 (3), août 1995, p. 277-293.

144. Veyne (Paul), *Comment on écrit l'histoire*, Paris, Seuil, 1993.

145. Wæver (Ole), Barry (Buzan), Morton (Kelstrup), Pierre (Lemaitre), *Identity, Migration and the New Security Agenda in Europe, Center for Peace Conflict Research*, Copenhagen, New York, St. Martin's Press, 1993.

146. Walker (R.B.J.), Mendlovitz (Saul H.) (eds), *Contending Sovereignties, Redefining Political Community*, Boulder (Col.), Lynne Rienner, 1990, 189 p.

147. Walker (R.B.J.), *Inside-Outside, International Relations*

as Political Theory, Cambridge, Cambridge University Press, 1993, XII-233 p.

148. Waltz (Kenneth N.), *Man the State and War*, New York, Columbia University Press, 1959.

149. Wieviorka (Michel), « Violence, Culture and Democracy, an European Perspective », *Public Culture*, 1996.

150. Wieviorka (Michel), « Un nouveau paradigme de la violence ? », *Cultures et conflits*, printemps-été 1998.

151. Williamson (R.), « The Contemporary Face of conflict », *Janes'Intelligence Review*, 1995.

152. Zartman (Ira William), Rasmussen (J. Lewis.) (eds), *Peacemaking in International Conflict, Methods and Techniques*, Washington DC, United States Institute of Peace Press, 1997, IX-412 p.

153. Zartman (Ira William) (ed.), *Collapsed States. The Disintegration and Restoration of Legitimate Authority*, Boulder (Col.), Lynne Rienner, 1995, 303 p.

154. Zartman (Ira William), « L'islamisme vu des États-Unis », 1, mars, 1995.

Chapitre 13

Y a-t-il une pensée stratégique dans l'après-guerre froide ? [1]

Toute pensée stratégique est-elle morte en 1989, avec l'effondrement pacifique de l'Union soviétique et de son empire ? La disparition de l'URSS et la fin de la bipolarité nous ont-elles privé, en l'absence d'ennemis, de penser le monde, sur un mode politique autant que militaire ? On se rappelle la fameuse boutade de cet homme politique russe, soulignant que dans sa chute l'Union soviétique entraînerait le monde occidental puisqu'elle le privait d'ennemis. Depuis la fin de la guerre froide, experts et praticiens ne cessent de répéter qu'il n'y a plus menaces mais risques, concept dont est absente toute intention, toute volonté ou pouvoir, alors que la notion de menace se réfère à un projet, celui de nuire à autrui, de même que celle de danger, issu du latin populaire *dominiarum*, pouvoir de dominer. Le passage de la menace ou du danger au risque signale une dépolitisation et, corollairement, une désétatisation. Le risque est dif-

----

1. Tous mes remerciements vont à Gérard Chaliand, à Pierre Hassner, à Françoise Prigent et à Bruno Tertrais pour leurs remarques précieuses, ainsi qu'à Marie-Claude Smouts pour ses encouragements.

fus, confus, incommensurable parce que anomique. Comment y faire face autrement que par la prévision et la prévention, par une assurance tout risque qui ne ressemble guère aux stratégies conceptualisées et mises en œuvre de l'ère napoléonienne à la guerre froide ?

Les risques toutefois peuvent avoir un visage, celui, par exemple, de l'Irak proliférateuse, remettant en cause les règles d'un jeu qu'elle accepta formellement en adhérant au traité de non-prolifération (TNP). Si toutefois l'Irak est alors l'ennemi, certainement du Koweït envahi, mais peut-être aussi de la société internationale, les adversaires ne sont-ils pas essentiellement inégaux, d'un côté coalition d'États dont certains étaient parmi les plus puissants au monde, de l'autre un État affaibli par huit années de guerre avec l'Iran et, plus encore, par un régime dictatorial. La guerre se solda par peu de morts d'un côté et de l'autre par le pilonnage de l'armée en déroute. Peut-on là encore parler de stratégie entre acteurs si profondément inégaux, si profondément dissemblables, alors qu'il y avait interaction stratégique, sinon échange nucléaire, entre États-Unis et Union soviétique ? Dissemblables, les deux superpuissances n'en étaient pas moins, à certains égards, symétriques. Le monde de l'après-guerre froide n'est-il pas un monde d'une seule superpuissance, dernier empire universel pour reprendre la formule de Gérard Chaliand ou celle d'Alain Joxe, à la tête d'une alliance ou de coalitions, sans autre équivalent au monde ? Quoi de commun entre l'Amérique et l'Irak, la Libye, l'Iran ou la Corée du Nord, ces États tricheurs (*rogue states*) du système international ? En l'absence d'interaction stratégique, y a-t-il stratégie ?

Mais encore, peut-il y avoir pensée stratégique ailleurs qu'en cet unique pôle de puissance que sont les États-Unis ? Première puissance économique et technologique, première puissance politique et militaire, les États-Unis sont-ils le seul lieu d'une production conceptuelle stratégique, d'autres États, comme la France, la Russie ou l'Allemagne, essayant tant bien que mal, chacune à leur façon, de s'adapter à la nouvelle donne. C'est à cette pensée stratégique – ou à ses prémisses – que nous nous attacherons ici, n'ignorant pas que des stratégies peuvent s'élaborer ailleurs, dans quelque grande puissance du futur, Chine ou Inde, ou encore en marge de non-États, dans des guerres décomposées qui n'appartiennent plus au monde clausewitzien. Malgré ces limites importantes, notre démarche peut se justifier en ce qu'elle prétend retracer l'itinéraire stratégique du monde dominant, monde occidental, américain à l'aube du troisième millénaire. De cette stratégie, on examinera les fins et les moyens, en privilégiant, d'une part, la dissuasion nucléaire ou ce qu'il en reste et, d'autre part, cette « nouvelle frontière » qu'est la révolution dans les affaires militaires, mirage ou réalité.

Lecture américaine du monde

Avec l'implosion de l'Union soviétique et de son empire, extérieur et intérieur, les États-Unis ont triomphé, désormais seule superpuissance au monde. Ce triomphe fut, d'une certaine façon, celui d'une stratégie – ou de stratégies – et des moyens mis en œuvre : l'URSS fut tour à tour enserrée par le *containment*, attirée par la détente dans un réseau de plus en plus dense de relations internationales, et mise à genoux par la supériorité technologique américaine ; elle fut défaite sans que guerre soit livrée, victoire sans engagement militaire, succès indémontrable de la dissuasion nucléaire.

Que faire de ce triomphe ? En d'autres termes, quelle

stratégie succède à la précédente, quels objectifs politiques et militaires relèvent une stratégie qui avait pour objet de défaire l'URSS ? Certains observateurs, américains ou français, reprochent à l'Amérique de Bush et à celle de Clinton l'absence de stratégie, politique et militaire : ainsi le général William Odom de l'Hudson Institute ou encore David Abshire, président du Center for Strategic Studies, déplorent l'absence de claire stratégie, de *grand strategy*. N'oublient-ils pas, ce faisant, qu'il n'y eut pas une stratégie de la guerre froide mais bien des stratégies, contradictoires ou conjointes, et qu'elles furent tout autant contestées ?

Il est vrai que la définition des intérêts nationaux est discutée aux États-Unis mêmes : ainsi les États-Unis doivent-ils intervenir comme les gendarmes du monde, pour faire notamment respecter les règles du jeu international ? Ce débat ne se réduit pas simplement à une dichotomie entre intervention et repli, bien-être domestique et croisade extérieure pour la paix et la démocratie puisque aussi bien les objectifs stratégiques officiels de l'administration présente sont d'assurer la sécurité par l'action diplomatique et militaire, d'asseoir la prospérité du pays et de promouvoir la démocratie [1b]. Ce débat n'oppose pas simplement conservateurs et libéraux mais bien libéraux et libéraux, Michael Mandelbaum par exemple, qui dénonce la complexité de tels engagements, politiques et militaires, et Stanley Hoffmann, « à la défense de Mère Teresa » [19] pour reprendre le titre d'un de ses courts pamphlets, pour qui il est nécessaire d'intervenir car il est de l'intérêt d'une grande puissance de défendre des valeurs et de ne pas permettre qu'on puisse attenter aux règles du jeu.

Cependant, si l'énonciation des intérêts nationaux américains ne fait pas l'unanimité, il n'en demeure pas moins que le consensus paraît se faire sur un point essentiel, celui qui consiste à prévenir et à interdire la constitution ou la reconstitution d'une puissance qui se poserait en concurrent immédiat des États-Unis (*peer competitor*), Eurasie, pour reprendre la terminologie de Zbigniew Brzezinski [9], ou Chine, les autres objectifs étant subordonnés à celui-là, ainsi étendre l'aire démocratique et contraindre les États tricheurs (*rogue states*) qui bafouent les règles internationales en s'engageant dans des conflits interétatiques ou civils, en acquérant des armes de destruction massive...

Au service de ces objectifs politiques ainsi hiérarchisés – et dont certains sont, on l'a dit, controversés –, doit s'appliquer une triple stratégie de prévention, d'interdiction et de défaite, selon l'ancien secrétaire à la Défense William Perry [36] pour qui il s'agit de prévenir les menaces, de les interdire si elles se concrétisent et de les vaincre si elles éclatent. La dissuasion reste ainsi la règle, étant entendu que sa crédibilité repose sur la supériorité militaire des États-Unis et sur leur volonté d'agir jusqu'à la victoire, si besoin était. À cet égard, la subtile modification que subit l'introduction au document *A National Security Strategy of Engagement and Enlargement* entre 1996 et 1997 est révélatrice : dans la version de 1996, il est écrit que l'objectif stratégique majeur est « de renforcer notre sécurité grâce aux forces militaires prêtes à combattre », alors que la version ultérieure ajoute « et à gagner », introduisant un élément propre à dissuader un ennemi éventuel. La notion de dissuasion, telle qu'elle est entendue aux États-Unis, comprend – et comprenait déjà bien avant la fin de la guerre froide – cette dimension d'engagement, d'interdiction, de dissuasion *dans* la guerre (*intra-war deterrence*), étrangère à la doctrine française : pour être crédible, la dissuasion exige que l'on affiche sa détermination et sa capacité de défaire l'ennemi, s'il le faut, de sorte que, dans la pensée stratégique américaine, le combat ne peut être exclu, alors que la pensée stratégique française voulait refuser cette dimension.

Le triomphe de Sun Tse
ou la fin de tout engagement militaire

Si l'engagement ne peut être rejeté comme élément essentiel à la dissuasion, il n'en est pas moins souhaitable de l'éviter, comme la formule de « zéro mort », mise en avant pendant la guerre du Golfe, le soulignait. Moins qu'« une peur du contact » que croient déceler certains spécialistes français, cette stratégie d'évitement se justifie autant par la supériorité passée, par la victoire sans guerre sur l'Union soviétique, que par la supériorité présente, en matériels notamment, supériorité tant quantitative que qualitative. Comme le note Alain Joxe, « la supériorité tactique et stratégique aboutit à la suppression des combats » ([20], p. 313). Et c'est précisément l'effet recherché, car le refus de l'engagement a pour autre motivation d'éviter des morts, toujours inutiles. On rejoint ainsi Sun Tse, fermant une parenthèse clausewitzienne que le XXe siècle avait, de toute façon, largement entamée [1]. « Sans bataille, immobiliser l'armée ennemie, voilà qui est l'excellent », avait écrit Sun Tse en son article 3 ([45], p. 23), Sun Tse qui connaît une renaissance dans cet après-89. Ainsi, si la dissuasion n'exclut pas l'engagement, notamment pour convaincre l'ennemi qu'on est prêt à aller en guerre ou parce qu'au contraire l'ennemi n'aura pas compris qu'il ne doit pas aller plus

---

1. Pour une critique de Clausewitz, voir – après bien entendu Liddell Hart –, John Keegan, *A History of Warfare*, Londres, Pimlico, 1993.

loin, la formule du « zéro mort » de l'après-guerre froide rétablit cependant la dissuasion très en amont de toute action militaire. Il se dessine ainsi une sorte de paradoxe, plus apparent que réel, de la pensée stratégique américaine : on est prêt à combattre pour dissuader mais l'engagement doit être avant tout évité. Aussi bien se dessine une sorte de chassé-croisé des pensées américaine et française puisque, dans la pensée française, la dissuasion est absolue mais l'engagement se fera plus réel, puisque de « zéro mort » il n'est pas question.

Durant la guerre froide, la dissuasion fut avant tout nucléaire. Certes, avec l'introduction d'armes conventionnelles, dites intelligentes, dès les années soixante-dix naquit aux États-Unis le concept de dissuasion conventionnelle. Dans la relation américano-soviétique qui structurait le monde stratégique, la dimension nucléaire n'en était pas moins essentielle. Désormais, elle y est tout à fait à l'arrière-plan puisque, comme le souligne Richard Betts, « la Russie d'aujourd'hui doit être rassurée et non dissuadée » ([6], p. 33). La dissuasion est en somme là comme arme de dernier recours (*weapon of last resort*), ainsi que le formula l'OTAN en 1991, pour prévenir toute reconstitution éventuelle d'une menace russe, voire la constitution de toute menace comme en faisait peser naguère l'URSS. On pense bien sûr à la Chine, de nouveaux plans de frappe devant viser certains sites chinois.

Ce faisant, la dissuasion change de nature puisque son rôle n'est plus essentiel. Mandelbaum énonce que « cette politique de dissuasion est tacite et non explicite, c'est une politique qui consiste à signaler aux gouvernements de Beijing et de Moscou que les États-Unis prennent certaines questions au sérieux et que certaines évolutions susciteraient une réaction de leur part, conduisant à des conséquences non souhaitées. Dans l'après-guerre froide toutefois, la dissuasion implique tout autant de ne pas l'expliciter par des postures rhétoriques, des traités, des déploiements militaires et des stratégies issues de la guerre froide afin de ne pas subvertir ces deux obstacles supplémentaires à des conflits, que sont la persuasion diplomatique et l'évolution intérieure de la Chine et de la Russie » ([27], p. 7). À la dissuasion supplée donc, vis-à-vis de ces deux puissances, une politique d'engagement diplomatique. La révision doctrinale en cour doit répondre à ces modifications, les États-Unis renonçant expressément à mener une longue guerre nucléaire (*protracted war*) pour privilégier une forme de dissuasion « plus pure », même si on est prêt à aller à la guerre et même si des plans de frappe sont retenus, précisément, pour assurer la crédibilité de la dissuasion.

La dissuasion a-t-elle par ailleurs d'autres vertus, ainsi à l'égard d'États tricheurs, ainsi d'États qui se dotent d'armes de destruction massive, au mépris d'engagements internationaux ? Là encore, les analystes américains, tels Michael Mandelbaum, Richard Betts ou Steven Miller, soulignent l'extrême difficulté de recourir à une dissuasion qui ne s'inscrit pas dans un cadre de symétrie bipolaire. Pour s'exercer, la dissuasion nucléaire exige la clarté, clarté s'agissant de l'agresseur, clarté quant à ses intentions, clarté enfin portant sur la réponse. « La logique de la dissuasion est particulièrement claire lorsqu'il s'agit de prévenir une agression massive et non provoquée et lorsque l'agresseur reconnaît qu'il est précisément l'agresseur et non l'agressé. » ([6], p. 33.) Or le propre des « rogues » consiste à emprunter des stratégies biaisées tout en se prétendant vertueux. En l'absence de symétrie, en l'absence de tout semblant d'égalité, les armes d'un tricheur et celles de la puissance américaine ne sont pas identiques, le langage n'est pas le même – de sorte qu'on souligne un peu

362

vite l'irrationalité du tricheur, qui n'est autre qu'une rationalité différente.

Certains analystes craignent par ailleurs un glissement possible de la dissuasion à la frappe nucléaire préemptive, notamment au cas où le tricheur est un proliférateur qui fait peser une menace sur son environnement régional, par une politique de sanctuarisation, voire de sanctuarisation agressive. Explicitant la menace à peine voilée que George Bush avait formulée à l'encontre de l'Irak lors de la guerre du Golfe, la révision doctrinale en cours aux États-Unis souligne cependant la possibilité de représailles nucléaires en cas d'attaques chimiques ou biologiques, mais non celle de frappes préemptives. Cette politique cependant s'inscrit dans un contexte plus large d'une stratégie plus globale de lutte contre la prolifération, comprenant politique de non-prolifération et contreprolifération, dont il sera fait mention plus bas.

Toujours est-il que la révision doctrinale en cours a pour objectif d'adapter à la nouvelle donne la posture nucléaire américaine. Celle-ci souffrait en effet non seulement d'un décalage par rapport à la nouvelle donne de l'après-guerre froide mais encore d'un paradoxe entre une stratégie profondément conservatrice, issue de la guerre froide, et une désaffection, déjà ancienne et cependant croissante à l'égard des armes nucléaires. Comme le souligne Bruno Tertrais [46], la révision de la posture nucléaire, *Nuclear Posture Review*, achevée à l'été 1994, avait entériné le statu quo, toilettant tout au plus la posture nucléaire, sans véritable réorientation d'une dissuasion à l'encontre de l'Union soviétique vers une dissuasion à l'intention d'États tricheurs, alors qu'en même temps se dessinait une dénucléarisation progressive de la stratégie américaine, pour une série de raisons. B. Tertrais en nomme plusieurs, notamment la mise au point d'armes dites intelligentes et le fait que « les États-

Unis n'ont jamais aimé la dissuasion nucléaire, s'efforçant toujours de la dépasser, que ce soit *par le bas* (doctrine d'emploi dans les années cinquante, poussées de fièvre en faveur de la dissuasion conventionnelle depuis les années soixante-dix...) ou *par le haut* (programmes de défense stratégique depuis les années soixante) ». Enfin, on relèvera que les États-Unis n'ont pas besoin de la dissuasion nucléaire : aux yeux de certains, conservateurs ou radicaux, elle peut être dangereuse et contreproductive ([46], p. 79).

D'une part, en effet, elle peut contrecarrer une politique de non-prolifération qui, par des biais multiples, vise à prévenir la prolifération notamment nucléaire. Or, comme le soulignait, en 1996, Fred Iklé, ancien soussecrétaire d'État à la Défense de l'administration Reagan, spécialiste des questions nucléaires, « le nonrecours aux armes nucléaires et la dissuasion ne se renforcent plus l'un l'autre... Des politiques plus ambiguës et plus complexes que la stratégie bipolaire de la dissuasion, désormais obsolète, seront nécessaires pour prévenir le recours aux armes nucléaires » [50]. Alors que la dissuasion nucléaire avait été par le passé un instrument de non-prolifération, notamment par le biais des alliances, elle peut au contraire interférer avec une politique de non-prolifération fondée sur des engagements contractuels (TNP, CTBT...), des garanties négatives de sécurité, etc.

D'autre part, une minimisation du rôle des armes nucléaires, loin d'entamer la prééminence américaine, ne fait que renforcer celle-ci. L'atome, disait-on, avait un pouvoir égalisateur. Les nouvelles armes conventionnelles dont disposent les États-Unis assurent à ceux-ci une supériorité qu'ils ne peuvent craindre de voir ébranlée. Les Aspin, secrétaire d'État à la Défense, l'avait souligné en 1992, pour qui « les armes nucléaires continuent de servir le même objectif, celui d'égaliser les puissances [...]. Si l'on nous offrait une baguette magique pour supprimer les armes nucléaires et toute connaissance les concernant, nous l'accepterions volontiers » [5].

De la sorte, conservateurs et radicaux, partisans utopistes de l'abolition des armes nucléaires et défenseurs de la primauté américaine, se rencontrent d'une certaine façon. Néanmoins, pour certains, comme pour le général George Lee Butler, il s'agit ni plus ni moins d'éradiquer les armes nucléaires. Pour d'autres, il s'agit de préserver, à divers degrés, la dissuasion, tout à fait minimale pour un Paul Nitze, l'ancien négociateur d'accords portant sur le contrôle des armements, qui préfère aux armes nucléaires des armes conventionnelles intelligentes, alors qu'un Brent Scowcroft, par exemple, ancien conseiller pour les questions de sécurité nationale, se demande combien d'armes suffisent. Entre les deux, plane l'ombre des armes nucléaires, qui devraient être reléguées dans des arsenaux virtuels, selon la formule de Michael Mazarr, sorte de plans dans un tiroir, ou qui seraient encore pure suggestion pour George Quester et Victor Utgoff. Toujours est-il que, dans cette perspective, se pose ou se repose la question des alliances : selon ces divers modèles, les États-Unis pourraient-ils, comme par le passé, dissuader une agression dirigée contre un de leurs alliés ?

À cet égard, certains en France pourraient se voir confirmer dans le choix de l'option nucléaire, alors que celle-ci n'en finit pas de s'éroder. Si paradoxe américain il y a, distorsion entre un statu quo préservé jusqu'à la révision doctrinale en cours et une extraordinaire dévaluation du nucléaire, mal-aimé aux États-Unis, la pensée stratégique française est tout autant paradoxale, pour croire triompher alors que, pas plus que l'américaine, elle n'échappe à une remise en cause. On crut voir le triomphe dans l'avènement d'une dissuasion nucléaire minimale, réplique exacte de la doctrine nucléaire française. Au même moment cependant, il s'avérait que le concept français était bel et bien entamé, comme le nota le général Poirier dans sa fameuse *Crise des fondements*, la dialectique conflictuelle Même-Autre n'ayant plus le même sens qu'hier dans l'espace européen, faute d'Autre « menaçant » [37]. Avec la disparition de l'URSS, la doctrine du faible au fort perdait sa prégnance, sans pour autant se renouveler. Paul-Ivan de Saint-Germain ne dit rien d'autre dans le premier chapitre de l'ouvrage du CREST, *Demain, l'ombre portée de l'arme nucléaire* : « L'ensemble de doctrines et de concepts au service desquels étaient mis des matériels répondant à des spécifications précises a soudain perdu sa cohérence... (car) la dissuasion nucléaire [...] ne fonctionne bien que lorsqu'il y a un ennemi à la fois clairement identifié et que l'on pourrait qualifier d'"absolu" [...] il n'y a plus ni doctrine stratégique explicite, ni concept opérationnel certain... Ne reste que l'aspect tactique le plus élémentaire. » ([13], p 17-18.) Bien peu sont ceux qui crurent à l'option d'une dissuasion tournée vers le Sud, tenant dans le creux d'une formule, « dissuasion du fort au fou ». Faute de réinvention doctrinale, de clarification en mal d'innovation, mais peut-être aussi étant donné la complexité de l'après-89, la plupart des responsables politiques et des analystes privilégient le flou, alors que la France n'a pas véritablement ce recours aux armes conventionnelles intelligentes qui fonde l'extraordinaire supériorité de la première puissance au monde.

Le désert des Tartares
ou 2001, Odyssée de l'espace ?

La dissuasion nucléaire mal-aimée, les États-Unis privilégient une politique de force classique, contre l'Irak, ou une diplomatie de non-prolifération, envers la Corée du Nord par exemple ou encore une politique de frappe essentiellement conventionnelle et non nucléaire. Ces différents volets suscitent cependant autant de questions qu'ils n'apportent de réponses. S'agissant de légitimité internationale et du soutien ou non d'alliés, des frappes furent possibles contre l'Irak en raison d'une conjoncture spécifique, celle de l'invasion du Koweït et de la guerre du Golfe – si l'on fait exception de la destruction par Israël de la centrale Osiraq en 1982. S'agissant des conséquences de frappes conventionnelles contre des centres de production et de stockage d'armes nucléaires, biologiques et chimiques, des inquiétudes se firent jour, notamment durant la crise de l'hiver 1997-1998, certains craignant, aux États-Unis ou en Europe, les dangers de contamination. Le recours à des frappes s'inscrit toutefois dans une politique plus complexe de contre-prolifération (Counter-Proliferation Initiative, CPI), devant doter les États-Unis d'une stratégie et de capacités opérationnelles pour prévenir et stopper la production et l'utilisation d'armes de destruction massive, en temps de paix et en temps de guerre. Cette initiative insiste notamment sur l'amélioration du renseignement et des capacités de commande, contrôle et communication, l'élaboration d'une défense passive (abris, vaccins, etc.) et celle de défense active (intercepteurs de missiles de théâtre, inspection et surveillance pour détecter la conception et la fabrication de destruction massive...). Toutefois, ce sont les armes intelligentes et, plus généralement, la révolution dans les affaires militaires qui doivent fournir les recettes de la dissuasion ou des guerres futures.

Les États-Unis ont, en effet, pris la tête d'une révolution technologique, révolution de l'information grâce à une capacité de rebond de l'économie américaine dont les experts américains eux-mêmes, comme le MIT, doutaient il y a quelque dix ans. De la révolution technologique et de la capacité d'incorporer celle-ci dans des armes nouvelles, on ne doutera pas. C'est cette fameuse révolution technique militaire (*Military Technical Revolution*, MTR), dont le maréchal Ogarkov avait pressenti l'émergence dans les années quatre-vingt, estimant certainement qu'elle mettait en danger la puissance soviétique – alors que, dans les années soixante, la révolution scientifique et technique, la RST, aurait dû venir au secours des économies socialistes défaillantes. Au-delà de la MTR cependant, y a-t-il bel et bien une révolution dans les affaires militaires (*Revolution in Military Affairs*, RMA) ?

Une révolution militaire revêt, selon les experts, une quadruple dimension, l'évolution technologique, la mise au point de nouveaux systèmes, l'innovation opérationnelle et l'adaptation des structures. Autrement dit, « une révolution militaire se produit quand l'application de technologies nouvelles aux systèmes militaires se combine à des concepts opérationnels novateurs et s'accompagne d'une adaptation des organisations [1] ».

Reposant sur les technologies de l'information, Andrew Krepinevich et d'autres avec lui notent que trois domaines technologiques s'ouvrent pour modifier de manière révolutionnaire l'art de la guerre, grâce premièrement à « une capacité de localisation, d'identification

---

1. Voir la définition claire de Andrew Krepinevich [22]. Le paragraphe suivant lui est emprunté.

et de poursuite d'un nombre bien supérieur de cibles adverses, dans un volume beaucoup plus vaste, pendant un laps de temps bien plus étendu et avec une efficacité beaucoup plus grande que par le passé », deuxièmement la possibilité de détruire ou de neutraliser « dans un laps de temps relativement court » [...] « des cibles multiples à des distances supérieures » et, troisièmement, des « méthodes permettant d'entraîner et d'équiper les forces beaucoup plus efficacement de façon bien plus rentable que précédemment ». Ces technologies sont ou seront incorporées dans des systèmes d'armes eux aussi révolutionnés, de taille réduite, discrets ou furtifs, mobiles, automatisés, capables de neutraliser plus que de détruire. Sur le plan opérationnel, de nouveaux concepts privilégient des opérations militaires simultanées et non plus séquentielles, à des niveaux de commandement de plus en plus bas, requérant des opérations communes et combinées, engageant conjointement les différentes armes, alors qu'« il sera de plus en plus difficile de définir une ligne de partage nette entre opérations aériennes, terrestres et maritimes » (*jointness*). Enfin, les structures se modifieront radicalement. Alors que la division traditionnelle entre marine, armée de terre et armée de l'air va s'estompant et que la prime à la mobilité requiert de petites unités, les armées du futur épouseront le modèle des entreprises où les échelons intermédiaires disparaissent, décentralisées, l'information primant, comprimées, sophistiquées – inversant la relation entre armées et entreprises, où les secondes avaient naguère imité les premières.

Ainsi, les guerres futures pourraient changer radicalement de nature, grâce à l'information permettant une précision accrue, à une plus grande distance, limitant ainsi l'engagement, privilégiant aussi la neutralisation à l'élimination de l'ennemi. Aux niveaux tactique et opérationnel, la RMA autoriserait « un mode de combat désormais "hyper-intégré", "hyper-rapide" et "hyper-décentralisé" » [47]. Enfin, sur le plan stratégique, l'innovation majeure serait que « la guerre de l'information (deviendrait) un espace de bataille autonome » [47].

La plupart des analystes s'interrogent néanmoins sur la réalité de cette RMA, science-fiction ou guerre du futur, catalogue d'inventions techniques et de systèmes d'armes ou véritable révolution conceptuelle ? Face aux thuriféraires de la RMA, notamment les Toffler qui popularisèrent la notion même de guerre de l'information, les censeurs fustigent le conservatisme et l'inconsistance des décideurs militaires et politiques américains. Conservatisme parce que, à l'exemple de la dernière guerre, les recettes du passé triomphent : la guerre du Golfe ne fut pas la première guerre du futur mais l'application de concepts stratégiques et opérationnels préexistant, comme celui d'Air-Land Battle, mis au point dans les années quatre-vingt pour conduire une bataille contre l'URSS. S'il y a révolution industrielle, technique, économique et sociale menée par les États-Unis, l'establishement répugne à s'y adapter, les yeux fixés, selon Michael Vlahos, « sur la Plaine des Jarres », pensant encore les guerres du passé [...], « la proverbiale dernière guerre » ([49] p. 80). L'avant-dernier examen de programmation militaire, *Bottom Up Review*, conduit en 1993, postule d'ailleurs que les États-Unis doivent être en mesure de faire simultanément face à deux conflits régionaux, analogues à celui du Golfe – sans d'ailleurs, pour certains, s'en donner les moyens financiers, avérant ainsi une certaine inconsistance. La plupart des observateurs, de William Odom à Michael Vlahos et Michael Mazarr, dénoncent l'absence de *jointness*, pourtant célébrée par les révolutionnaires du futur, chaque arme agissant pour soi. En l'absence d'adaptation institutionnelle, au niveau tant opérationnel que stratégique, « les nouveaux armements [...] viennent à être considérés comme la révolution en soi alors qu'ils ne sont que son substitut » ([49], p. 66).

La RMA est-elle alors un devenir ? C'est vraisemblable tant les mutations ne sont pas achevées. Depuis quelque dix à quinze ans, les États-Unis se sont dotés d'un formidable potentiel économique, industriel et technologique. Inscrite dans cette dimension, ancrée dans une société en pleins bouleversements, la RMA n'est encore qu'une potentialité. Si l'on entend cependant penser le futur, certaines questions se posent. Si RMA il y a, quels seront les ennemis ct quels seront les alliés ? La RMA se fonde sur la domination américaine dans le domaine de l'information, *information dominance* [3], domaine dans lequel les États-Unis possèdent un avantage comparatif, pour reprendre l'expression de Joseph Nye et William Owens [34].

Les esprits semblent néanmoins partagés quant au fait de savoir si cette domination absolue, cet avantage comparatif, permettra aux États-Unis de défaire tout ennemi ou si, comme l'affirme Martin Van Creveld, Michael Mazarr ou encore le colonel Kenneth Allard, la révolution informationnelle ne donne précisément aux gueux de la terre les moyens de menacer, voire de défaire les États-Unis, qu'il s'agisse d'États ou d'individus, de « rogues » ou de terroristes, qui pourront mener des guerres ou des guérillas informationnelles, *cyberwars*, pour les premiers, ou *net-wars*, pour les seconds. Pour Kenneth Allard, « il est tout à fait possible d'argumenter que la révolution de l'information est susceptible d'égaliser la puissance entre États riches et pauvres, plutôt que de se concentrer toujours plus dans le monde développé » ([49], p. 85). Ce serait le « pouvoir égalisateur de l'octet ». En revanche, peut-on mener une guerre informationnelle contre un État qui n'a pas les mêmes ressources, État industriel ou État agricole, pour reprendre les catégories de Alvin et Heidi Toffler ? Si les États-Unis entendent prévenir l'apparition de tout *peer competitor*, tel est bien le cas de figure du futur.

Vis-à-vis des alliés, la RMA n'en pose pas moins des questions fondamentales. Permettra-t-elle d'entretenir les alliances ? Joseph Nye et William Owens veulent croire que oui : comme les États-Unis avaient étendu leur protection-dissuasion sur leurs alliés occidentaux, ils pourvoiront et partageront, ils ouvriront leur parapluie informationnel sur l'Alliance ([49], p. 28). Le raisonnement peut néanmoins être tout autant inversé car, dans toute guerre du futur, il est dit que les Américains ne redescendront pas de niveau, en clair ne mèneront plus de guerre industrielle. Aux alliés donc la guerre industrielle et, partant, l'engagement. Loin d'être mercenaire, l'Amérique aura ses fantassins [1].

Si les guerres du futur ne privilégient plus l'interaction, n'y a-t-il plus stratégie ? Il serait bien arrogant de prétendre que les États-Unis n'ont pas de stratégie. Fondée sur une extraordinaire supériorité, politique, économique, industrielle, technologique..., sur un formidable unilatéralisme, celle-ci est à l'ébauche. Toujours est-il aussi que, par stratégie, il faudra entendre non seulement stratégie à proprement parler militaire ; mais aussi tous les instruments diplomatiques qui sous-tendent ou préviennent l'action militaire car, dans ce monde diffus de l'après-guerre froide, la complexité de la stratégie répond à la complexité de l'action.

Anne-Marie LE GLOANNEC

---

1. Par référence au titre d'Alain Joxe [20].

BIBLIOGRAPHIE

1 (a et b). *A National Security Strategy for a New Century*, Washington, février 1996 et mai 1997.

2. Abshire (David M.), « U.S. Global Policy : Toward an Agile Strategy », *The Washington Quarterly*, printemps 1996, p. 41-61.

3. Arquilla (John), Ronfeldt (David), « Cyberwar Is Coming », *Comparative Strategy*, 1993, 12, p. 141-165.

4. Arquilla (John), « The Strategic Implications of Information Dominance », *Strategic Review*, été 1994, p. 24-30.

5. Aspin (Les), *From Deterrence to Denuking. Dealing with Proliferation in the 1990s*, Washington DC, House Committee on Armed Services, février 1992.

6. Betts (Richard), « The New Threat of Mass Destruction », *Foreign Affairs*, janvier-février 1998, p. 26-41.

7. Binnendijk (Hans), Lawson (Patrick), « New Strategic Priorities », *The Washington Quarterly*, printemps 1995, p. 109-126.

8. Boniface (Pascal), *Repenser la dissuasion nucléaire*, Paris, Éditions de l'Aube, 1997.

9. Brzezinski (Zbigniew), *Le grand échiquier. L'Amérique et le reste du monde*, avec une préface de Gérard Chaliand, Paris, Bayard, 1997.

10. Butler (George Lee), « The General's Bombshell », numéro spécial sous la direction de Michael M. Mazarr, *Washington Quarterly*, 20 (3), été 1997.

11. Carpenter (Ted Galen), « Life after Proliferation. Closing the Nuclear Umbrella », *Foreign Affairs*, mars-avril 1994, p. 8-13.

12. Cohen (Eliot), « A Revolution in Warfare », *Foreign Affairs*, mars-avril 1996, p. 37-54.

13. Collectif, *Demain, l'ombre portée de l'arme nucléaire. L'arme nucléaire française en question*, Palaiseau, Cahiers du CREST, 1996.

14. Cropsey (Seth), « Life after Proliferation. The Only Credible Deterrent », *Foreign Affairs*, mars-avril 1994, p. 14-20.

373

15. Daalder (Ivo H.), « What Vision for the Nuclear Future ? », *The Washington Quarterly*, printemps 1995, p. 127-142.
16. Foster (Gregory D.), « America and the World : A Security Agenda for the Twenty-First Century », *Strategic Review*, printemps 1993, p. 20-29.
17. Hoffmann (Stanley), *Duties Beyond Borders*, Ithaca (NY), Syracuse University Press, 1981.
18. Hoffmann (Stanley), « The Politics and Ethics of Military Intervention », *Survival*, hiver 1995-1996, p. 29-51.
19. Hoffmann (Stanley), « In Defense of Mother Teresa. Morality in Foreign Policy », *Foreign Affairs*, mars-avril 1996, p. 172-175.
20. Joxe (Alain), *L'Amérique mercenaire*, Paris, Payot, 1995.
21. Keegan (John), *A History of Warfare*, Londres, Pimlico, 1993.
22. Krepinevich (Andrew F.), « Une révolution dans les conflits : une perspective américaine », *Défense nationale*, 50 (1), janvier 1994, p. 57-71.
23. Krepinevich (Andrew F.), « Cavalry to Computer : The Pattern of Military Revolutions », *The National Interest*, automne 1994, p. 30-49.
24. La Maisonneuve (Éric de), *La violence qui vient*, Paris, Arlea, 1997.
25. Mandelbaum (Michael), « The Reluctance to intervene », *Foreign Policy*, automne 1994, p. 3-18.
26. Mandelbaum (Michael), « Lessons of the Next Nuclear War », *Foreign Affairs*, mars-avril 1995, p. 22-37.
27. Mandelbaum (Michael), *Nuclear Weapons and American Foreign Policy in the Post-Cold War World*, Defense Programs at Sandia National Laboratories, Future Roles Series Paper, 4, mai 1996.
28. Manning (Robert A.), « The Nuclear Age : The Next Chapter », *Foreign Policy*, hiver 1997-1998, p. 70-84.
29. Maynes (Charles William), « Bottom-Up Foreign Policy », *Foreign Policy*, automne 1996, p. 35-53.
30. Mazarr (Michael J.), « Virtual Nuclear Arsenals », *Survival*, automne 1995, p. 7-26.

31. Metz (Steven), « Deterring Conflict Short of War », *Strategic Review*, automne 1994, p. 44-51.
32. Miller (Steven E.), « The Case Against a Ukrainian Nuclear Deterrent », *Foreign Affairs*, été 1993.
33. Müller (Harald), Reiss (Mitchell), « Counterproliferation : Putting New Wine in Old Bottles », *The Washington Quarterly*, printemps 1995, p. 143-154.
34. Nye (Joseph S.), Owens (William A.), « America's Information Edge », *Foreign Affairs*, mars-avril 1996, p. 20-36.
35. Odom (William E.), « Transforming the Military », *Foreign Affairs*, juillet-août 1997, p. 54-64.
36. Perry (William), « Defense in Age of Hope », *Foreign Affairs*, novembre-décembre 1996, p. 64-79.
37. Poirier (Lucien), *La crise des fondements*, Paris, Economica, 1994.
38. « Stratégies et conflits : l'après-demain », *Politique étrangère*, printemps 1997.
39. Posen (Barry), Ross (A.), « Competing visions for US Grand Strategy », *International Security*, 3, hiver 1996-1997.
40. Robb (Carles S.), « Challenging the Assumptions of US Military Strategy », *The Washington Quarterly*, printemps 1997, 2 (2), p. 115-131.
41. Quester (George H.), Utgoff (Victor A.), « No First-Use and Non-Proliferation : Redefining Extended Deterrence », *The Washington Quarterly*, printemps 1994, p. 103-114.
42. Sullivan (general Gordon R.), Dubik (lieutenant-colonel James M.), *Landwarfare in the 21st Century*, US Army War College, février 1993.
43. Sullivan (general Gordon R.), Dubik (lieutenant-colonel James M.), *War in the Information Age*, US Army War College, 1994.
44. Summers (colonel Harry G., Jr.), *The New World Strategy. A Military Policy for America's Future*, New York, Simon and Schuster, 1995.
45. Sun (Tse), *L'art de la guerre*, Paris, Presses Pocket 1993.

46. Tertrais (Bruno), « Les États-Unis : vers un rejet du nucléaire ? », *Défense nationale*, août-septembre 1995, p. 73-82.
47. Tertrais (Bruno), « Révolution dans *quelles* affaires militaires ? », *Relations internationales et stratégiques* (à paraître).
48. Tertrais (Bruno), « Europe's Nuclear Future(s) », *IISS Adelphi Papers* (à paraître).
49. « Policy Forum : Pearl Harbor in Information Warfare ? », *The Washington Quarterly*, 20 (2), printemps 1997.
50. « Special Issue : Nuclear Arms Control », *The Washington Quarterly*, 20 (3), 1997, p. 77-197.
51. Toffler (Alvin et Heidi), *War and Anti-War : Survival at the Dawn of the 21st Century*, Boston, Little and Brown, 1993.
52. Travers (Russell E.), « A New Millennium and a Strategic Breathing Space », *The Washington Quarterly*, printemps 1997, p. 97-114.
53. Van Creveld (Martin), *The Transformation of War*, New York, The Free Press, 1991.
54. Van Creveld (Martin), *Nuclear Proliferation and the Future of Conflict*, New York, The Free Press, 1993.

Conclusion

De la crise d'une discipline
à celle d'une époque ? *

« L'ordre et la connexion des idées, dit Spinoza, est le même que l'ordre et la connexion des choses. » Peut-être en va-t-il de même pour leur désordre et leur déconnexion ? En tout cas, la mondialisation et ses contradictions ne semblent épargner ni la théorie des relations internationales ni la réalité à laquelle elle s'applique.

De la communication sociale [12] à l'ethnicité [8] comme base du nationalisme, de l'état de guerre [50] à l'état de l'État [24], d'expulsion en réintégration de l'État [14] ou du transnational [35], d'État commerçant [37] en État virtuel [38], de gouvernance [11] en turbulences [39] à moins que ce ne soit l'inverse, puisque plus le monde apparaît comme ingouvernable et irresponsable plus les notions de gouvernance [46] et de responsabilité font recette (Badie, *supra*), la théorie des relations internationales et le monde avec elle n'en finissent pas de se retourner [1]. Les débats et les modes cycliques caractéristiques des États-Unis se sont globa-

---

* Une version préliminaire de ce chapitre a été publiée en allemand dans la revue *Transit*, 14, hiver 1977, sous le titre « Die Krise der Demokratie und die Zukunft der Internationaler Ordnung ».

lisés, comme le montrent les réussites successives et contradictoires de Fukuyama [17] et de Huntington [25].

Mais par là même et sans attendre la fin de la guerre froide, leur cadre conceptuel a éclaté aussi bien que leur cadre national [27]. On ne peut pas parler de la théorie des relations internationales et de sa crise sans déboucher sur celles de l'ordre mondial et de la philosophie politique. Notre démarche partira de la première pour aboutir à la dernière, mais sans perdre de vue une question, centrale, celle de la violence à l'intérieur et à l'extérieur, ou des rapports à revoir ou à dépasser, entre, d'une part, l'opposition de la démocratie et du totalitarisme et, d'autre part, celle de la guerre et de la paix.

Par-delà l'équilibre des puissances et la sécurité collective

Même si retournements et éclatements sont, en un sens, aussi vieux que la théorie des relations elles-mêmes puisque, à peine introduits, les schémas classiques étaient, comme le montre plus haut Bertrand Badie, dépassés par Deutsch et Kaplan dès le milieu des années cinquante, la fin de la guerre froide et les années qui l'ont suivie n'en constituent pas moins une de ces rares occasions dans les relations internationales – ou la politique en général – où c'est l'histoire elle-même qui offre l'équivalent d'une expérience de laboratoire. La théorie réaliste (avec ou sans le préfixe *néo*, qui n'a servi qu'à l'éloigner davantage des réalités), fondée sur l'équilibre des puissances par la rivalité des États, n'aurait jamais pu prévoir que l'Union soviétique abandonnerait l'Allemagne et l'Europe de l'Est sans guerre.

Elle a cependant deux circonstances atténuantes. La première est qu'aucune théorie des relations internatio-

378

nales ne l'avait prévu ou n'aurait donné d'instruments pour le prévoir, comme l'a montré l'étude minutieuse d'un excellent historien, John Lewis Gaddis [18] : du moins les autres n'en avaient-elles pas décrété l'impossibilité. Tout le monde avait tort, mais certains avaient plus tort que les autres. La deuxième circonstance atténuante est que la situation qui a suivi la chute du mur de Berlin n'a pas mené, contrairement à ce qu'affirmait l'école idéaliste relayée par les mouvements pacifistes, à « la paix par la loi ». L'espoir que les calculs de puissance et d'équilibre seraient remplacés par un « nouvel ordre mondial » fondé sur la sécurité collective fut rapidement déçu après la guerre du Golfe et, encore plus, après la guerre en ex-Yougoslavie. Le pouvoir des États est sans doute déclinant à bien des égards, mais c'est moins au profit des organisations internationales qu'à celui de forces et de réseaux privés, subnationaux ou transnationaux, économiques ou sociaux.

C'est ainsi qu'au-delà des trois modèles classiques analysés de manière définitive par Inis Claude [7] (équilibre des puissances, sécurité collective, gouvernement mondial) des modèles plus larges ont émergé au cours des dernières décennies dans les discussions universitaires et la conscience du public et ont pris le dessus ces dernières années. On peut les appeler le *marché mondial*, la *société internationale* et la *turbulence transnationale.*

Celui dont les effets sont les plus importants est probablement le premier. Que ce soit sous le nom de marché, d'interdépendance économique ou de mondialisation, la dynamique du capitalisme est encore plus impressionnante que dans la description que Marx en a donnée dans *Le manifeste communiste.* Sa « destruction créatrice », pour reprendre l'expression de Schumpeter [43], transforme non seulement les sociétés mais les mécanismes internationaux, elle désintègre et remodèle des pays considérables par l'attraction de la prospérité, ou par les mouvements de capitaux ou de populations. De plus en plus, elle influence davantage les alignements internationaux que ne le font les mécanismes de l'équilibre diplomatique ou militaire des puissances.

Elle ne supprime pas, cependant, le rôle des États. Au contraire, plus la communication et l'interdépendance s'intensifient, plus une coordination et une régulation accrue sont indispensables. La crise financière asiatique le démontre tous les jours. Mais c'est depuis des décennies que la gestion de l'interdépendance a donné naissance au second modèle, celui de *société internationale*, particulièrement cher à ce qu'il convient d'appeler l'école anglaise, représentée avant tout par Martin Wight, Hedley Bull et Adam Watson [5, 6, 51, 52]. Même en l'absence d'une autorité supérieure, les États s'accordent, tacitement ou explicitement, sur certaines règles de coopération. On peut considérer celles-ci comme purement fonctionnelles et spécifiques à certaines dimensions ou domaines, comme dans la notion de « régimes » surtout développée aux États-Unis, ou comme créant un réseau d'habitudes et d'institutions qui résultent en un ordre international. C'est ce qu'affirment par exemple John Ikenberry [26], dont l'interprétation est centrée sur les institutions économiques internationales, et Michael Mandelbaum [32], pour qui la maîtrise des armements, par la réduction des armements, la transparence et le primat de la défensive, a amené « l'aube de la paix en Europe ». De même, on peut discuter du caractère hiérarchique ou réciproque du système : faut-il parler de « gouvernance sans gouvernement » [11] et de « coopération sans hégémonie » [30], ou d'« hégémonie douce » [34], la puissance hégémonique étant, évidemment, les États-Unis [47] ? En tout cas, ce modèle semble à la fois moins déterministe et moins brutal que la bipolarité ou que l'équilibre multipolaire.

Mais n'est-il pas encore plus fragile ? Ne s'agit-il pas d'un « système pour beau temps » (*fair-weather system*) incapable de résister aux orages d'une crise majeure ? C'est la question soulevée à la fois par la crise asiatique ou celle du Golfe et par le troisième modèle, celui de la *turbulence transnationale* [39]. Quand le thème de la société et de la politique transnationales apparut dans les années soixante, il était proche de celui de l'interdépendance économique [28, 29] : l'accent était mis sur les sociétés multinationales et sur l'intégration. Aujourd'hui, celle-ci est plus que jamais à l'ordre du jour, notamment sur le plan financier avec la mondialisation. Mais on pense particulièrement à l'aspect incontrôlé des mouvements de capitaux, au blanchiment de l'argent sale, au trafic et à la prolifération de la drogue (qui décuple la corruption et déstabilise les États) et à celle des armes, à la criminalité internationale organisée, au terrorisme, aux migrations causées par les persécutions et par les guerres civiles autant que par les stratégies rationnelles des acteurs individuels [49]. Il semblerait que l'alliance ou la combinaison des réseaux financiers, criminels et religieux, favorisées par les réseaux au sens propre de la communication électronique, échappe dans une large mesure au contrôle des États aussi bien qu'à celui des institutions internationales, qu'elle déforme ou bloque la rationalité des mécanismes traditionnels de l'économie aussi bien que celle de la diplomatie et de la guerre. D'où notre second thème.

Par-delà la guerre et la paix

De Hobbes à Aron, en passant par Clausewitz et Max Weber, la philosophie politique occidentale a adopté un cadre conceptuel selon lequel la différence entre les affaires domestiques et internationales tenait à ce que, à l'intérieur, les nations modernes étaient dans un état civil, c'est-à-dire un état de paix où l'État détenait le monopole de la violence légitime, alors que, sur le plan international, elles étaient dans l'état de nature, c'est-à-dire de guerre potentielle où les États se réservaient le droit d'utiliser la force comme solution de rechange à la négociation, la guerre étant la continuation de la politique par d'autres moyens. Cette formulation, et l'hétérogénéité radicale de la politique intérieure et de la politique étrangère qu'elle implique, est propre, à l'intérieur de la théorie des relations internationales, à Raymond Aron plus qu'à Hans Morgenthau, pour qui la recherche du pouvoir est si générale qu'elle semble parfois transcender la différence des rapports entre hommes et entre États [33], mais elle est implicite dans *Man, the State and War*, de Kenneth Waltz [50].

S'il y a une certitude dont nous pouvons partir, c'est bien que ce modèle est de moins en moins satisfaisant. Les sources (dont la plus complète et la plus cohérente est le livre récent de K. J. Holsti [24]) abondent pour montrer que la vaste majorité des conflits violents actuels sont des guerres civiles. Dans ce qu'on pourrait appeler le monde de l'OCDE, l'idée de la guerre entre voisins et rivaux traditionnels, tels que la France et l'Allemagne, ou l'Espagne et le Portugal, ou la Suède et le Danemark, pour la conquête d'une province ou pour la revanche d'une défaite passée, est absolument hors de question. La Grèce et la Turquie constituent, à cet égard, une exception significative parce qu'elle pose précisément la question de leur caractère occidental.

Cette réalité ne peut évidemment pas s'expliquer uniquement par l'effet des armes nucléaires, ou par celui de l'ennemi soviétique commun pendant la guerre froide ou par celui du contrôle commun par les États-Unis aujourd'hui. On peut parler, sans hésiter, d'un déclin de la guerre interétatique entre pays développés.

Mais la reconnaissance de cette remarquable tendance doit être accompagnée d'une extrême vigilance pour ne pas céder à deux tentations : celle de la généralisation ou de l'extrapolation, qui étendrait cette évolution à toute la planète ou à toutes les formes de violence, et celle de l'explication par un facteur unique, qui l'attribuerait entièrement à la démocratie.

Les pages des revues américaines de science politique sont couvertes de discussions autour des deux propositions suivantes : « La prospérité mène à la démocratie, la démocratie mène à la paix. » Il y a de forts arguments en faveur de l'une et de l'autre, mais aussi de nombreuses exceptions dont la portée varie selon la manière dont on définit la démocratie et dont on interprète les nombreuses guerres qui ont opposé des États démocratiques et non démocratiques (voir en particulier les débats dans *International Security* [4]). Même la version la plus restrictive, à laquelle s'est toujours tenu Michael Doyle, dont l'article de 1983 [13] a donné le coup d'envoi du débat, et selon laquelle « les démocraties libérales ne se battent pas entre elles », est loin de représenter le dernier mot sur la question. L'influence modératrice des institutions pluralistes et constitutionnelles et les chances accrues pour les sociétés ouvertes, démocratiques, d'éviter les malentendus réciproques sont certainement des facteurs importants, mais il y en a bien d'autres : le déclin démographique, qui accroît la valeur de chaque vie individuelle pour les sociétés respectives, l'urbanisation, qui diminue la valeur du nombre des hommes et celle des matières premières comme sources de richesse et, surtout, l'individualisme bourgeois. Pour l'auteur de ces lignes, le facteur principal est probablement le fait que les sociétés développées occidentales sont des sociétés civiles, séculières, privées, de « consommateurs sceptiques » selon l'expression de Gellner [19] ou relativistes, pour lesquelles le bien-être personnel et, éventuellement, la compassion ont plus de valeur que la gloire ou le sacrifice pour une cause collective. C'est ce que Benjamin Constant a montré avec une netteté inégalée dans son opposition de la « liberté des anciens » et de la « liberté des modernes », et plus précisément dans sa critique de la Révolution française et de Napoléon pour leur tentative de transformer des modernes en Spartiates et en Romains [9].

Avant de conclure, cependant, qu'après l'immense parenthèse des deux guerres mondiales et des deux grandes révolutions totalitaires, le rêve du XVIIIe et du XIXe siècle, de la paix par le commerce, la science et le libéralisme, se trouve finalement réalisé, il faut tenir compte de deux objections considérables.

Premièrement, il n'y a pas de raison de penser que les sociétés libérales développées soient immunisées contre ce que Freud a appelé « le retour du refoulé », sous la forme de vagues de peur, de haine et de quête de boucs émissaires. Freud souligne que la barbarie des civilisés, qui ne sont plus socialisés dans la culture traditionnellement violente des chasseurs et des guerriers, peut n'en être que plus cruelle et illimitée dès lors que les tabous sociaux et moraux sont brisés [16]. Certainement, l'expérience des régimes totalitaires dans des sociétés développées comme l'Allemagne ou celle des guerres civiles dans des sociétés traditionnellement pacifiques comme le Liban le confirme.

La deuxième objection est encore plus immédiate. Tels les beaux quartiers de certaines grandes villes, les sociétés bourgeoises gouvernées par l'intérêt plus que par la passion sont entourées et pénétrées par des

384

sociétés et des groupes dont le code moral est très différent. À l'Est et au Sud, les guerres résultant de l'effondrement des empires (coloniaux ou communistes) ou de celui de l'ordre intérieur font rage. Elles peuvent porter sur les frontières, sur la constitution des États ou simplement sur des oppositions culturelles, sociales ou religieuses ou sur la lutte pour les meilleures terres ou pour les meilleures chances d'exploiter les populations.

On serait tenté d'opposer un centre pacifique et une périphérie guerrière, s'il ne se trouvait que, précisément, les guerres de la périphérie ne sont pas de vraies guerres, du moins au sens clausewitzien, et la paix du centre n'est pas une vraie paix, au moins au sens de la concorde et de la civilité [36]. Dans les deux cas, il y a montée de l'insécurité, qu'on l'appelle sociale, ou, comme Wæver et ses coauteurs, sociétale [49]. Dans les deux cas, le phénomène central est le déclin ou la disparition de l'État moderne souverain, de son monopole de la violence à l'intérieur et de sa capacité de faire la guerre à l'extérieur. Si l'on veut appeler le centre, du moins en certains de ses aspects, post-national ou post-moderne, on peut penser à la remarque de Robert Cooper selon laquelle le pré-moderne et le post-moderne ont beaucoup en commun : c'est l'État fort des trois derniers siècles qui pourrait constituer une anomalie historique [10].

Au point de vue de la guerre et de la violence, on peut décrire la situation à l'aide d'une formule que j'ai proposée à plusieurs reprises, celle de la « dialectique du bourgeois et du barbare » [21, 22], remplaçant le couple, central chez Raymond Aron, du diplomate et du soldat par une nouvelle version, transformée, de la dialectique hégélienne du maître et de l'esclave. La société bourgeoise conduit à ses conséquences ultimes l'évolution déjà signalée par Hegel – avec la découverte de l'arme à feu – qui mène au remplacement de l'héroïsme et du combat face à face par une technologie distante et impersonnelle. Ce que les stratèges américains, reprenant une expression soviétique, appellent « la révolution des affaires militaires » consiste à substituer la maîtrise de l'information à la destruction clausewitzienne de l'ennemi. La supériorité technologique permettrait de l'aveugler ou de le paralyser sans, à la limite, avoir à livrer effectivement bataille. L'objectif exprimé par la formule « zéro mort » est avant tout d'épargner les vies des combattants américains, mais elle concerne aussi, dans la mesure du possible, celle des populations civiles. La technologie réconcilierait l'intérêt égoïste et la morale humanitaire.

À l'autre extrême, dans le cas du terrorisme et du nettoyage ethnique, en Algérie ou en Bosnie, au Soudan ou au Rwanda, la population civile, loin d'être épargnée, est délibérément prise pour cible comme objet de massacre ou de pillage, de siège ou d'expulsion. Très souvent, des gangs rivaux tendent à se ménager mutuellement et à rivaliser de cruauté ou d'exploitation envers des populations sans défense.

Cette barbarie n'est pas nécessairement le privilège des formes prémodernes de guerre. Les bombardements massifs des Alliés pendant la seconde guerre mondiale, des Américains au Viêt-nam, des Russes en Tchétchénie, montrent que les nouvelles possibilités technologiques et les préoccupations morales des sociétés bourgeoises peuvent facilement être marginalisées par la logique de la force et de la destruction. Si la tendance dominante actuelle conduit à l'embourgeoisement du barbare (c'est ce qui se passe faiblement dans la Serbie de M. Milosevic et plus nettement dans celle de Mme Plavsic), il y a une autre logique qui mène à la barbarisation du bourgeois : c'est la logique de la peur et de l'exclusion, face au terrorisme et à l'immigration. Par une séquence logique, le désordre ou son fantasme peut conduire à la tyrannie.

Si l'on suit les résultats saisissants des recherches de Rudolf Rummel [42], une grande majorité des individus victimes de morts collectives au XXe siècle furent tués par leur propre gouvernement. Toutes les guerres du siècle, y compris les deux guerres mondiales, ont causé environ 35 millions de morts, tandis que les différents génocides et camps de concentration ont tué environ 150 millions d'hommes. Il est difficile de séparer la guerre, la révolution et le génocide ou, pour utiliser le terme plus général proposé par Rummel, le « démocide », mais la leçon à la fois de l'expérience du mal extrême et de la fin de la guerre froide est que le danger totalitaire, émergeant de l'intérieur des sociétés, est plus fondamental et décisif que celui des courses aux armements et des rivalités entre États.

Par-delà l'anarchie et la tyrannie

Nous voici renvoyés des relations internationales aux régimes politiques et, en particulier, aux problèmes actuels de la démocratie. Ils viennent avant tout de la faiblesse simultanée de l'État et de la société civile. Cette faiblesse est particulièrement spectaculaire à l'Est. Pendant le déclin de l'Empire soviétique, dans les années quatre-vingt, la scène semblait dominée par la lutte entre l'État totalitaire et l'émergence d'une société civile dissidente ou résistante. En fait, ce qui est frappant rétrospectivement, c'est qu'il s'agissait d'une épreuve de faiblesse plutôt que de force. Le système brejnevien était essentiellement inerte et s'effondra quand Gorbatchev tenta de le rajeunir. Les sociétés soviétique et est-européennes étaient essentiellement passives à l'exception d'une contre-élite de dissidents, jusqu'au moment où l'effondrement du système par en haut fut évident à tous.

La grande exception, bien sûr, est celle de la Pologne. Mais cette impressionnante manifestation de la société civile face au régime ne conduisit pas à une société civile pluraliste, tolérante et responsable, capable à la fois de gérer les conflits et le changement et d'encourager la confiance réciproque des citoyens, entre eux et avec leur gouvernement. Partout dans les pays ex-communistes, l'avidité individuelle, les réseaux de type mafieux et le cynisme omniprésent semblent plus puissants que le respect pour le droit et les engagements politiques. Quant à l'État, comme l'ont remarqué en particulier Charles Fairbanks [15] et Steven Holmes [23], ce qui caractérise l'État post-totalitaire – par opposition à l'État totalitaire – c'est sa faiblesse, menant au quasi-effondrement de certaines de ses institutions fondamentales comme l'armée, plutôt que sa force. Tout est dans la formule de Steven Holmes : « Un État faible faiblement connecté à une société civile faible. »

À l'Ouest, ces phénomènes sont également présents, mais, dans la plupart des cas, ils sont atténués par des traditions civiques et des structures bureaucratiques précapitalistes qui, comme l'avait prévu Schumpeter [43], sont nécessaires au fonctionnement du capitalisme mais sont rongées par sa « destruction créatrice ». Il en va de même pour certains pays d'Europe centrale qui, malgré le double travail de sape du communisme totalitaire et de la mondialisation capitaliste, gardent, comme l'a montré Jérôme Sgard [45], certaines traces de la culture juridique héritée de l'Empire austro-hongrois ou de l'entre-deux-guerres.

Ce qui est le plus en crise, ce sont la crédibilité et la légitimité des gouvernements et des élites politiques. Après la mort des idéologies globales accompagnée par

la présence croissante de contraintes globales, les arti-
culations traditionnelles de la vie politique tendent à être
remplacées par deux axes : un axe vertical opposant la
technocratie et le populisme, et un axe horizontal qui
oppose les globalistes ou les universalistes aux nationalistes ou aux particularistes. Naturellement, la technocratie et la globalisation contribuent à la montée, par réaction, du populisme et du particularisme.

Entre les deux dimensions, différentes combinaisons
sont possibles. Le national-populisme constitue un
mélange particulièrement naturel, fréquent et explosif.
L'universalisme ou le globalisme technocratiques sont
également logiques. Le nationalisme technocratique,
moins fréquent, n'est pas absent pour autant. La France
et, sans doute, le Japon sont particulièrement riches en
élites technocratiques qui se consacrent au maintien du
pouvoir et de la souveraineté de leur État respectif. Ce
qui manque, c'est la quatrième combinaison : le globalisme ou l'universalisme populistes. Il existe, certes, une
culture populaire globale charriée par les médias, il
existe des mouvements de solidarité ou de compassion
pour « la souffrance à distance » [3], mais il n'y a pas
de véritable articulation politique entre, d'une part, les
élites économiques ou techniques globales ou les contre-
élites humanitaires ou pacifistes et, d'autre part, les
masses populaires. Peut-être le fondamentalisme islamique et des mouvements écologistes comme *Green-
peace* sont-ils les seuls exemples de réseaux plus ou
moins globaux capables de mobiliser une armée relativement permanente de militants.

En général, cependant, ce qui caractérise la situation
présente, c'est la fragilité des entités collectives et des
structures intermédiaires. Même dans les deux cas cités
plus haut, il n'est pas clair si l'« islam » est un sujet
politique ou s'il est divisé entre versions rivales, ou en

compétition avec le nationalisme arabe ou avec des patriotismes émergents centrés sur de nouveaux États-nations, comme le soutient Olivier Roy [41]. De même, l'écologie peut mener à une solidarité globale au nom de la planète ou à des identifications et à des conflits régionaux et nationaux. L'État national est en train de perdre le caractère évident et indiscuté de son identité et de sa légitimité, mais il en va de même pour d'autres identités collectives comme les nations, ou les races, ou pour d'autres organisations ou institutions comme celles qui se situent sur le plan international, qu'il soit universel ou régional.

L'exemple de l'Union européenne est particulièrement frappant. En un sens, son rôle devrait justement consister dans une médiation entre le globalisme et le particularisme, offrant un espace public flexible qui permettrait une diversité de niveaux d'allégeance, de solidarité ou d'activité. Mais elle semble le plus souvent cumuler les inconvénients. Le fédéralisme et la subsidiarité créent, certes, des niveaux supplémentaires de pouvoir mais ils échouent à susciter l'enthousiasme populaire et semblent plutôt fournir un bouc émissaire (« les technocrates de Bruxelles ») au malaise de la globalisation [31] et aux échecs des gouvernements nationaux.

Sur l'axe horizontal, l'Union européenne est critiquée à la fois par les particularistes qui l'identifient à l'interdépendance globale, et donc à l'immigration et à la concurrence étrangère, et par les globalistes étrangers qui y voient un club de riches protectionnistes. Et pourtant, si l'on veut concilier l'aspiration à l'unité et à la stabilité avec les réalités de la complexité et de changement, il n'y a pas d'autre voie que la création d'îlots de légitimité démocratique et de dialogue ; or c'est ce que l'Union européenne, se fondant sur une combinaison d'interdépendance économique, de pluralisme social et de règne du droit, s'est efforcée d'encourager.

Par-delà l'économie et la culture

Ce qu'elle n'a jamais réalisé jusqu'ici c'est une république authentique, au double sens politique et philosophique. Mais en cela elle est plutôt représentative du monde actuel. Celui-ci semble dominé par les contraintes de l'interdépendance économique et par la réaffirmation des identités culturelles. C'est particulièrement évident quand on considère les deux grands mythes simplificateurs qui ont été proposés à partir des États-Unis, depuis la fin de la guerre froide : *La fin de l'histoire...* de Fukuyama [17] et *Le conflit des civilisations* de Huntington [25]. Le premier proclame, en fait, le primat de l'économie, et le second le primat de la culture (en un sens mal défini mais apparemment plus proche du sens allemand de *Kultur* que de celui de *civilisation*).

Mais derrière le conflit de l'économie et de la culture se cache, consciemment ou inconsciemment, un autre conflit plus fondamental, celui de la science (par l'intermédiaire de la technique) et de la religion (qu'elle soit transcendante ou sécularisée à travers le nationalisme).

Ce dernier conflit remonte, bien sûr, au XVIIIe et, en un sens, au XVIe siècle. On pourrait même le considérer comme aussi ancien que le discours rationnel et que la quête humaine du salut.

Les idéologies totalitaires ont essayé de combiner la science et la religion en prétendant à la fois à la certitude et au déterminisme de la science, et à l'exigence de sacrifice ou à la promesse de salut de la religion. Le communisme était surtout une pseudo-science, mais comportait des aspects nettement religieux comme le culte de Staline, l'organisation du parti sur le modèle d'une secte, et le dévouement total des militants. Le nazisme était surtout une pseudo-religion, mais il prétendait être fondé sur une vision scientifique, celle de la lutte et de l'inégalité des races. Tous les deux, conformément à la nature de l'idéologie, s'efforçaient de donner des réponses politiques aux problèmes métaphysiques comme celui de la destinée humaine, et des réponses métaphysiques aux problèmes politiques comme celui de la meilleure organisation sociale ou de la meilleure manière de faire coexister les unités politiques.

Après leur dissolution, nous sommes confrontés à la fois à la dissociation et au heurt direct, sans médiation, des deux séductions dont parle Leo Strauss [48] : celle, universaliste et homogénéisante, de la science (et, en dernière analyse, des mathématiques) et celle, différenciatrice, de la religion (et en dernière analyse, peut-être, de la poésie). Ce qui manque, ce qui serait, aujourd'hui, le plus urgent et le plus nécessaire, c'est une renaissance, une nouvelle différenciation et une nouvelle articulation de ces deux puissances médiatrices qui sont aujourd'hui presque oubliées, écrasées qu'elles sont par le heurt des deux géants. Il s'agit de la politique et de la philosophie.

Pierre HASSNER

BIBLIOGRAPHIE

1. Badie (B.), Smouts (M.-C.), *Le retournement du monde*, Paris, Presses de Sciences Po-Dalloz, 1992.
2. Badie (B.), Smouts (M.-C.) (dir.), « L'international sans territoire », *Cultures et conflits*, 21-22, 1997.
3. Boltanski (Luc), *La souffrance à distance*, Paris, Métaillé, 1993.

4. Brown (M.), Lynn-Jones (S.), Miller (L.), *Debating the Democratic Peace*, Cambridge (Mass.), MIT Press, 1996.
5. Bull (H.), *The Anarchical Society*, New York, Columbia University Press, 1977.
6. Bull (H.), Watson (A.) (ed.), *The Expansion of International Society*, Oxford, Clarendon Press, 1984.
7. Claude (Inis), *Power and International Relations*, New York, Random House, 1962.
8. Connor (W.), *Ethnonationalism The Quest for Understanding*, Princeton (N.J.), Princeton University Press, 1994.
9. Constant (B.), « De l'esprit de conquête et de l'usurpation dans leurs rapports avec la civilisation européenne », dans *De la liberté chez les modernes*, Hachette, 1980, p. 107-160.
10. Cooper (R.), *The Post-Modern State and the World Order*, Londres, Demos, 1966.
11. Czempiel (K.O.), Rosenau (James N.) (eds), *Governance Without Government*, Cambridge, Cambridge University Press, 1992.
12. Deutsch (K.), *Nationalism and Social Communication*, Cambridge, Cambridge University Press, 1966.
13. Doyle (M.), « Kant, Liberal Legacies and Foreign Affairs », *Philosophy and Public Affairs*, 12 (3-4), 1983 ; *Ways of War and Peace*, New York, Londres, Norton and Co, 1997, 2ᵉ partie : « Liberalism », p. 205-315.
14. Evans (P.B.), Rueschmeger (D.), Stockpol (T.) (eds), *Bringing the State back In*, Cambridge, Cambridge University Press, 1985.
15. Fairbanks (C.), « The Withering of the State », *Uncaptive Minds*, 8, été 1995.
16. Freud (Sigmund), « Pourquoi la guerre ? » (1933), dans *Résultats idées, problèmes* II, 1921-1938, Paris, PUF, 1985, p. 203-215.
17. Fukuyama (F.), *La fin de l'histoire et le dernier homme*, Paris, Flammarion, 1992.

18. Gaddis (J.L.), « International Relations Theory and the End of the Cold War », *International Security*, 17 (3), hiver 1992-1993, p. 5-58.
19. Gellner (E.), « Nationalisms and the New World Order », dans American Academy, *Emerging Norms of International Intervention*, Cambridge (Mass.), MITT PRESS, 1993, p. 155.
20. Hassner (Pierre), *La violence et la paix : de la bombe atomique au nettoyage ethnique*, Paris, Esprit, 1995.
21. Hassner (P.), « Relations internationales », dans Canto-Sperber (M.) (dir.), *Dictionnaire d'éthique et de philosophie morale*, Paris, PUF, 1996.
22. Hassner (P.), « Par-delà la guerre et la paix : violence et intervention après la guerre froide », *Études*, septembre 1996.
23. Holmes (S.), « Cultural Legacies or State Collapse. Probing the Postcommunist Dilemma », dans Mandelbaum (M.) (ed.), *Postcommunism. Four Perspectives*, New York, Council on Foreign Relations, 1996, p. 22-76.
24. Holsti (K.V.), *The State, War, and the State of War*, Cambridge, Cambridge University Press, 1966.
25. Huntington (S.), *Le conflit des civilisations*, Paris, Odile Jacob, 1997.
26. Ikenberry (J.), « The Myth of Post-Cold War Chaos », *Foreign Affairs*, 75 (3), mai-juin 1996, p. 79-92.
27. Kaiser (K.), Schwarz (H.P.) (dir.), *Die neue Welt politik*, Bonn, Bundeszentrale für Politische Bildung, 1995.
28. Keohane (Robert O.), Nye (Joseph S.), *Transnational Relations and World Politics*, Cambridge, Harvard University Press, 1972.
29. Keohane (R.), Nye (J.), *Power and Interdependence World Politics in Transition*, Boston, Little Brown, 1977.
30. Keohane (R.), *After Hegemony*, Princeton (N.J.), Princeton University Press, 1984.
31. Laïdi (Zaki), *Malaise dans la mondialisation*, Paris, Textuel, 1997.

32. Mandelbaum (M.), *The Dawn of Peace in Europe*, New York, Twentieth Century Fund, 1996.
33. Morgenthau (H.), *Scientific Man Versus Power Politics*, Chicago, University of Chicago Press, 1945.
34. Nye (J.), *Bound to Lead : the Changing Nature of American Power*, New York, Basic Books, 1990.
35. Risse Kappen (T.), *Bringing Transnational Relations Back In*, Cambridge, Cambridge University Press, 1995.
36. Roche (S.), *La société incivile*, Paris, Seuil, 1996.
37. Rosecrance (R.), *The Rise of the Trading State*, New York, Basic Books, 1986.
38. Rosecrance (R.), « The Rise of the Virtual State », *Foreign Affairs*, juillet-août 1996, p. 45-61.
39. Rosenau (J.), *Turbulence in World Politics*, Princeton, Princeton University Press, 1990.
40. Rousseau (J.-J.), « Que l'État de guerre naît de l'état social », *Œuvres*, Paris, Gallimard-La Pléiade, p. 601-611.
41. Roy (O.), *L'échec de l'islam politique*, Paris, Seuil, 1992.
42. Rummel (R.), *Death by Government*, New Brunswick, Transaction Publ., 1995.
43. Schumpeter (J.), *Capitalisme, socialisme et démocratie*, Paris, Payot, 1990.
44. Semelin (J.), *Quand les dictatures se fissurent*, Paris, Desclée de Brouwer, 1995, en particulier Hassner (P.), « Les révolutions ne sont plus ce qu'elles étaient », p. 241-252.
45. Sgard (J.), *Europe de l'Est. La transition économique*, Paris, Flammarion, 1997.
46. Smouts (M.-C.), « Du bon usage de la gouvernance en relations internationales », *Revue internationale des sciences sociales*, 155, mars 1998, p. 85-94.
47. Strange (Susan), « The Persistent Myth of Lost Hegemony », *International Organization*, 41 (4), automne 1987, p. 551-575.
48. Strauss (L.), *Qu'est-ce que la philosophie politique ?*, Paris, PUF, 1992, p. 44.

49. Wæver (O.) et al., *Identity, Migrations and the New Security Agenda in Europe*, Londres, Pinter, 1993.
50. Waltz (K.), *Man, the State and War : A Theoretical Analysis,* New York, Columbia University Press, 1965.
51. Watson (A.), *The Evolution of International Society*, Londres, Routledge, 1992.
52. Wight (M.), *International Theory : the Three Traditions*, Leicester, Leicester University Press, 1991.

Index des noms de personnes

Abélès (Marc) : 103, 129, 211, 224.
Abi-Saab (Georges) : 139, 143, 155.
Abshire (David) : 358, 373.
Adelkhah (Fariba) : 200.
Adler (Emanuel) : 228, 244.
Aglietta (M.) : 275.
Agnew (John) : 170, 171, 172, 179.
Ajami (Fouad) : 348.
Akerlof (G.) : 144.
Albert (M.) : 275, 276.
Alker (Hayward) : 325, 343.
Allan (Pierre) : 30.
Allard (Kenneth) : 371.
Allison (Graham T.) : 18, 80, 81, 82, 83, 84, 85, 86, 87, 88, 91, 98, 317, 343.
Almond (Gabriel A.) : 92, 93, 98.
Amin (Samir) : 20, 205.
Amsden (A.H.) : 275.
Andersen (Svein) : 129.
Anderson (Benedict) : 66, 72.
Anderson (Perry) : 29.
Appadurai (Arjun) : 66, 67, 72.
Apter (David E.) : 99, 351.
Archibugi (Daniele) : 155.
Arcy (François d') : 131.
Arendt (Hannah) : 188, 190, 200.
Aron (Raymond) : 16, 37, 41, 55, 72, 76, 98, 106, 137, 155, 343, 381, 382, 385.
Arquilla (John) : 373.
Ashley (Richard) : 29.
Aspin (Les) : 364, 373.
Axelrod (Robert) : 146, 147, 155, 158.

Bachelard (Gaston) : 187.
Bachrach (P.) : 98.
Badie (Bertrand) : 24, 55, 72, 78, 79, 98, 165, 166, 167, 179, 224, 275, 305, 343, 344, 350, 377, 378, 392.
Badiou (Alain) : 190, 200.
Ball (Nicole) : 299, 305.
Ballantine (Karen) : 307.
Balme (Richard) : 177, 179.
Banks (Michael) : 20, 29.
Baratz (M.S.) : 98.
Barber (Benjamin R.) : 343.
Barker (E.) : 126, 129.
Bayart (Jean-François) : 21, 275, 343.
Bélanger (Louis) : 238, 239, 244.
Bellier (Irène) : 103.
Bendor (Jonathan) : 98.
Bergson (Henri) : 187.
Berlin (Isaiah) : 227, 244.

Furet (François) : 187.
Furtado (C.) : 20.

Gaddis (John Lewis) : 379, 394.
Galbraith (John Kenneth) : 237, 245.
Galtung (Johan) : 20, 31.
Gamble (Andrew) : 174, 180.
Garrett (Geoffrey) : 109, 110, 130, 245.
Gates (Bill) : 223.
Gauchet (Marcel) : 189, 200.
Gaulle (Charles de) : 84, 105.
Geller (Daniel S.) : 347.
Gellner (Ernest) : 47, 56, 61, 64, 71, 73, 243, 245, 384, 394.
Généreux (J.) : 276.
George (A.L.) : 85, 89, 99.
Gholz (Eugene) : 305.
Giddens (Anthony) : 14, 27, 31, 193, 196, 197, 198, 199, 201, 347.
Gilder (George) : 206, 207.
Gill (Stephen) : 21, 31, 156.
Gilpin (Robert) : 31, 137, 156, 256, 276, 304, 305.
Goetz (Edward) : 177, 179.
Goldmann (Kell) : 30.
Goldstein (Judith) : 99, 228, 229, 234, 245, 246, 250, 349.
Gorbatchev (Mikhaïl) : 149, 295, 387.
Grabendorf (Wolf) : 245.
Gramsci : 21.
Granovetter (Mark) : 209, 210, 224.
Greenwood (Justin) : 130.
Gregory (Derek) : 169, 180.
Grieco (Joseph M.) : 156.
Groom (A.J.R.) : 13, 17, 19, 21, 29, 30, 31, 32.
Gross-Stein (Janice) : 149, 158.
Grotius (H.) : 18, 39, 56.
Grundmann (Reiner) : 220.
Guichaoua (André) : 156.
Gurr (T.R.) : 297, 306.
Guzzini (Stefano) : 216.

Haas (Ernst) : 73, 103, 106, 107, 114, 130, 142, 156, 246.

Haas (Peter) : 217, 225, 228, 229, 244.
Haas (Richard) : 295, 306.
Habermas (Jürgen) : 71, 151.
Haendel (M.) : 45, 56.
Haimson (Leopold H.) : 347.
Hall (Peter) : 234, 235, 236, 246, 248, 249, 250.
Halliday (Fred) : 347.
Halperin (Morton H.) : 18, 85, 98, 99.
Hammond (Thomas H.) : 98.
Hannerz (Ulf) : 73.
Harff (B.) : 297, 306.
Hart (Liddell) : 360.
Harvey (David) : 73, 163, 180, 189, 193, 198, 199, 201.
Hasenclever (Andreas) : 156.
Hassner (Pierre) : 16, 18, 24, 28, 31, 47, 56, 60, 73, 325, 347, 348, 355, 392, 394, 395.
Hegel (Friedrich) : 385.
Held (David) : 155, 156, 157.
Henley (J.S.) : 277.
Héritier (Adrienne) : 130.
Héritier (Françoise) : 348.
Hermant (Daniel) : 349.
Hermet (Guy) : 201, 249, 348.
Herring (E.) : 231, 248.
Hettne (Björn) : 174, 175, 180.
Hibou (Béatrice) : 276, 343.
Hirschman (Albert) : 236, 237, 240, 246, 256, 260, 276.
Hobbes (Thomas) : 18, 37, 40, 42, 56, 381.
Hoffmann (Stanley) : 16, 52, 56, 106, 107, 110, 130, 131, 358, 374.
Hollis (Martin) : 17, 31.
Holmes (Steven) : 388, 394.
Holsti (Kalevi J.) : 296, 304, 306, 329, 348, 382, 394.
Holsti (O.) : 88, 89, 91, 99.
Hooghe (Liesbet) : 131.
Horowitz (Donald) : 73.
Horshem : 348.
Horsman (Mathew) : 56, 73.

400

401

402

403

Index thématique

ALENA : 173.
Amérique latine : 27, 29, 44, 216, 229, 235, 236, 268.
APEC : 175, 176.
ASEAN : 173, 176.
Asie : 44, 46, 52, 63, 64, 74, 175, 176, 255, 268, 274, 284, 290, 324, 330.

behaviorisme : 16, 17, 18, 47, 212.
bipolarisme : 12, 42, 281-289, 294, 302, 309-314, 320, 323-331, 349, 355, 381.

Chine : 171, 176, 184, 288, 324, 325, 357, 359, 361, 362.
Choix rationnel (*rational choice*) : 21, 23, 81, 97, 109, 235.
communication : 25, 26, 61, 66, 68, 69, 82, 84, 95, 127, 129, 139, 148, 151, 153, 195, 198, 206, 216, 218, 231, 315, 367, 377, 380, 381.
conflits : 254, 256, 260, 264, 270, 273, 282-284, 309-342.
constructivisme : 14, 22, 23.
contreprolifération : 290, 363, 367.
coopération internationale : 6, 12, 20-23, 50, 70, 105-107, 135-155, 174-177, 255, 260, 380.

croyances : 45, 46, 89, 90, 124, 217, 234, 236, 327.
culture : 9, 13, 19, 20, 27, 29, 30, 39, 45-48, 60-71, 126, 166, 189, 222, 259, 286, 292, 298, 301, 316-318, 324, 384-391.

décision : 6, 18, 22, 24, 25, 27, 75-98, 101, 110, 111, 117, 119, 123, 128, 143, 144, 145, 214, 263, 265.
démocratie : 7, 27, 28, 29, 71, 78, 80, 108, 119, 185, 227-233, 241, 282, 298-300, 315, 318, 327, 338, 343-345, 348, 358, 378, 383, 387, 395.
démocratie cosmopolite : 136, 155.
démographie : 51, 54.
dépendance : 1, 21, 41, 49, 61, 62, 96, 107, 131, 205, 208, 255, 260, 261, 264, 265, 270, 303.
développement : 4, 29, 30, 46, 54, 61, 62, 66, 115, 121, 139, 141, 149, 153, 167, 174, 176, 190, 194, 206, 207, 216, 219, 220, 221, 223, 228, 235-238, 243, 246, 261, 263, 265, 269, 270, 272, 275, 293, 295, 301, 309, 319.
diplomatie : 18, 20, 50, 77, 214, 216, 231, 309, 327, 352, 367, 381.
dissuasion : 43, 309, 311, 349, 357-372, 382.

domination : 41, 65, 152, 205, 213, 255, 260, 328, 371.

drogue : 68, 270, 271, 273, 313, 321, 327, 381.

droit international : 18, 38, 39, 62, 135, 137, 139, 140, 141, 155, 159.

école anglaise : 16, 17, 18, 19, 380.

Économie Politique Internationale : 234-239, 253-254.

environnement : 51, 62, 79, 80, 107, 121, 124, 127, 136, 151, 152, 204, 213, 214, 220, 272, 282, 317, 363.

epistemic communities : 148, 217, 225, 244.

éthique : 24, 25, 54, 223, 240, 335, 394.

Europe communautaire : (voir Union européenne).

fédéralisme : 52, 105, 118, 119, 130, 142, 390.

flux transnationaux : 18, 19, 20, 27, 46, 52, 64, 67, 68, 203, 204, 208, 215, 231, 260, 261, 273, 291, 293, 294, 321, 326, 339, 340, 351, 379.

géographie : 1, 7, 26, 27, 53, 164, 168, 169, 170, 171, 172, 178, 180, 181, 281, 340, 344.

géopolitique : 26, 27, 62, 80, 170, 171, 172, 191, 192, 325, 340.

globalisation : 5, 49, 51, 60-69, 114, 163, 174, 176, 177, 199, 318, 322, 326, 329, 330, 343, 389, 390.

gouvernance : 6, 16, 17, 25, 26, 105, 120-131, 135, 136, 149-154, 159, 243, 316, 377, 380, 395.

guerre : 8, 9, 12, 15, 16, 18, 19, 20, 21, 24, 25, 28, 29, 39, 41, 42, 45, 51, 55, 56, 58, 72, 84, 85, 92, 99, 108, 126, 135, 137, 138, 139, 142, 155, 164, 191, 219, 235, 236, 237, 240, 253, 254, 258, 262, 263, 281-305, 309-342, 344, 346, 348, 351, 352, 355, 372, 375, 392, 393, 394, 395.

guerre du Golfe : 319, 360, 363, 370, 379.

guerre froide : 8, 11, 14, 26, 28, 42, 80, 90, 93, 100, 108, 138, 149, 150, 167, 188, 190-195, 218, 223, 281, 283-287, 295, 296, 300, 313, 328, 346, 348, 351, 355-363, 372, 378, 382, 387, 391, 394.

hindouisme : 292.

histoire : 7, 11, 15, 16, 19, 20, 42, 45, 46, 47, 51, 76, 90, 98, 126, 127, 139, 165, 171, 184, 185, 186, 190, 199, 202, 203, 227, 240, 243, 244, 253, 262, 263, 269, 281, 286, 300, 312, 313, 343, 350, 353, 378, 391, 393.

idéalisme : 15, 16, 138, 316.

idées : 15, 16, 27, 29, 55, 60, 65, 111, 112, 125, 126, 148, 159, 184, 185, 186, 194, 205, 227, 228, 229, 232, 234, 235, 236, 237, 238, 239, 240, 242, 243, 244, 274, 293, 299, 314, 324, 347, 377, 393.

identitarisme : 63.

identité : 8, 22, 23, 69, 70, 71, 80, 159, 167, 170, 175, 217, 259, 292, 293, 297, 312, 322, 325, 329, 332, 335, 336, 341, 390, 391.

institutions internationales : 153, 211, 381.

intégration : 5, 23, 24, 42, 50, 52, 54, 63, 64, 66, 70, 103, 104, 105, 106, 107, 108, 109, 110, 113, 114, 115, 116, 117, 118, 121, 123, 127, 128, 129, 134, 143, 169, 175, 205, 215, 216, 255, 259, 318, 319, 377, 381.

intégration régionale : 51, 52, 219, 262.

interactions : 7, 14, 19, 20, 21, 26, 27, 28, 121, 136, 141, 169, 253, 255, 258, 259, 260, 292.

interdépendance : 49, 54, 66, 104, 106, 108, 142, 144, 169, 220, 256, 260, 314, 318, 330, 379, 380, 381, 390, 391.

Collection Références

Références inédites

Philippe Braud, *L'émotion en politique.*
Gilbert Rist, *Le développement. Histoire d'une croyance occidentale.*
Denis Retaillé, *Le monde du géographe.*
Olivier Dabène, *La région Amérique latine. Interdépendance et changement politique.*
Gilbert Étienne, *Chine-Inde, Le match du siècle.*

Références académiques

Francis de Baecque, Jean-Louis Quermonne, *Administration et politique sous la Cinquième République.*
Georges Balandier, *Sociologie des Brazavilles noires.*
Jean-François Bayart, *L'État au Cameroun.*
Pierre Birnbaum, Jean Leca, *Sur l'individualisme.*
Guy Bois, *Crise du féodalisme.*
Jacques Capdevielle et al., *France de gauche, vote à droite ?*
Hélène Carrère d'Encausse, *Réforme et révolution chez les musulmans de l'Empire russe.*
Cevipof, *L'électeur français en questions.*
Michel Debré, Nicolas Wahl, *Naissance de la Cinquième République.*
Alain Dieckhoff, *Les espaces d'Israël.*
Michel Dobry, *Sociologie des crises politiques.*
Olivier Duhamel, Jean-Luc Parodi, *La Constitution de la Cinquième République.*
Jean-Baptiste Duroselle, *La France de la « Belle Époque ».*
Daniel Gaxie, *Explication du vote.*
Zaki Laïdi, *L'ordre mondial relâché.*
Rémy Leveau, *Le fellah marocain, défenseur du trône.*
Rémy Leveau, Gilles Kepel, *Les musulmans dans la société française.*
Jacques Lévy, *Géographies du politique.*

Jacques Mairesse, *Emploi et chômage.*

Nonna Mayer, Pascal Perrineau, *Le Front national à découvert.*

Yves Mény, *Idéologies, partis politiques et groupes sociaux.*

Janine Mossuz-Lavau, *André Malraux et le gaullisme.*

Marguerite Perrot, *Le mode de vie des familles bourgeoises,* 1873-1953.

Nicole Racine, Louis Bodin, *Le Parti communiste français pendant l'entre-deux-guerres.*

Bruno Rémond, *Sirius face à l'histoire.*

Pierre Renouvin, René Rémond, *Léon Blum, chef de gouvernement (1936-1937).*

Renaud Sainsaulieu, *L'identité au travail.*

Renaud Sainsaulieu, *L'entreprise, une affaire de société.*

Lucien Sfez, *Critique de la décision.*

Roger Thabault, *Mon village.*

Références OFCE

Jean-Paul Fitoussi, *À l'Est, en Europe. Des économies en transition.*

Jean-Paul Fitoussi, *Entre convergences et intérêts nationaux : l'Europe.*

Jean-Paul Fitoussi, Philippe Sigogne, *Les cycles économiques* (tome 1).

Jean-Paul Fitoussi, Philippe Sigogne, *Les cycles économiques* (tome 2).

Jean-Paul Fitoussi, Jacques Le Cacheux, *L'élargissement à l'Est de l'Europe.*

Jacques Le Cacheux (dir.), *Élargissement de l'Europe : la nouvelle vague.*

Pierre-Alain Muet, *Le chômage persistant en Europe.*

Taux d'intérêt et chômage. Deuxième rapport du GIPE de l'OFCE.

Pour l'emploi et la cohésion sociale. Troisième rapport du GIPE de l'OFCE.

Jacques Le Cacheux (dir.), *Europe. La nouvelle vague. Perspectives économiques de l'élargissement.*

Transcodé et achevé d'imprimer
par l'Imprimerie Floch
à Mayenne, le 21 août 1998.
Dépôt légal : septembre 1998.
Numéro d'imprimeur : 43998.
Imprimé en France.